図解

3訂版

なるほど！ これでわかった

よくわかる これからのマーケティング

マーケティングはどのような手順で進めるべきか？
「流れで読み解く」のが成功への近道。
マーケティングの基本から、SNS・Web関連の
最新状況までを網羅した最新版

金森 努

同文舘出版

はじめに

『図解 よくわかるこれからのマーケティング』は、２０１０年刊行の初版より、本書で三訂版を発刊することができた。読者と編集部、ご支持・ご支援くださったみなさまに厚く御礼を申し上げたい。

▼マーケティングを体系的に捉える

本書では一貫して、マーケティングは「環境分析→顧客分析→施策立案（４Ｐ）」という「流れ・全体像」で考えるべきと主張してきた。「マーケティングは難しい」「よくわからない」という方の多くは、この「全体像」がアタマに入っておらず、「施策立案（４Ｐ）」の部分だけで考えている場合が多い。その傾向は、いわゆる「デジタルマーケティング」「Ｗｅｂマーケティング」や「ＳＮＳマーケティング」という言葉が注目され、「マーケティング」の同義語として扱われるようになってから、さらに加速している。「デジタル」「Ｗｅｂ」は手法であり、「ＳＮＳ」を活用するのは「施策」のひとつ、プロモーションの一部に過ぎない。

それ故、本書では筆者がマーケティング講師として研修・セミナーで用いている「環境分析→顧客分析→施策立案」という「全体像」の図が繰り返し登場し、「今、どこを考えるべきなのか？」を意識できるようにしてある。マーケティングがきちんと「理解できる」ようになるための第一歩だからだ。

▼「理解する」だけでなく、「使える」ようにする

本書では、「マーケティングの全体像」のなかで、数多くのマーケティングの「フレームワーク」という、「考えるための型」を解説している。３ＣやＳＷＯＴなどの分析のフレームワークは、聞

いたこと、使ってみたことがある方も多いだろう。しかし、うまく「使いこなし」はできているだろうか？　アタマで「理解」することと、「使える」ようになることの間には、結構大きな溝がある。その溝を埋めるための「使いこなしのポイント」を、筆者が関わった案件も含めた数多くの事例と共に掲載した。

ポイントは、「フレームワークは情報整理をするための道具ではなく、だから何が言えるのか？どうすればいいのか？　を導き出すための道具である」ということだ。そのための押さえるべきポイント・考え方を網羅してあるので、しっかり身に付けていただきたい。

▼顧客視点を持つ

マーケティングのフレームワークが「使える」ようになっても、まだ安心してはいけない。自分の業務で活かせるようになるのがゴールだからだ。

また、マーケティングコンサルタントでもある筆者の元には、「作った製品が売れない！」という相談が多く寄せられる。売れない原因のひとつは、前述の「施策」だけで考えているからであるが、もうひとつ、最も重要な「顧客視点」が欠如している例が散見される。

多くは、製品（Product）ありきでモノ作りをし、かかったコストに利益を積み上げた価格（Price）を設定している。「どんな顧客が、どんな価値を感じて買ってくれるのか？（ターゲティング・ポジショニング）」という、マーケティングの「心臓部」とも言うべき部分がおろそかになっているのだ。

「20代の女性好みのピンク色にしたのですが」などと言われることもある。20代は20歳～29歳。幅広すぎる。また、その年代の女性はみなピンク色が好きなのか。まったく顧客視点に立てておらず、顧客が見えていないのだ。これではモノは売れない。

そこで、わかっているようで、実はわかっていない「ニーズ」という重要な言葉と、その発見方法をさらに明確に記した。また、「顧客は誰か？」を常に意識することが、マーケティングの成功には欠かせない。本書を参考に、「自社・自分の顧客は誰か？　そのニーズは何か？」ということを起点に考えられるようになっていただきたい。

▼マーケティングはすべてのビジネスのOSである

本書は、２００５年より講師をしている青山学院大学の自分のマーケティングクラスの教科書にしようとした草案が元となっている。しかし、想定に反し、多くの企業で研修のテキスト、「全社員の必読書」としてご利用いただいている。

かつては「商品開発や広告宣伝部という専門部署の専門知識」であったマーケティングが、今日、多くの企業で「全社員が身に付けるべきスキル」になった証左と言えるだろう。

国勢調査によれば、日本の総人口は２００８年の１億２８０８万４０００人をピークに、２０２１年８月時点で１億２５６３万３０００人と自然減少を続け、減少幅も拡大している。「成熟市場」ではなく「衰退市場」になったのだ。また、本書執筆時点の２０２２年2月末、コロナ禍の収束は見えず、「ニューノーマル」の姿も定まっていない。そんな世の中で、「どのように考えるべきか？」というヒントも、できる限り散りばめたつもりである。

▼読者へのお約束

しかし、マーケティングに「正解」はない。フレームワークやセオリーを使って精一杯考えて、うまくいかなければ「何度でも全体像の前の工程に戻って考え直す！」ということが、マーケティング業務の真の姿だ。マーケティングとはカッコイイものではなく、実は泥臭い世界なのである。

筆者は前述の通り、マーケティング講師もしているが、研修のコンセプトはいつでも本書と同じく「業務で使いこなせるようになる！」である。正解のない世界で、マーケティングを使って光明を見出したい方には本書を精読していただきたい。

その上で、「どうしても、自分の業務で使いこなせない」という方には、筆者が研修の受講者にしているのと同じお約束をしたい。本書最終ページのプロフィール欄にメールアドレスを記載しておいた。疑問・質問・お悩みをお送りいただければ、「即レス」は無理でも、必ず返信をする。受講者・読者が「業務で活かせる!」ようになることに強くこだわっている筆者の、キャリア30余年のマーケティングコンサルタントとしての矜持と思っていただければ幸いである。

「知っている」から「使える」へ。そして「業務で活かせる!」へ。いつでもお手元に置いて繰り返しご参照いただける本になることを祈って。

2022年2月

金森　努

なるほど！これでわかった ◆3訂版 図解 よくわかる これからのマーケティング◆**目次**

はじめに

第1章 マーケティングの基礎

Section1 マーケティングとは何か① …… 16
Section2 マーケティングとは何か② …… 18
Section3 戦略とは何か …… 20
Section4 企業の戦略におけるマーケティングの位置づけ …… 22
Section5 企業におけるマーケティングの位置づけ …… 24
Section6 自社・自分にとっての「顧客」は誰か？ …… 26
Section7 マーケティング環境の変化と「ニューノーマル時代」 …… 28
Section8 マーケティングは流れで読み解く …… 30
Section9 無印良品のジャケットの復活劇 …… 32
Section10 常に「戻って考え直す！」を覚悟する …… 34
Section11 「戻って考え直す！」事例 …… 36

Section12　顧客ニーズの把握と深掘り……38
section13　ニーズ発見のフレームワーク……40
section14　ＭＦＴのフレームワーク……42

第2章　マーケティング環境分析

section15　ＰＥＳＴ分析の手法……46
section16　紳士服業界のＰＥＳＴ分析（２０２２年）……48
section17　５つの力（５Ｆ）分析の手法……50
section18　１００円ショップ業界及び「セリア」の事例……52
section19　紳士服業界の５Ｆ……54
Section20　「事業ドメイン」を意識した「業界定義」決定の事例……56
Section21　３Ｃ分析の手順①……58
Section22　３Ｃ分析の手順②……60
Section23　３Ｃ分析の手順③……62
Section24　コメダ珈琲の人気のヒミツを３Ｃで分析する……64
Section25　バリューチェーン分析……66
section26　クルマが売れない時代の新業態誕生のヒミツ……68

section27 SWOT分析の手順……70
section28 SWOT分析の「使用上の注意」……72
section29 SWOTは「分析をまとめるツール」と考える……74
section30 「解釈」を適切にしてこそSWOTの真骨頂!……76
section31 マーケティングリサーチによる環境把握……78

第3章 戦略オプション

section32 クープマンの目標値……82
section33 ポーターの戦略の3類型……84
section34 戦略の3類型の実際……86
section35 3類型で想定しておくべき前提とリスク……88
section36 リーダーの戦略――コトラーの4類型……90
section37 チャレンジャーの戦略――コトラーの4類型……92
Section38 ニッチャー・フォロアーの戦略――コトラーの4類型……94

第4章 STP セグメンテーション・ターゲティング・ポジショニング

section39 具体的な顧客戦略を策定するためのSTP …… 98

section40 「セグメンテーション」とは「顧客の細分化」である …… 100

section41 セグメンテーションの実際① …… 102

Section42 セグメンテーションの実際② …… 104

Section43 セグメンテーションは3C分析を手がかりに考える …… 106

section44 セグメンテーションの実務 …… 108

section45 サントリー「伊右衛門 特茶」の事例① …… 110

section46 5つの「魅力度」で評価する——5R …… 112

section47 サントリー「伊右衛門 特茶」の事例② …… 114

section48 「ペルソナ」という手法 …… 116

section49 戦略策定の要となるポジショニング …… 118

Section50 ポジショニングの検討実務① …… 120

section51 ポジショニングの検討実務② …… 122

section52 ポジショニングの検討実務③ …… 124

Section53 デジタル時代にSTPは古いのか? …… 126

第5章 ブランド

Section54 ブランドの意味と機能……130
Section55 ブランド・エクイティ……132
Section56 ブランド・エクイティ・システム……134
Section57 ブランド・エクイティの実際……136
section58 ブランド共感のピラミッド……138
section59 顧客インサイトと共感形成……140

第6章 製品戦略

Section60 マーケティングミックス……144
Section61 製品特性3層モデル……146
Section62 製品特性5層モデル……148
Section63 ターゲットの違いによる価値構造の変化……150
section64 プロダクトライフサイクル……152
section65 プロダクトライフサイクルと価値構造……154

section66 製品コンセプトは「顧客の言葉」で …… 156
section67 新製品が普及するための条件とは？「イノベーション普及要件」…… 158
section68 プロダクトエクステンション …… 160
section69 ポートフォリオマネジメント …… 162
Section70 アンゾフのマトリックス① …… 164
Section71 アンゾフのマトリックス② …… 166

第7章 価格戦略

Section72 価格戦略の基本 …… 170
Section73 顧客の受容価格を引き上げるには？ …… 172
Section74 損益分岐点の把握 …… 174
section75 価格弾力性 …… 176
section76 規模の経済・経験効果 …… 178
Section77 「顧客視点」での価格検証 …… 180
section78 「バリューライン」での価格検証 …… 182
section79 バリューラインでの価格戦略の実際 …… 184
Section80 スキミングとペネトレーション …… 186

Section81　サブスクリプションモデル……188

第8章　チャネル戦略

Section82　チャネルの役割＝物流・商流・情報流……192
Section83　「チャネルのニーズ」も考慮する……194
Section84　チャネルの「長さ」と「幅」……196
Section85　チャネル段階設計の基本パターン……198
Section86　チャネル形態への顧客ニーズ反映……200

第9章　コミュニケーション戦略

section87　バタフライチャートで全体観をつかむ……204
section88　広告の目的とメディア特性の最適化……206
section89　販促施策の種類と期待効果……208
Section90　広報の役割と期待効果……210
section91　人的販売の役割と期待効果……212

section92　「態度変容モデル」の概論……214
section93　AIDMAモデル……216
Section94　AMTULモデル……218
Section95　AISASモデル……220
Section96　SNSの普及に対応したモデル「VISAS」「URSSAS」……222
Section97　MOTから派生したZMOT……224
Section98　ZMOT以前の考え方と最新のTMOT……226
Section99　カスタマージャーニーマップと作成の留意点……228

第10章　社内マーケティングとサービスマネジメント

Section100　4P＋社内のP＝Personnel……232
Section101　4P＋プロセス……234
Section102　人（People）なきプロセスの弊害……236
Section103　4Pに加えて「3つのP」が必要……238
Section104　人を動かすミッションステートメントを構築する……240

第11章 BtoB（生産財）マーケティング

Section105 BtoBとBtoCのマーケティングの違い……244
section106 「顧客の顧客」を考える……246
Section107 DMU（Decision Making Unit）の把握……248
Section108 ポジショニングの基本——QCD……250
Section109 ソリューションへの発達過程……252
Section110 ソリューションの実現とDMUの把握の実際……254
Section111 リファレンスユーザーとティーチャーカスタマー……256

カバーイラスト　野崎一人
本文DTP　一企画

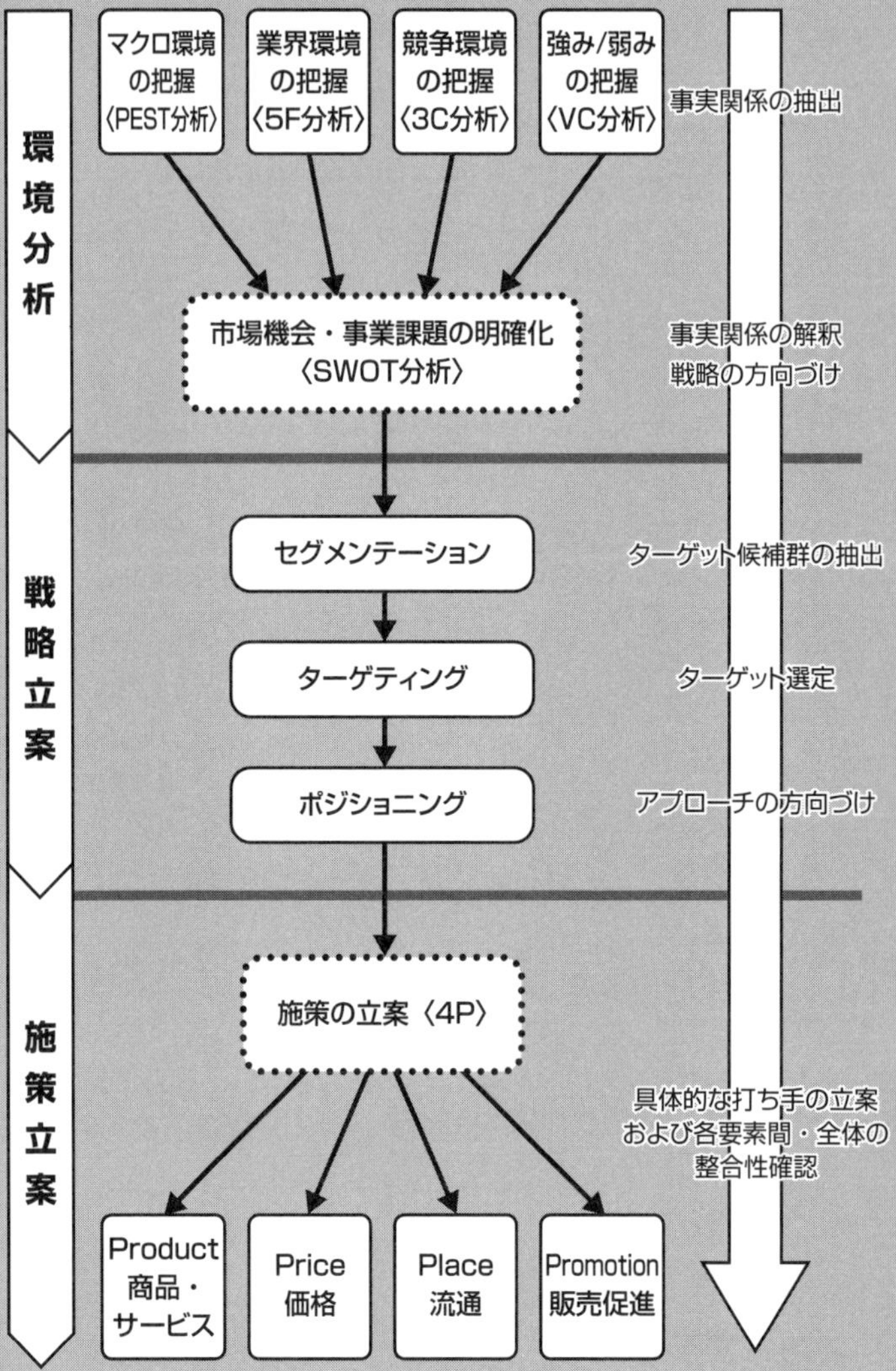

マーケティングの本来の意味や企業内での位置づけを整理し、顧客の「ニーズ」や、提供すべき「価値」の意味を明確にする。

第1章

マーケティングの基礎

section

1 マーケティングとは何か①
2 マーケティングとは何か②
3 戦略とは何か
4 企業の戦略におけるマーケティングの位置づけ
5 企業におけるマーケティングの位置づけ
6 自社・自分にとっての「顧客」は誰か？
7 マーケティング環境の変化と「ニューノーマル時代」
8 マーケティングは流れで読み解く
9 無印良品のジャケットの復活劇
10 常に「戻って考え直す！」を覚悟する
11 「戻って考え直す！」事例
12 顧客ニーズの把握と深掘り
13 ニーズ発見のフレームワーク
14 MFTのフレームワーク

section 1

✓マーケティングとは「売ること」なのか?

マーケティングとは何か①

「売れる」や「売れた」ではなく、何度でも誰がやっても「売れ続ける」ようにすること

「マーケティングとは何か?」という意味を問うと、「いかにモノを売るかを考えること」という回答がしばしば返ってくる。

確かに、ビジネスにおいて自社の商品やサービスを販売して売上・利益を上げることは極めて重要だ。しかし、「売れる」という状態が単発的で継続性がなかったらどうだろうか。

企業は継続的に発展する必要がある。そのためには、セールスが単発的だったり、目先の売上・利益が確保できているだけではダメなのだ。

▼「売れ続けるしくみ作り」

米国生まれの概念であるマーケティングの定義はややこしいものが多いので、あえて日本語で最もシンプルに言い切ってしまえば、「売れ続けるしくみ作り」という表現になる。単なる「売れる」や「売れた」ではない。誰がやっても何度でも再現できて「売れ続ける」ようにすること。そのための「しくみ」を作ることこそがマーケティングである。

つまりマーケティングは、「売る」という行為よりも、「しくみを作る」側に重きが置かれている。「継続的に売上・利益をあげるには、どんなしくみを作ればいいのか」に焦点を当てて考えることが重要なのだ。

▼販売の必要性をなくすこと

マーケティングの定義でもうひとつ重要なのが、ピーター・ドラッカーの「マーケティングとは販売の必要性をなくすことだ」という言葉だ。ドラッカーの言う「販売」とは、「やみくもに売り込んだり、無理な安売りをしたり、無駄な広告を大量に投下したりする」という状態を表している。そんなことよりも、「まずは顧客を知り、顧客の望むものを望む形で提供できるようにすれば、顧客支持を得ておのずと売れていく(買っていただけるようになる)」という論である。

経済の好不況だけでなく、社会環境や新たな技術の登場や普及など、今日の環境変化はめまぐるしい。消費は1

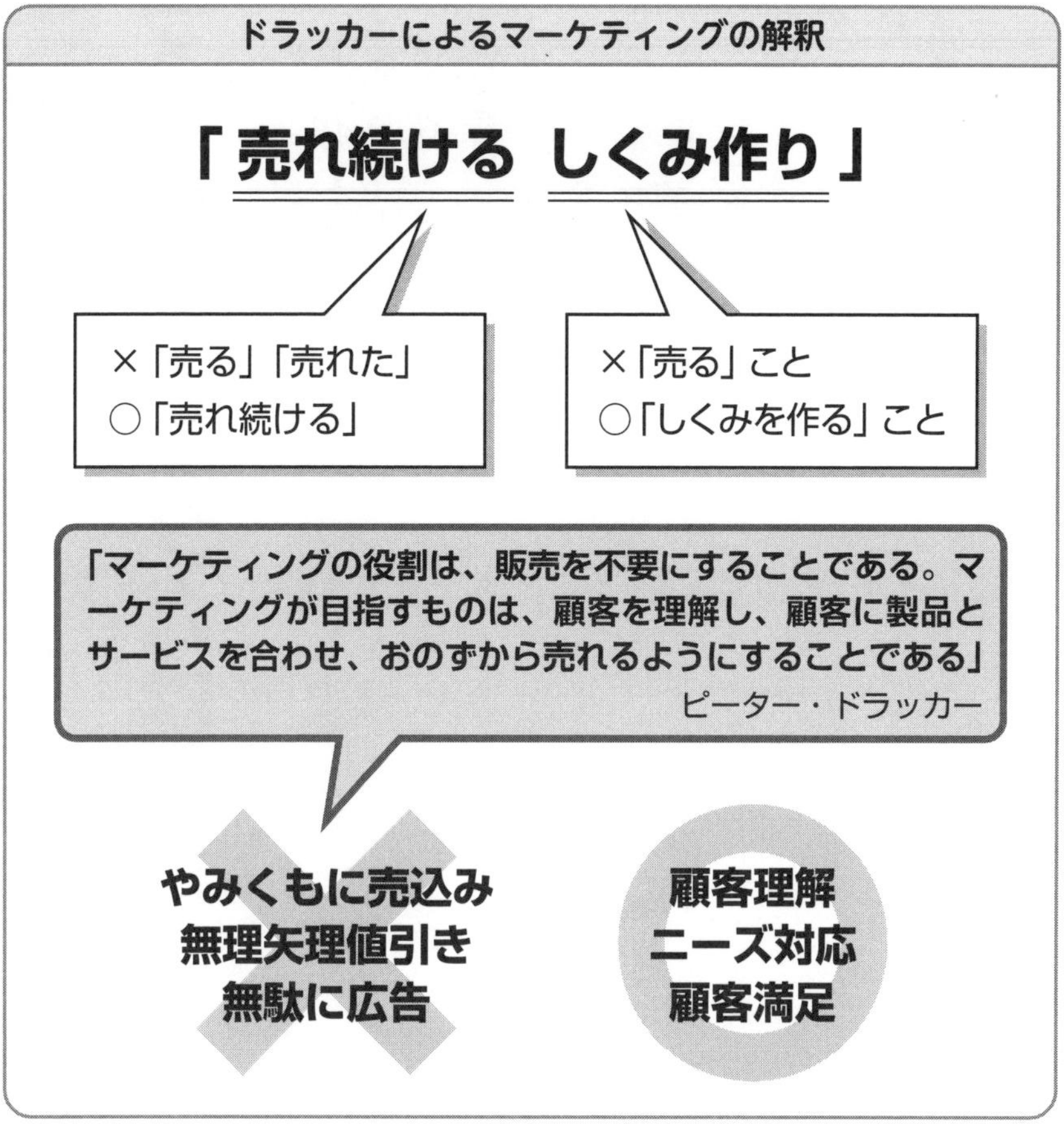
ドラッカーによるマーケティングの解釈
「売れ続ける しくみ作り」
×「売る」「売れた」
○「売れ続ける」
×「売る」こと
○「しくみを作る」こと
「マーケティングの役割は、販売を不要にすることである。マーケティングが目指すものは、顧客を理解し、顧客に製品とサービスを合わせ、おのずから売れるようにすることである」
ピーター・ドラッカー
やみくもに売込み
無理矢理値引き
無駄に広告
顧客理解
ニーズ対応
顧客満足

９９１年のバブル経済崩壊後、減退。２００８年から人口減少で市場も加速度的に縮小。２０１９年末からのコロナ禍でビジネスはさらに難しさが増しているのは事実だ。しかし、そんな環境下で、「モノが売れない」と嘆くばかりでは何も解決しない。まずは自社が目の前のセールスや売上の数字を上げることのみに汲々《きゅうきゅう》としていないか、見直すべきだろう。消費と市場の縮小、コロナ禍中でも伸びている企業もある。

なぜ売れないのか、なぜ売れたのか。売れるためのしくみはできているのか。顧客が望んでいるものは何なのか。それを継続的に提供するにはどうしたらいいのか。それらを一つひとつ明らかにし、しくみを設計し、実行し、結果を検証して改善を繰り返していくのが、「売れ続けるしくみ作り」＝「マーケティング」なのである。

マーケティングとは何か②

「モノ・サービス」を提供し、対価を得るのではなく、「価値」を提供し、対価を得る

マーケティングの意味や意義をもう少し深掘りしてみよう。フィリップ・コトラーの定義である。「マーケティングとは、製品と価値を生み出して他者と交換することによって、個人や団体が必要なものや欲しいものを手に入れるために利用する社会上・経営上のプロセスである」とある。少々難解だが、キーワードは「製品」「価値」「交換」「プロセス」という言葉である。

▼何を交換しているのか?

売り手と買い手は何を「交換」しているのか? 普通に考えれば「製品（モノ・サービス）」を提供し、対価である金銭と「交換」していると考えられる。しかし、もう一歩踏み込んで考えてみて欲しい。

例えば、100円くらいの価格のペットボトル入りのミネラルウォーター。購入者は100円という対価を何に対して支払っているのか? 中身の水は湧出地ごとに硬度や含有するミネラルが異なり、微妙に「味」が異なる。水道水より「安心」という比較優位性もあるだろう。さらに突き詰めれば、顧客は「喉の渇きを癒やせる」という「効用」が100円という対価に値しているから購入しているということがわかる。つまり、「買い手」は「喉の渇き」が癒やせ、「味」「安心」という「価値」を認めて100円を払っているのである。単なるモノやサービスと対価の「交換」ではない。買い手は「ペットボトル容器に入った水」に「効用」「味」「安心」といった「価値」を見出しているから対価を払うのだ。

▼価値の交換活動

このことから〝マーケティングとは「価値」の「交換」「活動（プロセス）」である〟と言うことができる。売り手は自分たちの製品に対価を払ってもらうために、買い手にどんな「価値」を提供しているのかを今一度考え直してみることが必要だ。もし「思ったように売れない」状況なら、買い手に提供すべき「価値」が満たされていないかもしれないからだ。

コトラーによるマーケティングの解釈

「個人や団体は価値のある製品を創造し、提供し、さらに他者と交換することによって、必要なものや欲しいものを手に入れるために使用する社会上・経営上のプロセス」

フィリップ・コトラー

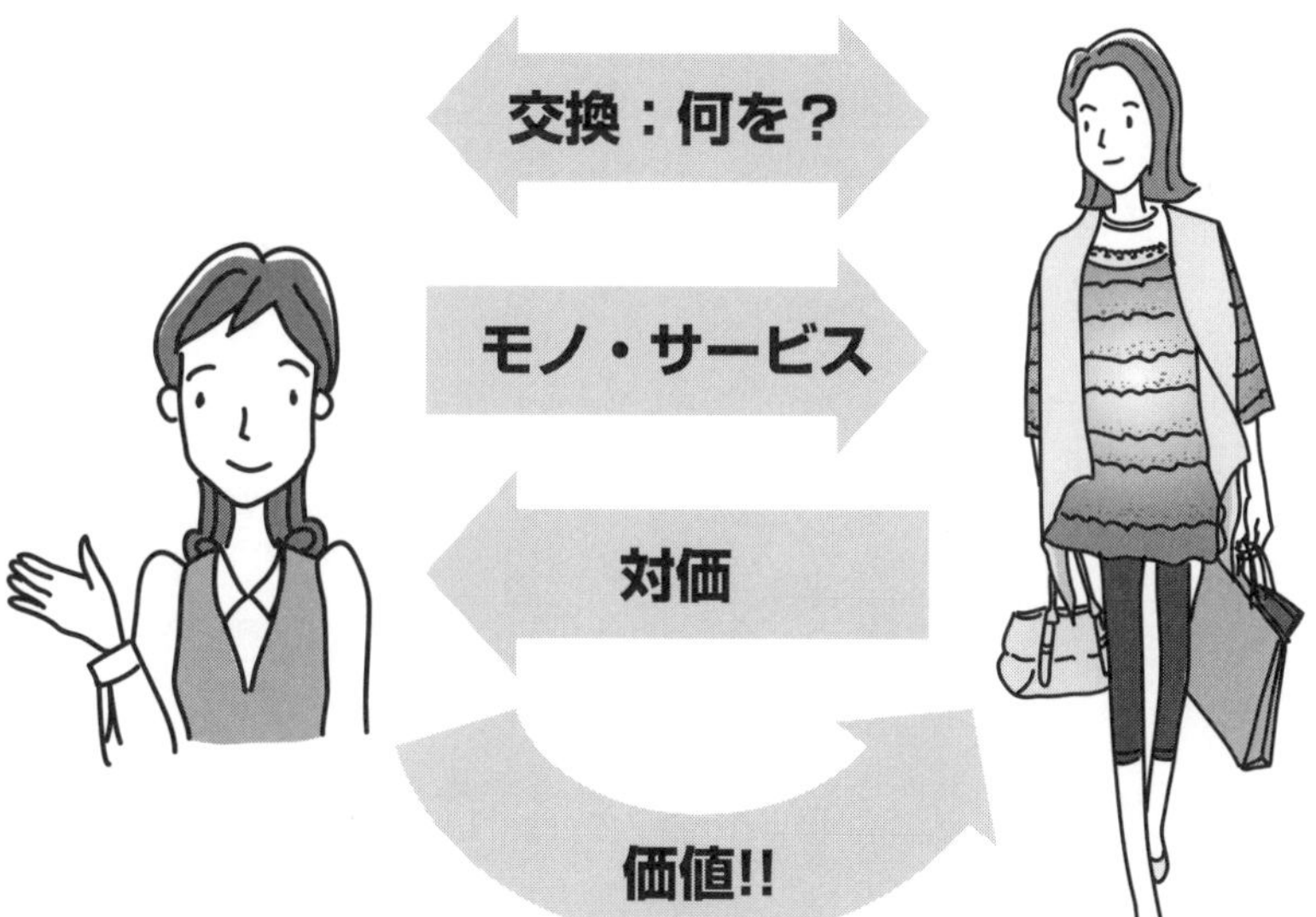

顧客はモノ（サービス）に対価を払っているのではない！
その「価値」に対して対価を払うのである。

マーケティング＝価値の交換活動

section 3

✓その「戦略」は「戦略」か?

戦略とは何か

まず「目的」を明確にし、実現のための資源配分を勘案し「選択」する

ビジネスにおいて「○○戦略」と銘打たれたものを目にする機会は多いだろう。

▼その「戦略」、実は……

今度こそヒット商品を！　と「新製品戦略」を練り、原価や販売マージンなどの費用と売価のバランスを取りつつ、ライバル商品より魅力的な値付けをしようと「価格戦略」に腐心する。店舗ビジネスであれば、どこに店を出せば集客力が高まるかと「出店戦略」を考え、「広告戦略」を突き詰めて、CMが評判になれば知名度が上がったとほくそ笑む……様々な「戦略」を企業の各部署が懸命に立案・実行しているが、それらのほとんどは「施策（打ち手）」であり、「戦術（手段）」とも呼べるものだ。「戦略」と言うからには、もっと広範囲で俯瞰的でなければならない。

▼戦略と言うからには……

「戦略」を定義するためには、「目的」と「優位性」に分解して考えるといい。注意したいのは、「目的」と「目標」を混同しないことだ。「業界1位を目指す」「売上規模1兆円を目指す」などは、達成すべきゴールを示した「目標」である。戦略を考える際には、「業界1位」「売上1兆円」を達成して何を実現したいのかという「意味」を明らかにしておくことが重要である。例えば、「〝売上規模1兆円、業界1位の地位〟という（数値的な）目標を達成し、その上で強力なバイイングパワーを発揮して安く仕入れる。それをもって、最低価格で顧客に利益還元し、支持を得て永続的な成長を目指す」というようなことだ。

▼目的＝目標(Target)＋到達点(Goal)

目的の定義には自社が優位に戦える目標市場（Target）を選定し、そこで目的達成のために、自社の資源（Resource）を優位性が構築できるよう最適配分すること。その上で「やること」以上に「やらないこと」を選択＝「捨てる」ものを明確にすることだ。

なぜ、「捨てる」のか？　36項の業

「戦略」を定義する

戦略とは

目的を定め、その達成のために、資源を最適配分すること。
（クラウゼヴィッツ『戦争論』を参考に翻案）

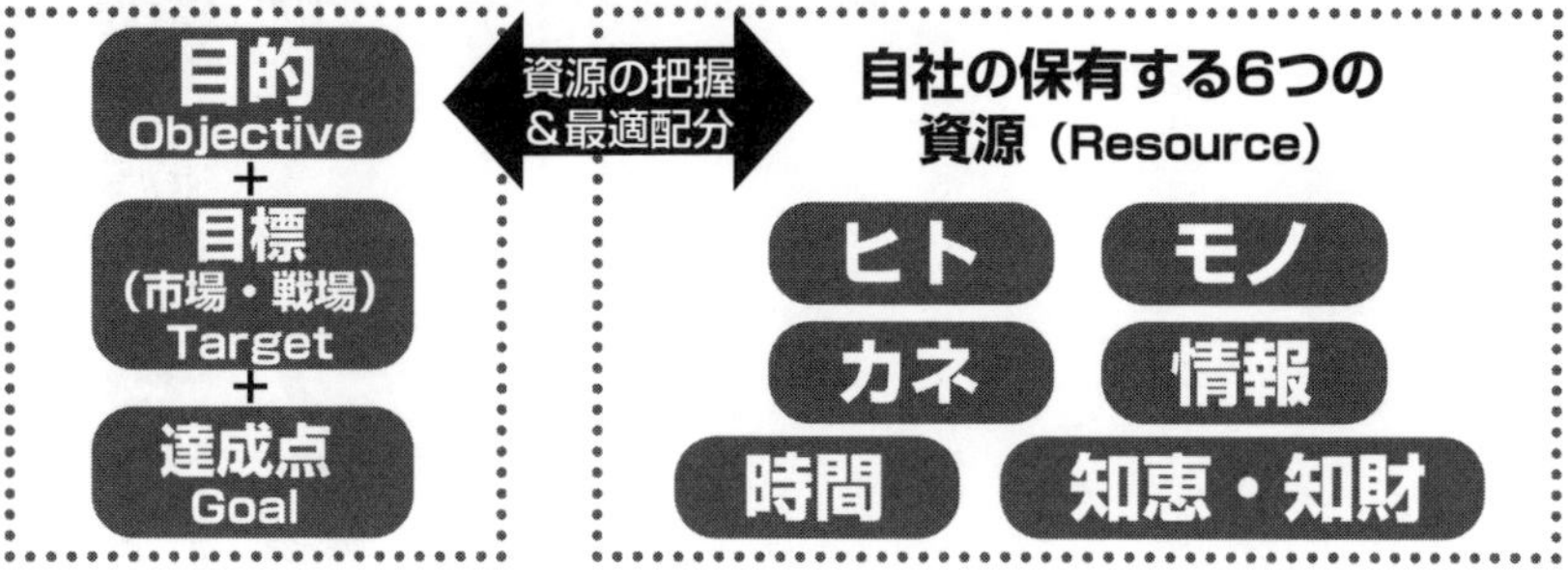

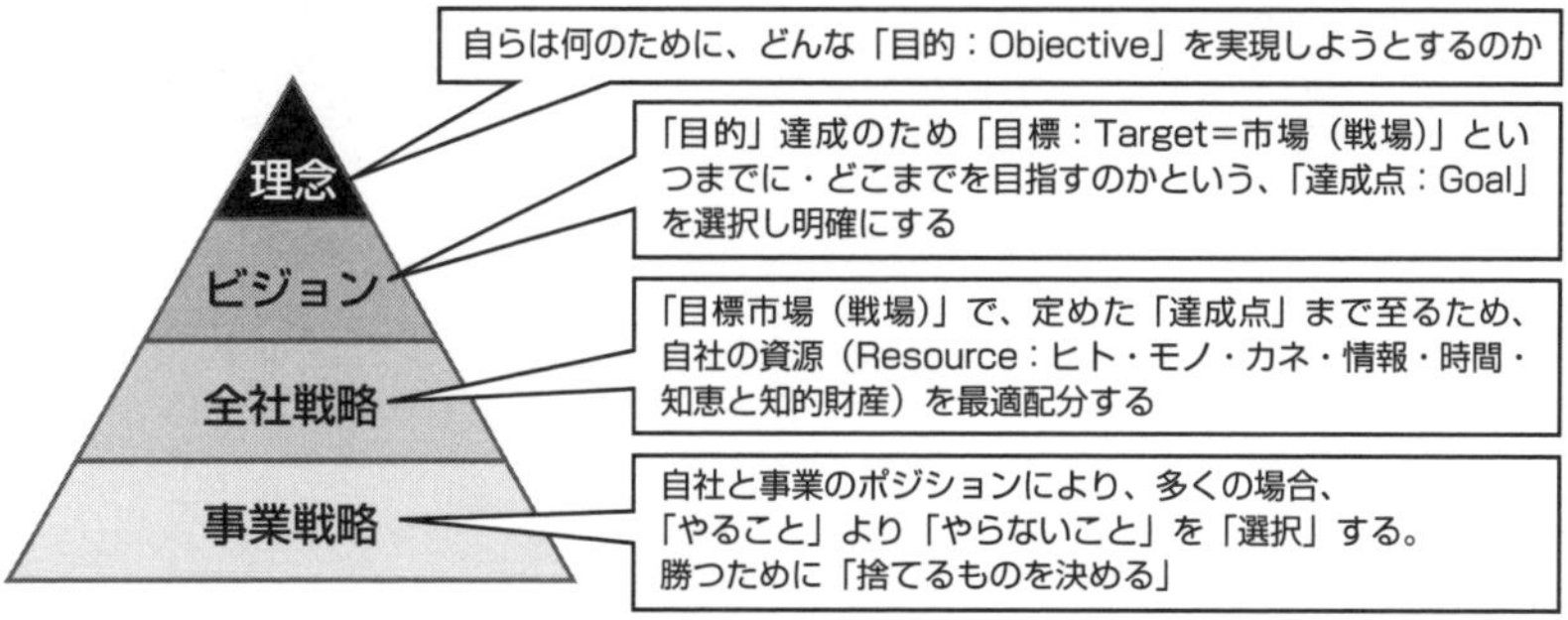

界の「リーダーのポジション」、数字で言うと、32項の「クープマンの目標値」が示す「独占的シェア」を持つなら、その戦い方の基本は「全方位戦略」である。上記クープマンが研究していた、戦争での勝利の法則「ランチェスター戦略」では、大きく戦い方が「強者の戦略」と「弱者の戦略」に分けられるが、例え業界2位だとしても「弱者」と捉えられる。全方位でなければ、「集中」だ。「集中と選択」とはよく言われるが、多くは「やること」を選択しても、「やらないこと」を明確にし、「それ以外のTargetを捨てる」ことをしていない。そして中途半端にいろいろなものに手を出して失敗する。戦略とは、「捨てるものを決めることでもある」ことを忘れてはならない。

企業の戦略におけるマーケティングの位置づけ

✓ 経営戦略とマーケティングはどんな関係？

マーケティングは経営理念・ビジョン・経営戦略に従い実現する

マーケティングは企業の戦略の階層で言えば、全社戦略と事業戦略の下位に属する。

しかし、全社戦略・事業戦略とマーケティングは極めて綿密に連携している必要がある。

▼**企業戦略の階層**

では、企業の戦略の階層を順に見ていこう。

まず、企業には創業者や創業メンバーの思いの込められた「企業理念」が存在する。創業から時が経過し、構成員も多くなると「我々は何のために存在するのか」という根拠が希薄になる。理念なき組織は弱い。企業は不変の理念を掲げて遵守すべきである。明確な理念が構成員に共有されていてこそ、全社が一丸となって行動できるのである。そのために企業の存在意義とその哲学を示す「企業理念」が設定されている。

次に企業として、「どの時点までにどのような姿になっていたいか」を表す「ビジョン」が掲げられる。ビジョンが明確であれば、具体的に何をなすべきかが明確になる。それ故、正しい道を示すためにも、ビジョンは環境の変化や目標の達成状況などに応じて定期的に見直され、修正されていくべきものである。

ビジョンを具体的に実行するために、全社的にどのような方向に進んで何をなすべきなのかを定めているのが「全社戦略」である。全社の各事業に対して資源（ヒト・モノ・カネ・情報・知）をどのように配分し、事業間でどのような連携やシナジーを発揮するのかなどを考えていく。

全社戦略は個別の各事業に落とし込まれ、各事業のそれぞれの戦略が立案され、具体的なビジネスプランが構築されていく。

▼**マーケティングは「戦術」ではない**

個別の事業戦略の立案はマーケティング戦略の構築そのものと言っても過言ではない。

次項以降で解説するように、自社を

企業内における戦略の階層構造

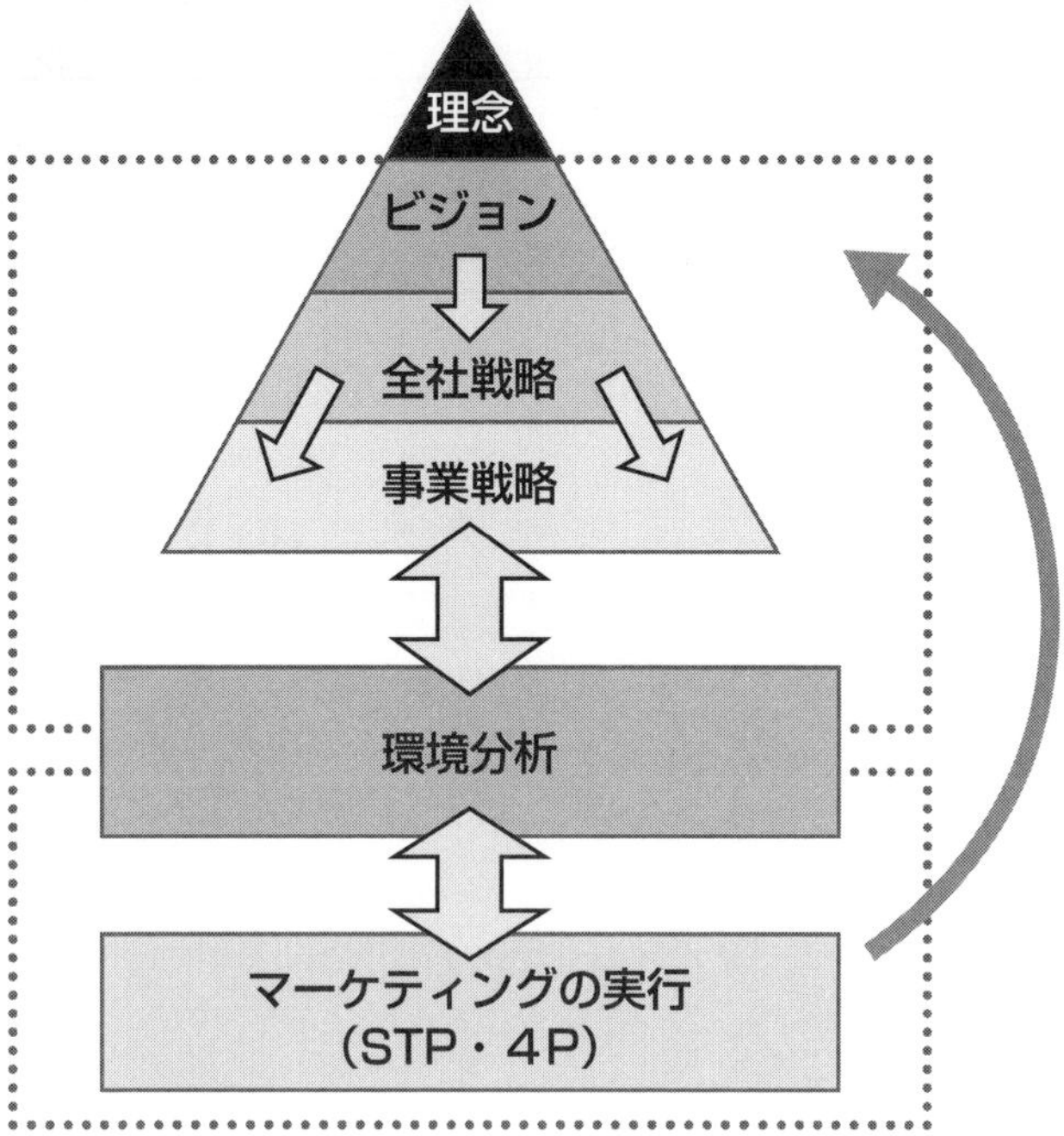

戦略は下位に落とし込まれながらも循環する

取り巻く外部環境や、自社の事業環境、顧客ニーズなどを明確に洗い出すことがマーケティングの役割の過半を占めると言ってもいい。そして、そこで洗い出された自社を取り巻く事実関係は、ビジョンや全社戦略を定期的に見直すために用いられることにもなる。

マーケティングの役割は、個別の商品をどのように売るのかだけを考えるものではない。

確かに、最終的に「いかに売れ続けるようにするか」という施策にまで落とし込むことは、マーケティングの重要な任務である。しかし、個別の戦術だけでなく、企業理念・ビジョンと整合性を持った大所高所からの戦略的視点がマーケティング活動に求められることを常に意識することが肝要である。

section 5

✓マーケティングは誰が行うのか?

企業におけるマーケティングの位置づけ

企業内では直接・間接的に誰もが顧客に接し、マーケティングに関連している

「マーケティング」と聞くと、「自分は関係ない」と捉える人も多いが、それは今日においては主流ではない。「顧客」という視点から見れば、関係のない人はいないのだ。

▼顧客を中心とした考え方

かつて、マーケティングは企業内の個別専門的な機能であると考えられていた。商品開発や広告・広報・販売促進などの企業活動の一部であると。

高度成長期が終わり、簡単にモノが売れなくなると、次第に「いかにモノを作るか」ではなく、「いかに顧客を獲得し、維持していくか」が重要であると考えられるようになってきた。

具体的に、今日、企業が行っている活動を考えてみよう。

顧客の要望を引き出し、顧客にとって価値のあるモノを開発し、顧客に届け、顧客の満足感を獲得し、顧客を維持する。すべての活動には「顧客」という言葉がつく。製品中心の考え方から、顧客中心の考え方に転換せざるを得なくなっていることの証左である。

▼企業の資産を最適配分する

企業の資産とは「ヒト・モノ・カネ・情報・知」が代表的だが、それ以上に重要なのが「顧客資産」である。自社の収益の源泉である顧客をいかに強固に保持できているかで企業価値が決まる。

人事、財務、開発、製造等の部門は企業内の資産を管轄する機能だが、「顧客資産」を中心に考えたとき、企業資産をいかに適正配分するかも、マーケティングの重要な役割なのである。

▼マーケティングによる連携

企業内にマーケティング部という専門部署が設けられている場合も多いが、企業資産の最適化というミッションを単独で実現するのは不可能だ。顧客と直接的に関係を持つ「主活動」を担う各部門も、社内の「支援活動」を担う部門も、自らの活動がすべて企業の中心的資産である「顧客資産」を形成・維持・拡大することにつながっているのである。

企業におけるマーケティングの位置づけ

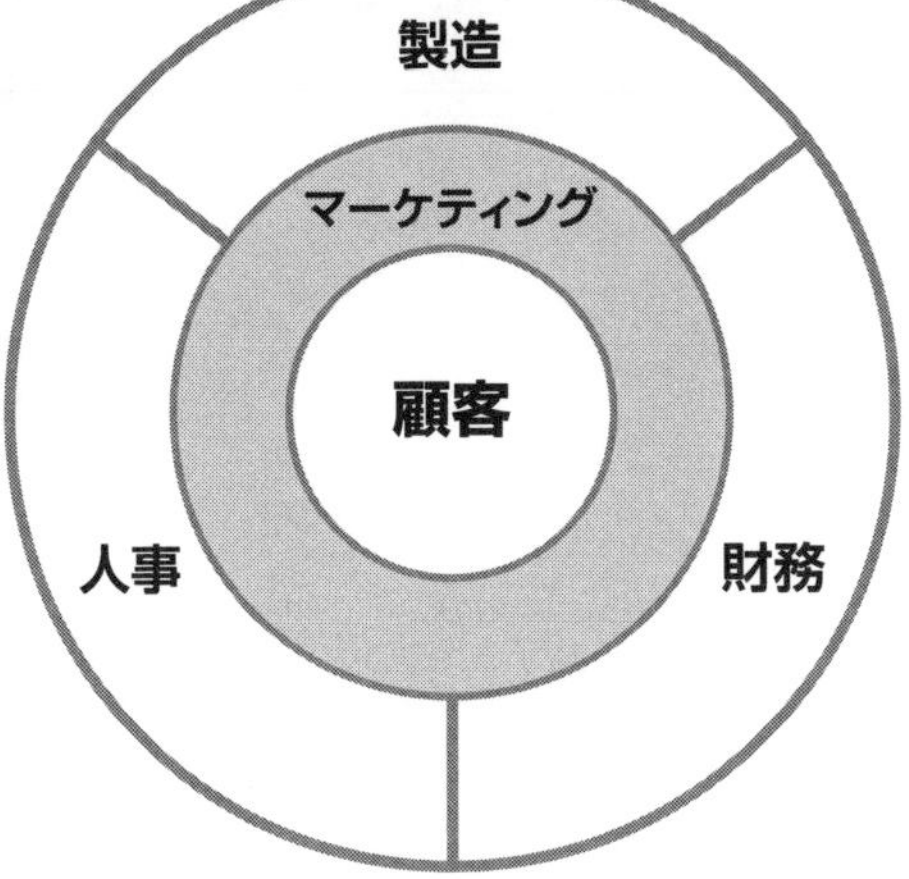

（図１）顧客を中心としてすべての部門がマーケティングによって有機的に結合している

出典：『コトラーのマーケティングマネジメント』

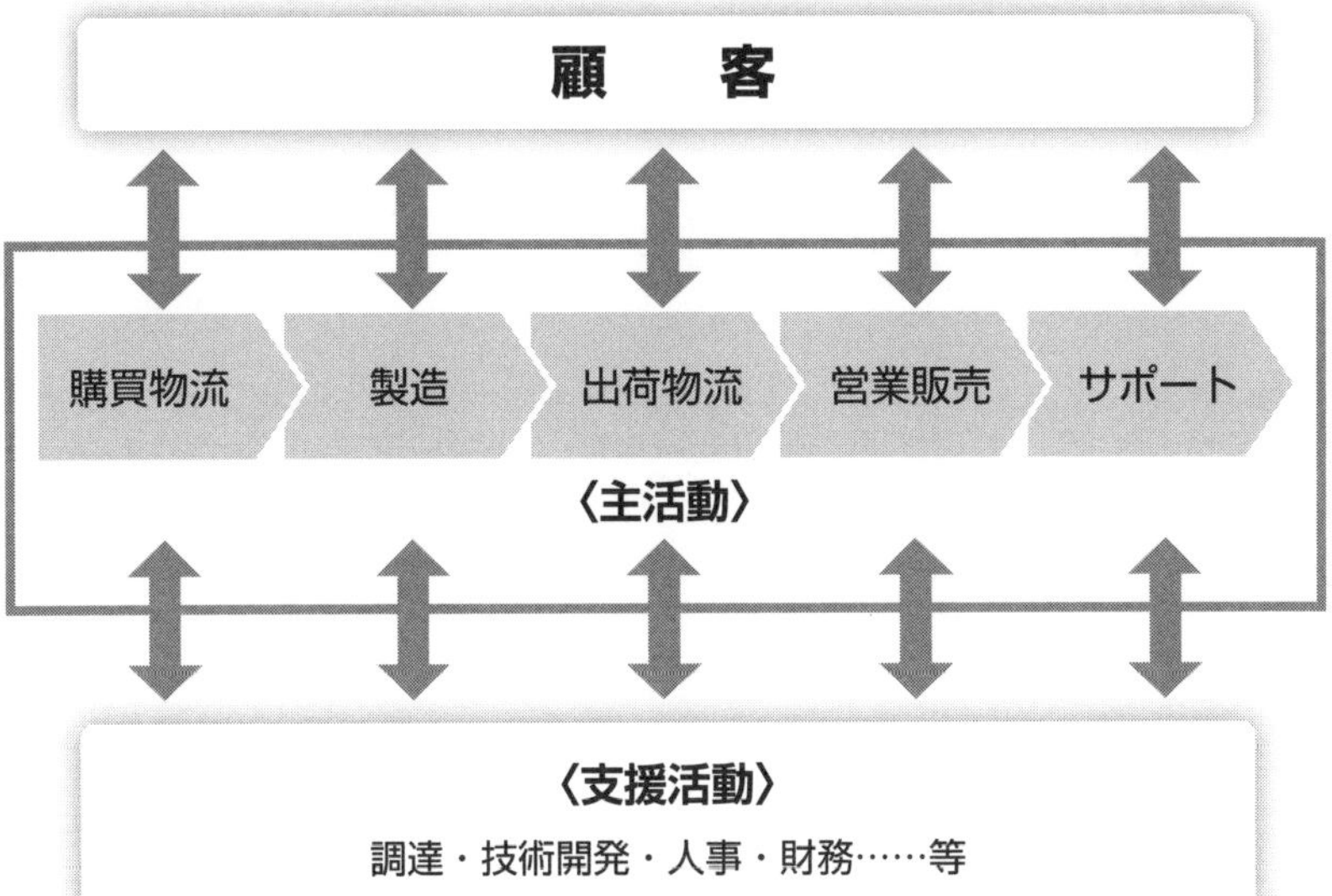

（図２）顧客に対して直接的・間接的にすべての部門が関わっている

section 6

自社・自分にとっての「顧客」は誰か？

✓ B to B・C・E (to X)……等

各パターンを整理する

▼「自分の先」と「エンド」の顧客を意識する

ビジネスの世界ではB to C・B to Bという言葉はもはや一般化した。しかし、「顧客」は目の前にいる、直接取引をしている相手だけを指すわけではない。食品メーカーの営業社員に「あなたの顧客は誰か？」と尋ねたら、「大手量販店のバイヤーさんです」という答えだった。まずはバイヤーに気に入ってもらわなければ、彼の会社の商品は店頭の棚に置かれることもなく、売れるチャンスすら得られない。故に大事な「顧客」であるわけだ。

では、彼のビジネスはB to Bなのか？　答えは「否」だ。量販店の棚から食料品を購入する消費者が「最終顧客」であり、それも彼の勤める会社の大事な顧客である。その場合、「B to C」と呼ばれる形態になる。

これはB to Bだけの話ではない。事務機器メーカーが代理店と取引し、その先の企業に納入されている場合は、「B to B to B」だ。つまり、「エンドの顧客（最終顧客）の存在を忘れ、目の前の顧客だけを見ていたら、最終顧客のニーズと乖離した製品が作られ、結局は購入・導入されることはない。

▼「社内顧客」と「下工程」

企業内の総務・人事・経理など、社員の相手をしている担当者はマーケティングとの距離を感じ、「顧客意識」を持ちにくい。しかし、社員が効率的に働けることで社の業績に貢献できると考えれば、「社内顧客」という意識を持って、「B to E」というマーケティングに取り組むのだ。また、開発・生産等の部門も社外の顧客との距離があるが、同様に自分の仕事をバトンタッチする相手（下工程）が仕事をやりやすい形を考える「下工程はお客様」という言葉が、実は多くの現場で定着している。

第1項のドラッカーの言葉、「顧客を理解し、顧客に製品とサービスを合わせ」を思い出し、自らの顧客にどう貢献すべきかを今一度見直してみたい。

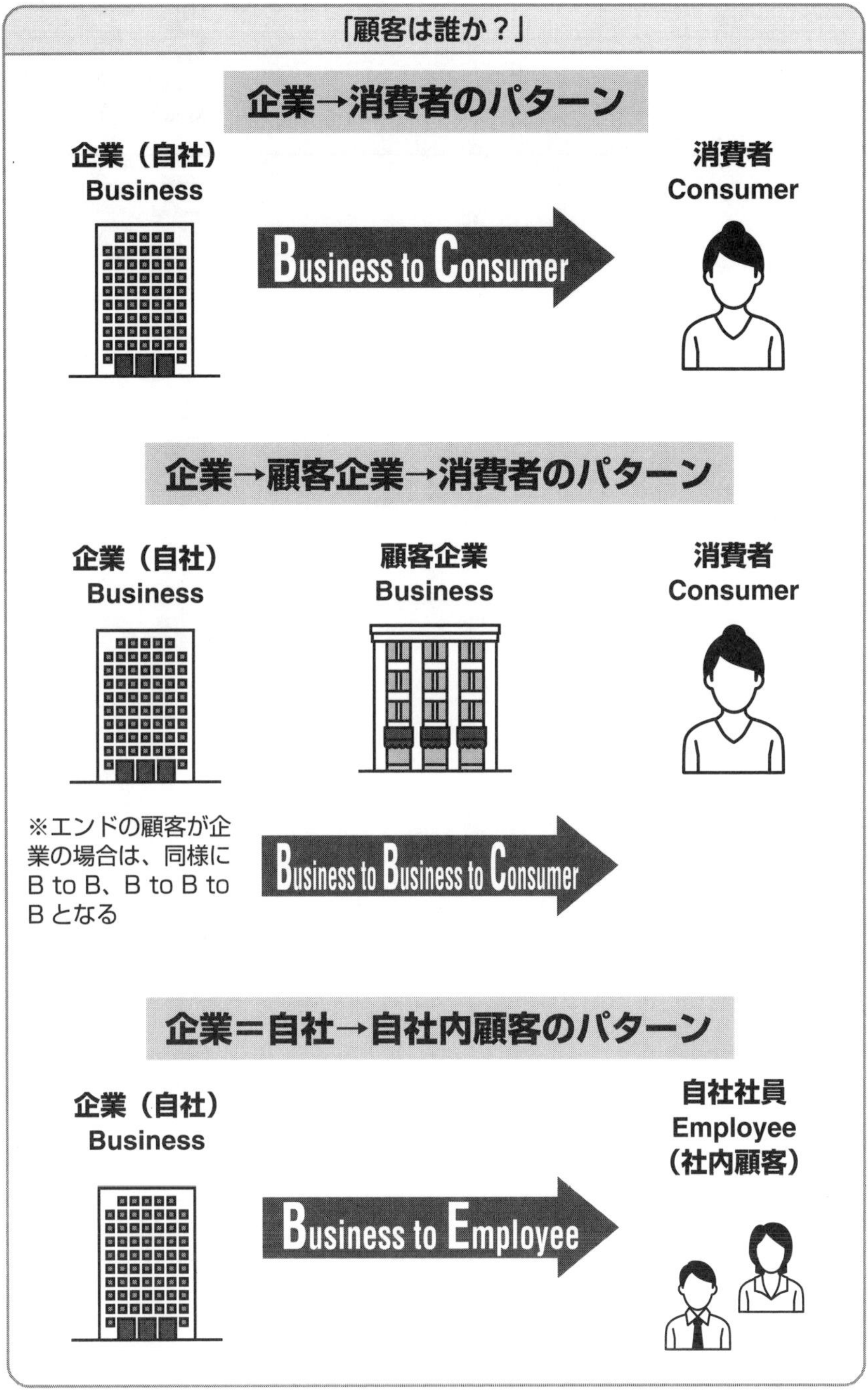
「顧客は誰か？」
企業→消費者のパターン
企業（自社）
Business
消費者
Consumer
Business to Consumer
企業→顧客企業→消費者のパターン
企業（自社）
Business
顧客企業
Business
消費者
Consumer
※エンドの顧客が企業の場合は、同様にB to B、B to B to Bとなる
Business to Business to Consumer
企業＝自社→自社内顧客のパターン
企業（自社）
Business
自社社員
Employee
（社内顧客）
Business to Employee

section 7

✓市場はどのような変遷を辿っているのか?

マーケティング環境の変化と「ニューノーマル時代」

市場飽和期・衰退期には「顧客の囲い込み」が求められた。そしてこれからは……?

マーケティングの重要性が増した理由は、経済環境とそれに伴う生活者の意識変化を辿ればよくわかる。

▼マーケティング不要の時代

　１９５５年から１９７３年までを中心とした高度成長期は、「作れば売れる」という時代であった。

　「三種の神器」と呼ばれた洗濯機やテレビが家庭に配置されるのを誰もが楽しみにし、ファッションでは傘のワンポイントマークのアーノルド・パーマーの靴下を誰もがうれしそうにはいていた。「人並み」であることが幸せだった。そんな時代には、差別化や顧客ニーズの深掘りといったマーケティングの概念は重要ではなかった。「迅速な生産と供給」＝いかに大量に生産し、店頭に大量に並べるかが重要視されたマスプロダクトの黄金期であり、売り手市場だった。

▼「差別化」がマーケティングの時代

　80年代初頭から市場は成熟し始め、１９８６年から１９９１年のバブル景気で頂点を迎えた。どの家にもひと通りのものが揃ったため、買い換え・買い増しを狙う限られたパイの奪い合いに突入。マーケティングが脚光を浴び、製品や広告で競合との「差別化」を図ることが主たる戦略手法になった。キーワードは「マーケット・イン」。今まで「作り手の都合」でモノを作ってきたことを「プロダクト・アウト」として反省し、企業が「もっと市場の声を聞き、市場の欲するものを作って売ろう」と意識転換を始めた。

▼バブル崩壊以降と顧客中心主義

　市場は完全に飽和し、人々は「もうすでに持っているモノで十分」「なくても問題ない」という「買わない自由」に気がついてしまった。そのきっかけは、２０００年以降のインターネットの普及で生活者が企業との情報格差を解消して賢くなったことと、２００８年に起こったリーマンショックで経済観念がすっかり変わってしまったことが大きい。そんな環境の中で「市場」という大きなくりで生活者を捉

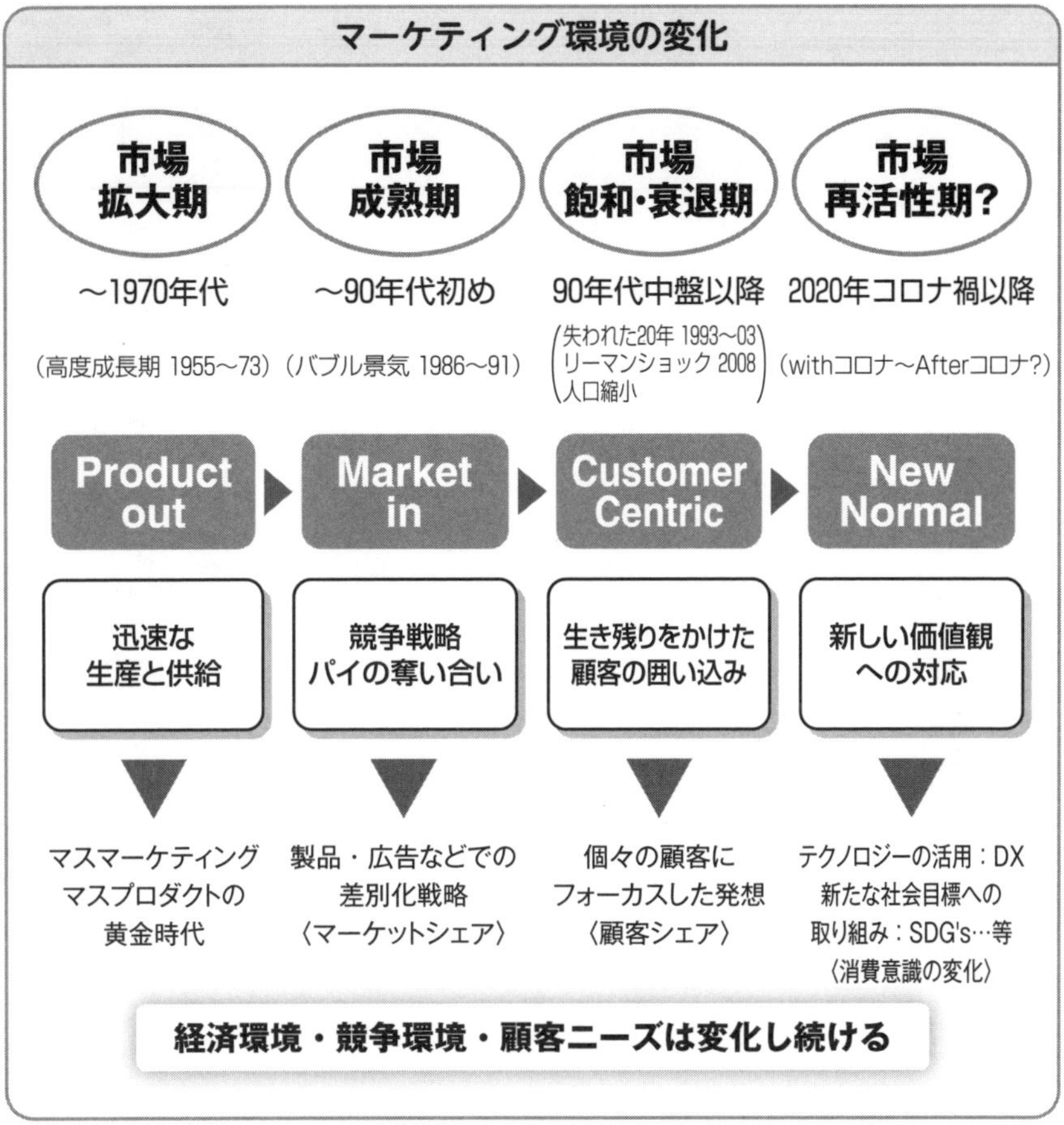

えては、企業は生き残れない。個々の顧客のこだわりや買う理由を発見したり、需要の節目に合わせてセールスチャンスを見つけ出したりという「顧客中心主義」が必要となった。

　人口縮小が加速し、衰退期に突入した日本市場においては、既存顧客のニーズを徹底して深掘りし、囲い込むことが必須である。おのずと、市場全体のシェア獲得よりも、一人ひとりの顧客にどれだけ継続的に、高い頻度で購入してもらえるか。顧客の購入において自社が占めるシェア、「顧客シェア」へ観点が転換した。

▼ニューノーマル時代へ向けて

　本稿執筆時点でコロナの収束はまだ見えていないが、ニューノーマルというキーワードが多用されている。DXなどの技術、シェアリングエコノミーなどの環境の変化なども含め、いち早く対応していくことが肝要である。

section 8

✓まず何を考えればいいのか？

マーケティングは流れで読み解く

自社を取り巻く環境を把握し、戦略を立て、打ち手（施策）を考える

マーケティングというと、すぐに4Pが思い浮かぶ。４Pとは、製品(Product)・価格（Price)・流通(Place)・広告・販促(Promotion)だ。４Pがマーケティングを実行する重要な要素であることは間違いないが、それは〝打ち手〟だ。まず「全体像」を把握しよう。

▼全体像で考える

個別の打ち手だけを検討しても、そもそも「誰」に、商品のどんな魅力を打ち出すのかがわからなければ、広告・販促も当てずっぽうになってしまう。さらに、顧客を取り合う存在＝競合はいるのか、どんな戦力を持っているのかがわからなければ、戦いの方針が立てられない。マーケティングの全体像を理解し、正しい検討手順を身につけることによって、成功確率を高め、万が一失敗した場合でもすばやいリカバリーが可能となる。故に、分析やターゲットの明確化などの戦略の立案を確実に行ってから、打ち手施策の立案に入る必要がある。

▼流れで読み解く

大きな流れで考えれば、マーケティングは「環境分析」「戦略立案」「施策立案」の3段階に分かれる。

まずは環境分析である。世の中の動きや、自分たちの戦場の把握、彼我の戦力分析は欠かせない。自社を取り巻く環境の事実関係をモレ抜けなく抽出し、その事実の意味を考え、さらに事実と事実をつなぎ合わせることによって、自社にとっての「市場機会」と、機会を捉えるために自社の抱える「事業課題」が明確になる。これが戦略の方向性である。

方向づけができたら、戦略を詳細に練り上げる。どこにターゲットがいるのかを明確にするために市場から候補群を抽出し、ターゲットを選定し、どのようなアプローチを行うかを決める。アプローチの方向づけができたら、それを実現するのが4Pだ。４つのPの要素ごとに、具体的な施策を立案・展開する。まずはこの一連の流れをアタマに焼きつけておくことだ。

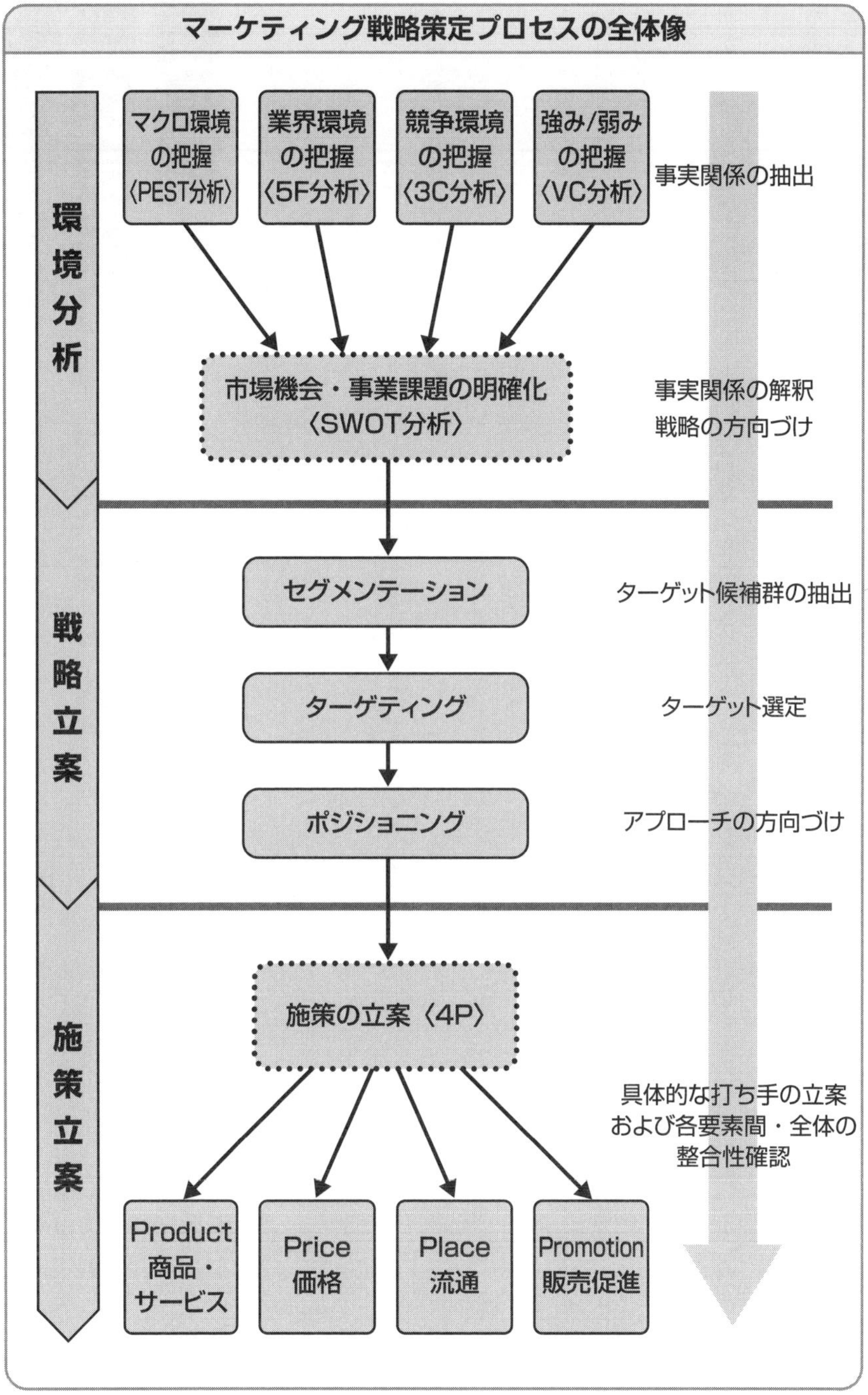
マーケティング戦略策定プロセスの全体像
環境分析
戦略立案
施策立案
マクロ環境の把握〈PEST分析〉
業界環境の把握〈5F分析〉
競争環境の把握〈3C分析〉
強み/弱みの把握〈VC分析〉
事実関係の抽出
市場機会・事業課題の明確化〈SWOT分析〉
事実関係の解釈
戦略の方向づけ
セグメンテーション
ターゲット候補群の抽出
ターゲティング
ターゲット選定
ポジショニング
アプローチの方向づけ
施策の立案〈4P〉
具体的な打ち手の立案
および各要素間・全体の
整合性確認
Product
商品・
サービス
Price
価格
Place
流通
Promotion
販売促進

section 9

✓マーケティングは流れで読み解く

無印良品のジャケットの復活劇

打ち手からではなく、「全体像」をまず意識する

成功事例を見ると、「マーケティングの流れ」が踏襲されていることがわかる。最初から成功していない場合でも、「マーケティングの流れ」を再構築しているのだ。その中で、「環境分析」→「戦略立案」→「施策立案」という流れの各要素が「相互にかみ合って効果を上げている」状態、「整合性」が確保された状態になっていることがわかるだろう。「整合性」はマーケティング全体を設計する上で欠かせない。

▼無印良品の「たためるジャケット」

無印良品を展開する良品計画は、「たためるジャケット」という夏物のカジュアルジャケットを全店で発売した。「ナイロン素材で軽くてしわにならない」特性を持った商品で、店頭販売価格は8900円に設定された。しかし、販売は芳しくなかった。そこから「マーケティングの流れ」を組み直してヒット商品にすることに成功したのだ。

▼「たためるジャケット」というウォンツ

「ナイロン素材で軽くてしわにならないジャケット」というウォンツ（モノ）のニーズを洗い出すと、「気軽に扱いたい」であると考えられる。左図の通り、マクロと業界環境は追い風だ。しかし、競合（代替品）の影響が大きいと環境分析でわかる。であれば、「ジャケット」に明確なニーズを持ったターゲットに、適切に価値を伝えることが必須だ。そして「誰に、どんな価値を示すのか」が明確になれば、おのずと具体的な打ち手・施策の4Pは決まってくる。

そもそも、最初に売れなかったのは、環境分析が甘く、ターゲットが絞り込めていなかったため、明確な価値・魅力が打ち出せなかったからだ。それが明確になったので、商品名も「旅に便利なジャケット」と改められ、4Pの他の要素もキレイに整合性が図られた。結果、当初の計画を大きく上回る販売成果を達成したとのことだ。

無印良品のジャケットの事例

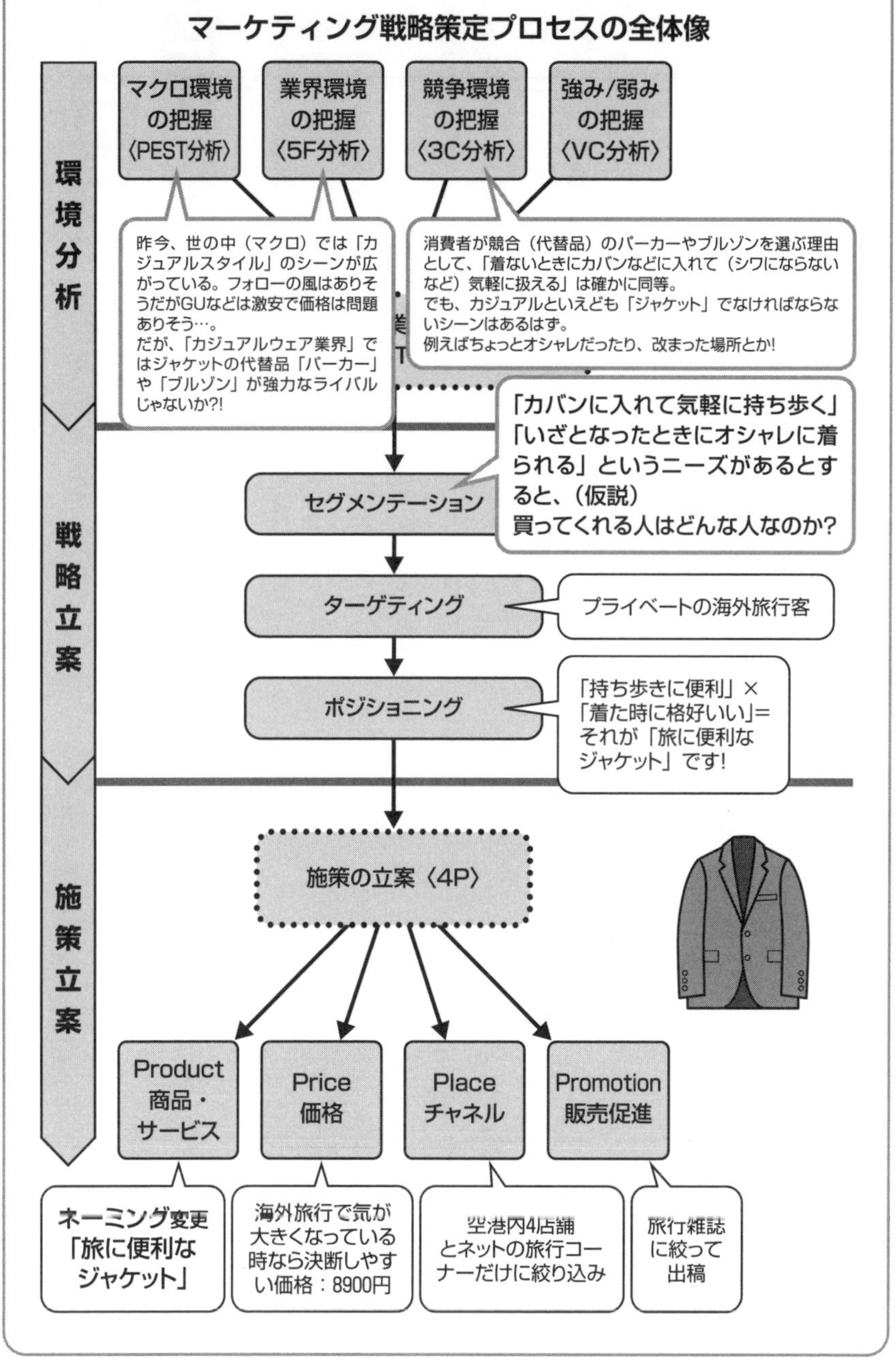

section 10

✓流れで読み解くが…

常に「戻って考え直す！」を覚悟する

「流れ」にうまくかみ合わない点（不整合）を感じたら、戻って考え直す

「マーケティングは流れで読み解く」と言ったが、流れは常に上から下へサラサラと自然に流れていくものではない。前項の無印良品の事例も同じだ。いや、流してはいけないのである。

▼「整合性」を常に意識する

「流れ」で考えていくにあたって、常に意識すべきことは、その手前のプロセスまでの検討内容と「うまくかみ合っているか？」ということだ。流れとして不自然な点がないか、別の言い方をすれば「整合性」が保たれているかどうかに常に留意する。

▼実行段階は「すばやく戻る！」

戻るタイミングは大きく2通りだ。ひとつは企画段階。もうひとつは実行段階である。当然、実行段階で「戻る」には、修正のためのコストが発生するが、それを恐れてダラダラ続けていれば傷口は広がる一方だ。いかに早く見切りをつけて、「戻る！」という思考で「リカバリープラン」を考え、実行できるかがキモなのだ。

▼企画段階は「粘り強く戻る！」

企画段階で戻るということは、それまでのプランをゼロにすることでもある。それはとてもしんどい。段階的に上司や関係者に承認を取っていた場合などは、説明と再説得が必要になる場合もあるだろう。だが、自らの考える手間や、人を動かす面倒さから妥協して、不整合をそのままにして先に進めてしてしまった場合、実行段階で確実に不整合な部分から問題が起こって破綻、失敗する。そうならないためにも、折れない心を持って、何度でも「戻る！」ことが欠かせない。

▼マーケティングは魔法ではない

この後、「マーケティングの流れ」の基本に沿って、いくつものフレームワーク＝「考えるための枠組み」を紹介していくが、覚えておいてほしいのが、マーケティングは「流れ」に従って「枠組み」に情報を「穴埋め問題」的に当てはめていくだけで答えが出てくるほど便利な道具ではないし、魔法でもないということである。

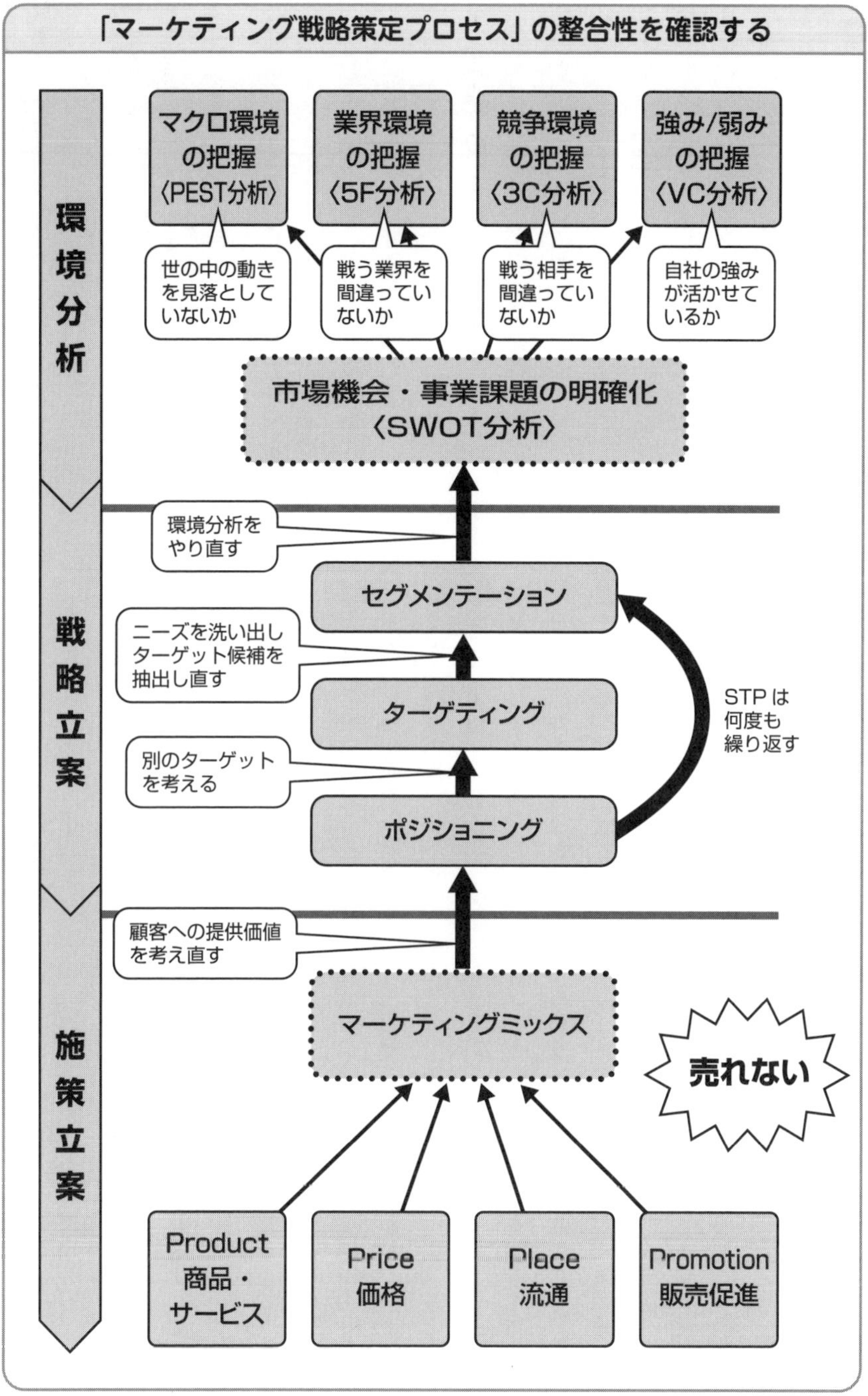
「マーケティング戦略策定プロセス」の整合性を確認する
環境分析
戦略立案
施策立案
マクロ環境の把握〈PEST分析〉
業界環境の把握〈5F分析〉
競争環境の把握〈3C分析〉
強み/弱みの把握〈VC分析〉
世の中の動きを見落としていないか
戦う業界を間違っていないか
戦う相手を間違っていないか
自社の強みが活かせているか
市場機会・事業課題の明確化〈SWOT分析〉
環境分析をやり直す
セグメンテーション
ニーズを洗い出しターゲット候補を抽出し直す
ターゲティング
別のターゲットを考える
ポジショニング
STPは何度も繰り返す
顧客への提供価値を考え直す
マーケティングミックス
売れない
Product 商品・サービス
Price 価格
Place 流通
Promotion 販売促進

section 11

✓考え直すにも「整合性」が命

「戻って考え直す！」事例

環境の変化から見直せば、施策までしっかり見えてくる

少し古いが、時代の大きな変化を「戻って考え直す」で乗り切った事例から学ぼう。

▼「綾鷹」のリポジショニング

日本コカ・コーラの緑茶飲料「綾鷹」が、「プレミアム緑茶（量が少なめで、価格が少し高い）というカテゴリーから、現在の普通の価格帯の製品にリポジショニングした話だ。時は2008年、「リーマンショック」による世界同時不況に突入したのがきっかけである。「プレミアム緑茶」として人気を博していた「綾鷹」であるが、環境の変化で今後の戦略は二者択一を迫られた。すなわち、「競合が撤退したプレプレミアム緑茶市場で、不景気でも〝少し高くてもおいしいから〟と支持してくれる層」をかき集めて、「残存者利益」を取る。つまり「プレミアム路線継続」がひとつの方向性。もうひとつは、自社の「一（はじめ）」、他、多くのブランドがなしえなかった、「普通の緑茶カテゴリーの、三強ブランドに割って入ること」である。

▼「マーケティングの流れ」で俯瞰

この場合、やれ、価格（Price）をいくらに下げるか否かや、製品仕様（Product）＝容量かといった議論に終始しがちだ。しかし、施策の4Pだけを論じていても答えは出ない。左図の通り、マクロ環境の変化は大きく、景気と消費者の意識が早々に元に戻るとは考えがたい。業界環境は厳しいながら、競争環境の自社の優位性を考えれば、ターゲット層の規模からも自社の〝規模の経済〟を活かし、値下げして〝普通茶カテゴリー〟に参入……という戦略の方向性に従って、ポジショニングと4Pを整合性を持って組み立てるのが妥当だとわかるだろう。

「うまくいかなければ考え直す」のは当たり前だ。しかし、その時、「マーケティングの全体像」を思い出し、俯瞰思考と、スタート地点の「環境分析」から、「流れ」に従って、「整合性」を常に意識した上で考え直すことが重要なのである。

「綾鷹上煎茶」における戦略の変更

■環境分析

マクロ（PEST）→　E：リーマンショックによる景気悪化
S：市場の節約志向が顕在化

業界（5F）→「プレミアム緑茶業界」消滅・「緑茶業界」は寡占市場で参入困難

（プレミアム緑茶市場）
参入していた伊藤園・キリンは早々に撤退。

（普通茶市場）
競合（3C）→伊藤園「おーい、お茶」・サントリー「伊右衛門」・キリン「生茶」の三強で業界シェア6割。自社「一（はじめ）」はほぼ自社自販機しか販路を取れていないほど弱い。

自社（3C）→飲料業界のシェア3割を握り、販売数量が多いことから、「（広義の）規模の経済」が働き他社よりは値下げ原資がある。自販機販売比率高く売れば売るほど高利益となる体質。コミュニケーションコストも豊富にある。

↓

■セグメンテーション～ターゲティング

PET入り緑茶ユーザーで…

【リーマン前】高価格でも味がよくプレミアムイメージのあるモノを求める層→**規模「小」**

【リーマン後】高価格はイヤだが、味にこだわりあり、ブランドイメージも重視する層→**規模「大」**

↓

■ポジショニング

（旧）高くてもそれに見合ったおいしさ
=価格・高い × 味・おいしい

（新）普通の価格でおいしく、“ホンモノ、目に見える（にごり）”
=イメージ・高 × 品質・高

Product

普通の緑茶商品と同等のスペックに
→425ml～500mlへ増量（パッケージ変更）：1L・2Lボトルも発売
（「一」は販売終了）

Price

普通の緑茶商品と同等の価格へ値下げ
157円→147円
（自販機は150円）

Place

増量&低価格化=規模の経済で原価低減必要
→コンビニだけでなくより多くの売り場へ=自販機・スーパー+量販店（1L・2L中心）

Promotion

より多くの人にリーチして売り場に送り込む必要あり
→CM強化

section 12

顧客ニーズの把握と深掘り

✓マーケティングの第一のキモ!

「砂漠をさまよい歩く男」のニーズは何?

「ニーズ」という言葉は今日では一般に使われているが、間違いや勘違いをしている人が散見される。

▼ニーズとウォンツ

左のイラストを見ていただきたい。砂漠である。そこに一人の男がさまよい歩いている。汗をだらだらかいて、今にも倒れそう。さて、この男の「ニーズ」は何だろうか?

この質問に対し、十中八九の方が「水」と答えるが、不正解だ。ニーズは「喉の渇きを癒やしたい」である。

▼「ニーズ」と「ウォンツ」の意味

「ニーズ(needs)」は「……を必要とする」という意味の他動詞なので「水」でもいいと思うかもしれないが、「水」は、「ニーズ」とセットの言葉、「ウォンツ(wants)」だ。「ウォンツ(wants)」は「……が欲しい」という意味の他動詞である。ニーズとウォンツの関係を左で整理している。ニーズを抽出するにはまず、「現状」と「理想的な状態」を明確にする。砂漠の男は現状、「喉がカラカラ」だ。そして、理想的な状態は、「喉が潤っている」である。このように、現状と理想の間にはギャップがある。このギャップこそがニーズの正体だ。つまり、「未充足な〝状態〟」をニーズという。喉がカラカラで、喉が潤っている状態を必要とする=needs。故に、「喉の渇きを癒やしたい」となるのだ。あくまでも、ニーズは「状態」を表すものである。そして、その「未充足な状態を解消する〝モノ・サービス〟」を欲しい=wantsと考えることになる。つまり、ウォンツはモノ・サービスという「具体的な対象物」を示しているため、「水」はニーズではなくウォンツだ。

▼ニーズから考えることが重要!

混同しがちなニーズとウォンツの関係を峻別する意味は、ウォンツから考えることが多くの場合、モノが売れない原因になっているからだ。砂漠をさまよっている男を前にした時、そのニーズを明確化せず当て推量で自社の得

砂漠をさまよい歩く男の「ニーズ」は何？

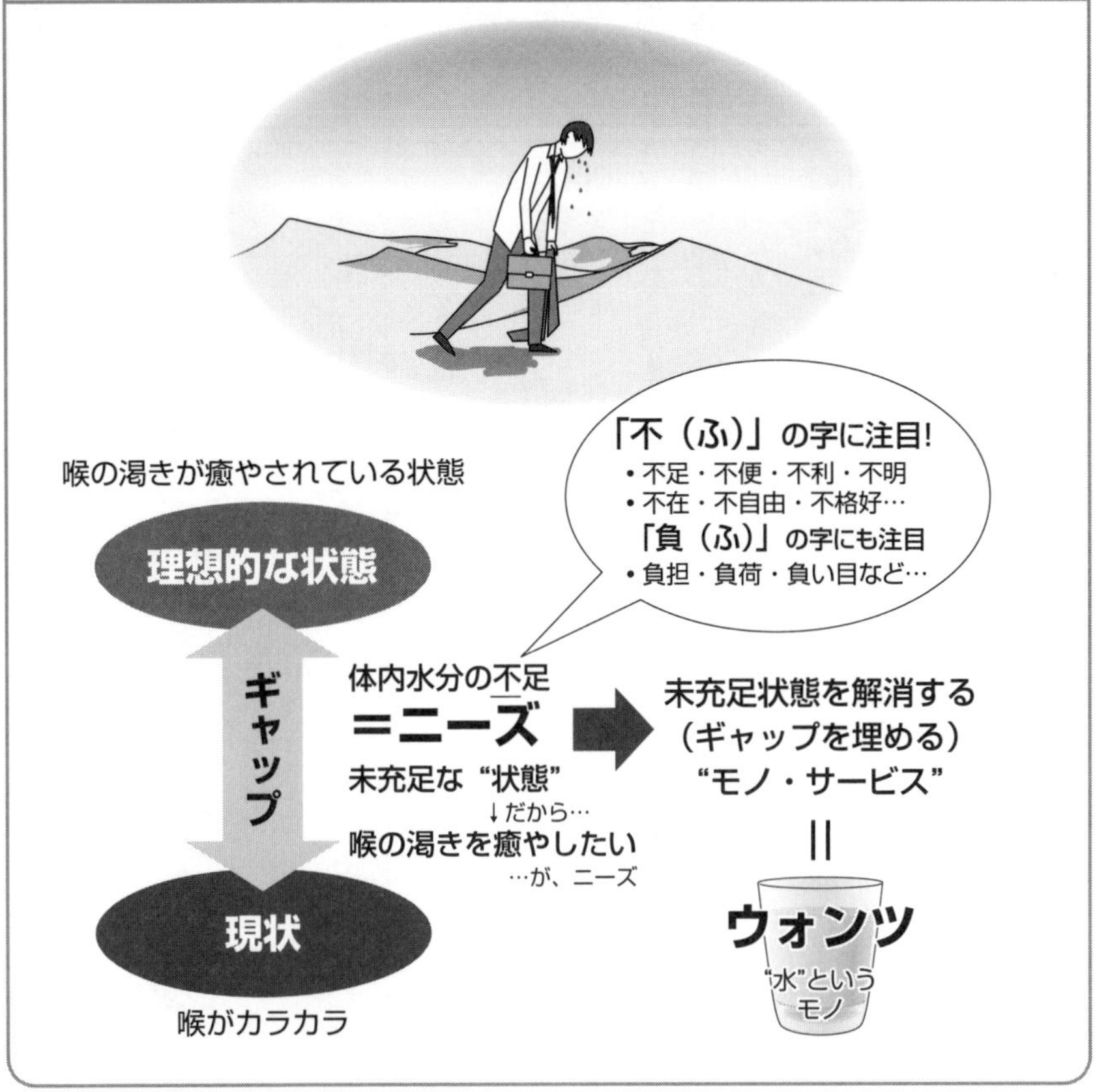

意な製品、売りたい商品を提示したとする。砂漠の強烈な日差しを遮るための日傘、フラフラな身体を休めるためのテントどちらも男にとって必要そうではある。しかし、男は何より喉の渇きを癒やしたいのだ。そのために、一滴の水でもいいから喉を潤さなくては干からびて死んでしまうと考えている。そんな男には、日傘もテントも最も重要なニーズを満たすものではない。モノ＝ウォンツから考える、プロダクト・アウトの思考がモノの売れない原因になっているからこそ、ニーズから考えることが重要なのである。発売した商品の販売が不振だった時、商品の仕様、スペックが不足だったかと改良の検討を行うケースは多い。しかし、商品の構成要素はすべてウォンツである。顧客のニーズを見誤っていたなら、どのような改良を加えたところで売れるようにはならないのである。

section 13
✓ニーズをより明確にするために

ニーズ発見のフレームワーク

顧客の抱える「ふの字」と、ニーズを明確な言葉で表す

ニーズを的確に発見するには、構造的に考える。前項の「現状」と「理想」のギャップもひとつのフレームワークだが、より明確にしよう。

▼外出時のティッシュペーパーの「未充足な状態」から考える

花粉症を患っている方は共感してもらえるはずだ。それが、左図のフレームワークの事例である。ポイントは①の「現状の明確化」で、何が顧客にとって「最も好ましくない現状」であるかを見極めることだ。「現状起きている取り除きたいこと＝問題」と言い換えてもよい。この抽出の仕方次第で、前項の「砂漠をさまよい歩く男」の場合、①が「喉がカラカラ」が最も好ましくない現状ではなく、「体力の限界で倒れそう」なら、②は「日差しを遮って横になって休める」。③は「遮光が不可能」「炎天下での休息では身体に負担」だろう。そして④のニーズは「疲れた身体を涼しく休めたい」となる。そうすると、ウォンツは「テント」や「パラソル」になったりする。①の見極め次第でそれ以降がすべて変わってくるので、「まずは顧客をよく観ること」がキモとなってくるのだ。

▼「不・負の字」は「顕在ニーズ」

ニーズには「顕在ニーズ」と「潜在ニーズ」がある。前者は顧客から言葉にして語られるか、言葉にされなくても容易に推測できるニーズである。砂漠の男も、花粉症の外出時のティッシュも、「不・負の字」とそこから導出できるニーズは比較的容易に想像ができ、多くの場合刈り尽くされている。しかし、左図の事例、「クリネックスティシューローション肌うるるソフトパック」のように、ボックスティッシュの中身をポケットティッシュのフィルムで包むという発想はなかった。

▼成熟市場では「付・富」などの「潜在ニーズ」を探す

左図の「鼻セレブ」のように、顧客が潜在意識化で望んでいた状態や、思いつきもしなかったような「潜在ニーズ」の探求も必要となってくる。

ニーズ抽出のフレームワーク

①「現状」の明確化　※現状の列挙～顧客が最も解決したい、好ましくない現況（問題）

（花粉症などで）ティッシュを外出先で大量に消費する時、ポケットティッシュでは足りない。かといって、箱ティッシュではかさばってしまう

↓

②①に対する「理想的な状態」の想定

大容量のティッシュをコンパクトに持ち運べる

↓

③①と②の間の「ギャップ」=「ふの字」の抽出

容量の「**不**足」・かさばる箱を持ち歩く「**負**担」

↓

④③を解消できる「状態」を「～したい」などの言葉で表す=これがニーズ

好きなだけ使えて、かさばらずに持ち歩けるように**したい**

「クリネックスティシューローション肌うるるソフトパック」
ポケットティッシュでは物足りない人におすすめの、大容量でコンパクトなフィルム包装型（不足・負担の解消）。
セブンイレブンでのティッシュの売上を2割伸張させたヒット商品。

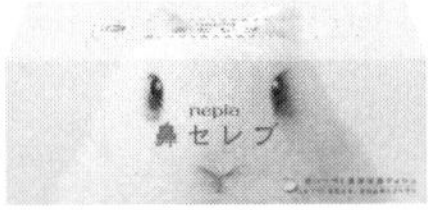

「"付" 加価値」型ティッシュの代名詞
「ネピア鼻セレブティシュ」
ネピア独自の保湿成分を「付加」して、これまでにない濃厚な潤いを実現。鼻の皮膚への「負担」も軽減。

心が「豊か」になる「ネピア大人の鼻セレブ」
より「おしゃれ」なパッケージは、使い終わったら、「ぬり絵」として楽しむことができる（「大人のぬり絵」ブーム）という心豊かな時間を過ごせる付加価値。

写真提供：日本製紙クレシア、王子ネピア

section 14

MFTのフレームワーク

✓自社の「シーズ」(技術)と市場の「ニーズ」をつなげる

フットマーク社「大人のスクール水着」の開発事例

マーケティングと最も距離を感じている部署のひとつが研究開発部門だろう。しかし、もう十年以上前から企業の中央研究所の閉鎖が相次ぐなど、「研究のための研究」は許されなくなってきている。求められているのは「そのシーズ（seeds＝研究開発の種）に結びつく市場のニーズはあるのか意識せよ」ということなのだ。

▼MFTのフレームワーク（改造版）

左図はコンサルティング会社であるArthur D. Little社の発案したものを、筆者が改良したものだ。「機能」は「シーズ・ウォンツ」から発想されるものだが、市場・顧客を理解し、その声に耳を傾けることで「ニーズ」を抽出し、それが何を実現したいのかを考えることによって、技術が実現しうる「機能」と市場・顧客が顕在・潜在的に求める「価値」（Value）がつなげられることがわかるだろう。

▼フットマーク社の事例

フットマーク社は、赤ちゃんのおむつカバー素材と縫製の技術を用いた児童生徒向けの水泳帽でシェアナンバー1になり、そこからスクール水着でも大きなシェアを獲得した。しかし、少子化である。同社にはファッション水着のノウハウはなかったが、現役中学生のアイデアも取り入れ、機能性だけではない「オシャレなスクール水着」を考案し、市場にリリースした。そこで、大きなサイズの商品が売れていることに気付いた。購入者の声を訊くと、購入しているのは大人の女性であった。スクール水着は様々なサイズ、例えば6Lサイズまであるという。また、濃紺・ブラックというシンプルなカラーも特徴だ。それが「価値」として、市場の顧客に刺さったのである。そこで、より大人向けに、派手過ぎない程度にオシャレで、しかも体型がカバーできるデザインを施した「大人のスクール水着」が誕生し、ヒット商品となった。

「MFT」フレームワーク

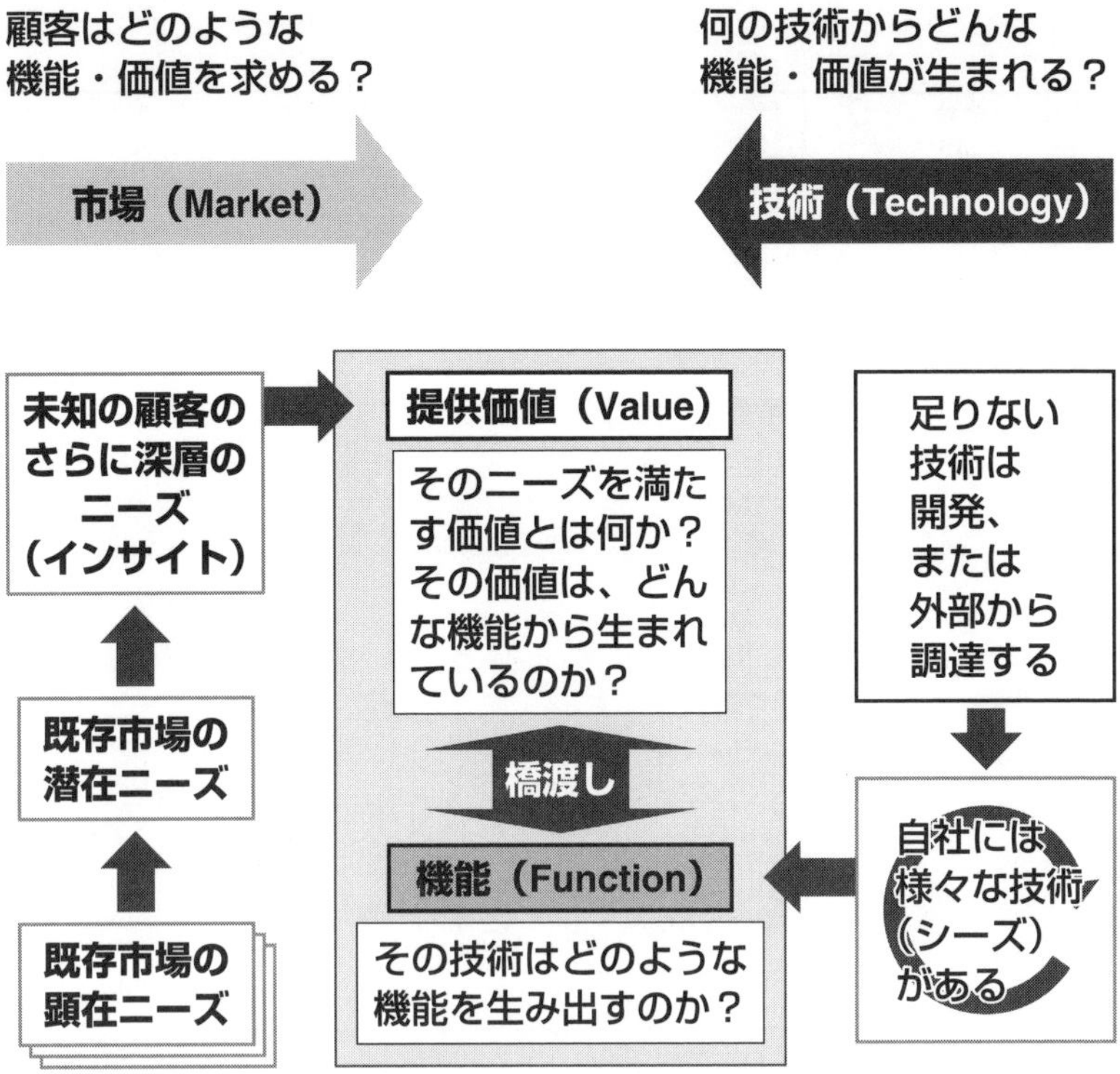
顧客はどのような
機能・価値を求める？
何の技術からどんな
機能・価値が生まれる？
市場（Market）
技術（Technology）
未知の顧客のさらに深層のニーズ（インサイト）
既存市場の潜在ニーズ
既存市場の顕在ニーズ
提供価値（Value）
そのニーズを満たす価値とは何か？その価値は、どんな機能から生まれているのか？
橋渡し
機能（Function）
その技術はどのような機能を生み出すのか？
足りない技術は開発、または外部から調達する
自社には様々な技術（シーズ）がある

® Arthur D. Little のフレームワークに加筆改定

写真提供：フットマーク

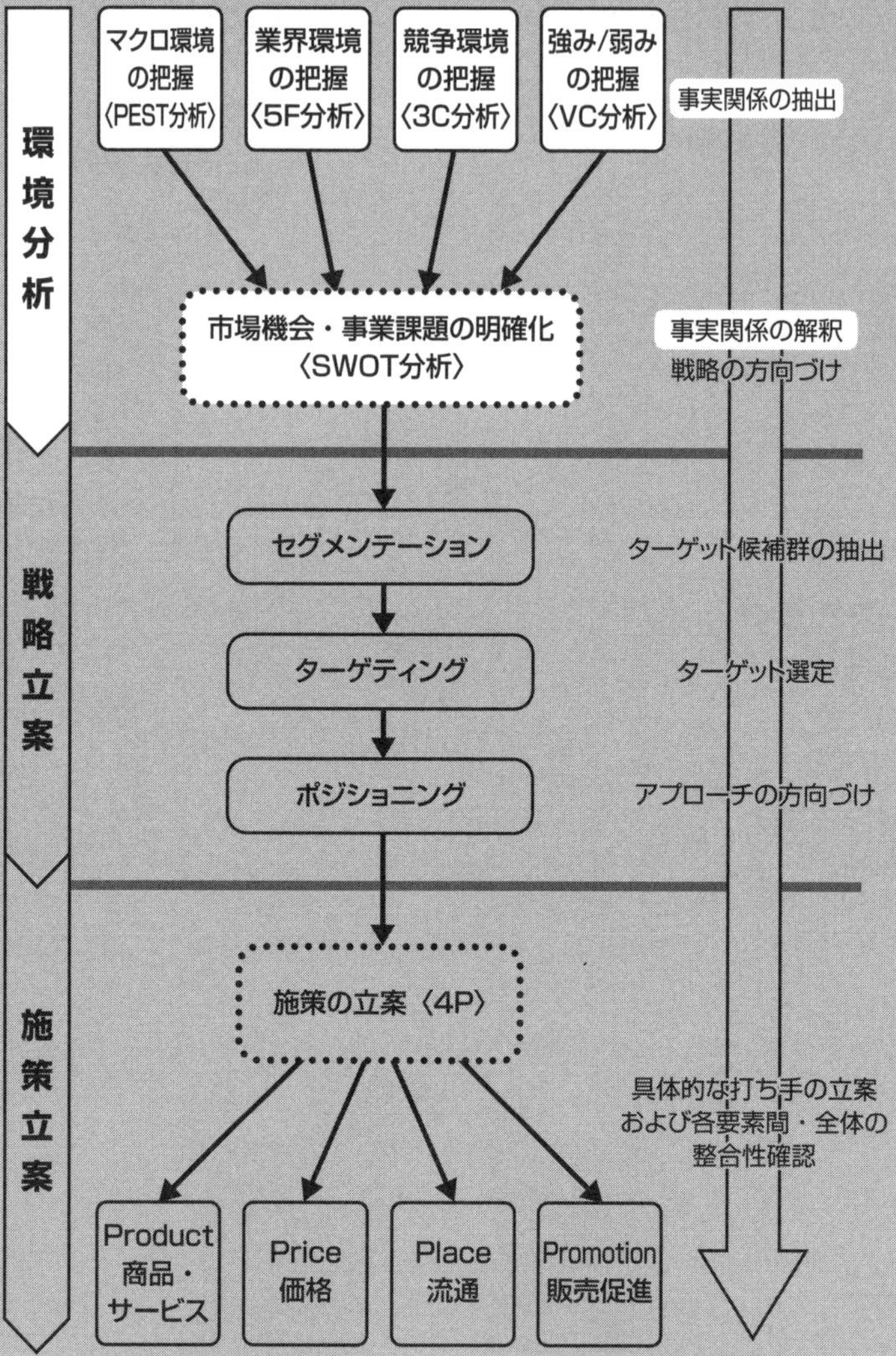

マーケティング戦略立案の基本は、自社の置かれた環境の正確な把握である。各種の環境分析とフレームワークで整理する。

第2章

マーケティング環境分析

section

15 PEST分析の手法
16 紳士服業界のPEST分析（2022年）
17 5つの力（5F）分析の手法
18 100円ショップ業界及び「セリア」の事例
19 紳士服業界の5Ｆ
20 「事業ドメイン」を意識した「業界定義」決定の事例
21 3C分析の手順①
22 3C分析の手順②
23 3C分析の手順③
24 コメダ珈琲の人気のヒミツを3Cで分析する
25 バリューチェーン分析
26 クルマが売れない時代の新業態誕生のヒミツ
27 SWOT分析の手順
28 SWOT分析の「使用上の注意」
29 SWOTは「分析をまとめるツール」と考える
30 「解釈」を適切にしてこそSWOTの真骨頂！
31 マーケティングリサーチによる環境把握

section 15

環境分析の重要性とマクロ環境

PEST分析の手法

「戦場の全体像」から「何を明らかにすべきか？」を考えて分析する

マーケティング戦略を立案するためには自社を取り巻く環境を正確に捉えることが欠かせない。さもなくば、周囲の様子や己の立ち位置もわからぬ闇の中で戦うことになるからだ。勝つためには、まず、戦場の地形・敵味方の彼我の差を知ることが原点である。

▼「世の中」はどのような環境になっているのかを知るPEST分析

自社を取り巻く環境を捉えるためには、世の中の構造が頭に入っていなくてはならない。何の手がかりもなく整理することは難しい。そこで、各種のフレームワークの出番である。まずは、誰もが属している「世の中」全体から「当該市場に」与える影響をマクロ環境として明らかにするのが「PEST（ペスト）分析」である。注意点は「当該市場に」という点だ。限定条件を付けずに世の中全体を明らかにしようとすれば、「経済」の項目だけでも経済白書を書くようなものになってしまう。「自社は何の市場（業界）に属しているのか？」を意識することは、環境分析全般にわたる注意点である。

▼PEST分析の視点

Politicalは、「政治的影響要因を見るが、特に「規制事項」の緩和、あるいは引き締めには注意が必要だ。Political以外の要素にも言えることだが、事実関係を抽出するに留まらず、それが自社・業界にプラス・マイナスのどちらに、どのように作用するのかまで「考察」する必要がある。

Economical（経済環境）は好不況や為替・株価・消費者物価等の数値の変動に大きく影響される。

Social（社会情勢）は少子高齢化の加速や、今日なら最も大きいコロナ禍など社会全体や生活者の身の回りに起きているなどから抽出する。

Technological（技術的成熟度）は一定の普及度を超え、大きな影響力が出ている技術を抽出する。インターネット利用の高度化やDXという大きな枠組みもあるが、「当該業界特有の技

分析の目的：世の中（マクロ）の環境に関する概観をつかむこと

PESTの切り口で、「自社の属する業界に影響のある要素」を見極めて抽出する

P	**政治**：Political
E	**経済**：Economical
S	**社会**：Social
T	**技術**：Technological

「事実関係の整理」に留まらず、最後に抽出した項目の相互の影響を考慮し、考察・解釈して、「自社・自業界はどうなるのか？」という結論を導出すること！

術」にも注意することだ。

▼自社にどう作用するか

以上の4つの切り口で考え、さらにそれらがどう影響し合って、何が起きているのか？　今後どうなっていくと思われるのか？　ということを十分「考察」して「結論」を導出することが重要である。PEST分析は、何か特別な分析の条件がなければ、この先5年間程度をスコープに入れるといいと言われている。

これもPESTだけでなく、フレームワーク全般に言えることであるが、「フレームワークは〝事実整理の道具〟ではなく〝考えるための道具である〟という認識をしっかり持つことが重要である。

section 16

✓PEST分析の実際は?

紳士服業界のPEST分析（2022年）

事実関係を抽出し、その〝意味合い〟を〝解釈〟することがキモ

ここでフレームワークを用いた分析の実例を見ていこう。コロナ禍中である2021年の紳士服・スーツ業界をサンプルとしてみる。

▼「分析」における留意点

まず、前項で述べたとおり、世の中全体を見渡すにも、自社が属する「当該市場（業界）」を起点にすることが前提である。また、その時に、市場の「規模」と「伸長率」などの「数字」も意識しておく。フレームワークはともすると、言葉だけの定性的要素になりがちだが、数字を押さえておくのは非常に重要だ。「紳士服業界」の中でも国内のスーツ市場（総務省の「家計調査」では「背広服」として背広・ネクタイ・ワイシャツの合計）は、1990年代初頭までのバブル期の約1・4兆円をピークに、2020年には8000億円を割る大きな縮小となっている（30年で約43%減）。この数字は常に意識しつつ、同調査の一世帯あたりの支出額にも注目が必要だ（そちらは左図のフレームワーク中に記載）。

▼業界特有の要素

分析結果は本文で解説するより左図のフレームワークを参照したほうがわかりやすいだろう。

Political＝政治・規制事項は当業界だけでなく、大きなインパクトを特定の業界にもたらすことが多いので特に注意が必要である一方、Economical＝経済の大きな要因である景気の変動は、好況・不況だからといって、業界全体が同様に影響を受けるわけではない。戦略次第で、不況で伸びる個別の企業もある。しかし、特に不況期においては、不要不急の需要は当然影響を受けやすい。Social＝社会的要因は、分析者も社会の一構成員であることを忘れずに、よく周りを見回してみることだ。ただし、大小様々な出来事があるため、「自社及び自社の属する業界に大きな影響を与える要因を抽出する」というフレームワークの原則を思い出して精査することが大切である。Technological＝技術的要因に関して

紳士服スーツ業界におけるPEST分析

P
環境省2005年から「クールビズ」導入。2011年東関東大震災の電力不足対応として「スーパークールビズ」を呼びかけ。カジュアル化が進み、総務省家計調査で1世帯あたりの背広服年間支出額は1991年の2万円弱から2011年時点で約4500円まで低下。**→支出額低下**は業界には大きな逆風

E
1991年バブル崩壊以降の不景気とデフレ、2008年のリーマンショック、上記2011年の震災等による経済ダメージがカジュアル化だけでなく背広服への支出を絞る要因になっている。**→消費者の価格受容性低下**は業界には逆風

S
2010年代以降5000円前後で推移していた世帯支出が、2020年はコロナ禍による**テレワークの普及**で3000円以下に減少。企業もテレワークを基本としたオフィスへの改装・移転を進めておりコロナ後も回復見込みなし→業界には逆風

T
企業のDX推進が加速しつつあり、各種テクノロジーも進化し**テレワークはコロナ後も定着は確実**。業界各社は低価格化と洗える・軽い・伸縮性などの**新機能を持ったスーツを市場投入しているが、大きなインパクトは与えられていない**。→業界的には手詰まり感もあり

何が言える?

業界的にマイナス要素が多すぎるため、本業以外への多角化を推進する方向性がひとつ。
本業のスーツに関しては、「リモートワーク対応」の単なる機能性だけではない全く新しい発想の製品を市場に送り出す必要がある。

は、分析にあるように、世の中全般に影響を与える技術の普及状況とその影響度と、自業界特有の技術の普及がどのような影響を世の中に与えているのかという両面で見ることが重要だ。

▼総合すると何が言えるのか

前項の文末でも述べたが、各項目の解釈を行ったら、最後には「全体を総合すると何が言えるのか」という結論を出すことが必須だ。それがPEST分析のゴールである。そこからさらに、「ではどうするか?」という打ち手の仮説までを導出する場合もある。

ポイントとしては、上のフレームワーク中、強調してある部分のような各項目の大きな影響要因とその意味合いを「つなげて考える」ということである。そうすることで「意味合い」が見えてくる。

section 17

✓業界環境とは何か？

5つの力(5F)分析の手法

自社は「何業界で勝負するのか？」を明確に定義することが分析の第一歩であり、キモでもある

「業界」とは「同じ産業に携わっている人々や企業の社会」を意味する言葉である。その業界において、自社を中心にどのような力が働いているのかという業界構造を分析するのが「5つの力分析（5 forces analysis）」である。マイケル・ポーターが著書『競争の戦略』で紹介した手法だ。

▼「業界定義」より始めよ

5つの力分析は業界分析である。その際、自社が属しているのが「何業界なのか」を明確に定義することが重要だ。何業界と定義するかによって業界内の競合や、参入してくるプレイヤーが異なる。また、代替となる存在や顧客、供給者など5つすべての要素が変わってくる。

また、5つの力分析は対象期間を長く取り過ぎると、各々の力に色々な要素が入り過ぎて整合性が取れなくなるので、「○○年の××業界」というように時点を明確に設定する。

▼売り手・買い手の留意点

5つの力分析の各要因の内容は左図の通りだが、「売り手」「買い手」という名称は誤解を招きやすいので注意が必要だ。「売り手」はあくまでも「業界内」の企業にとっての調達先（仕入れ先）だ。代替の可否と売り手の交渉力の大きさの関係は、2010年に尖閣諸島問題で日本と対立した中国がレアメタル・レアアースの禁輸措置という強気に出た状況にたとえられる。当時日本はレアメタル・レアアースの輸入の82％を中国に頼っており、代替がきかないと考えられたからだ。その後日本は技術革新でレアメタル・レアアースの使用量を半減させつつ、フランス、ベトナム、エストニアなど新たな調達先を開拓して大きな力を無効化した。

「買い手」とは業界内の企業の顧客のことであるが、最終顧客（生活者）だけではなく、メーカーであったとしたら、中間の流通チャネルなども一次顧客としてその影響を考えなくてはならない。買い手の「ブランドスイッチ

業界分析＝ 5F分析（5 Forces analysis）

業界を取り巻く5つの要素を明確化し、業界環境と課題解決の方向性を探る。

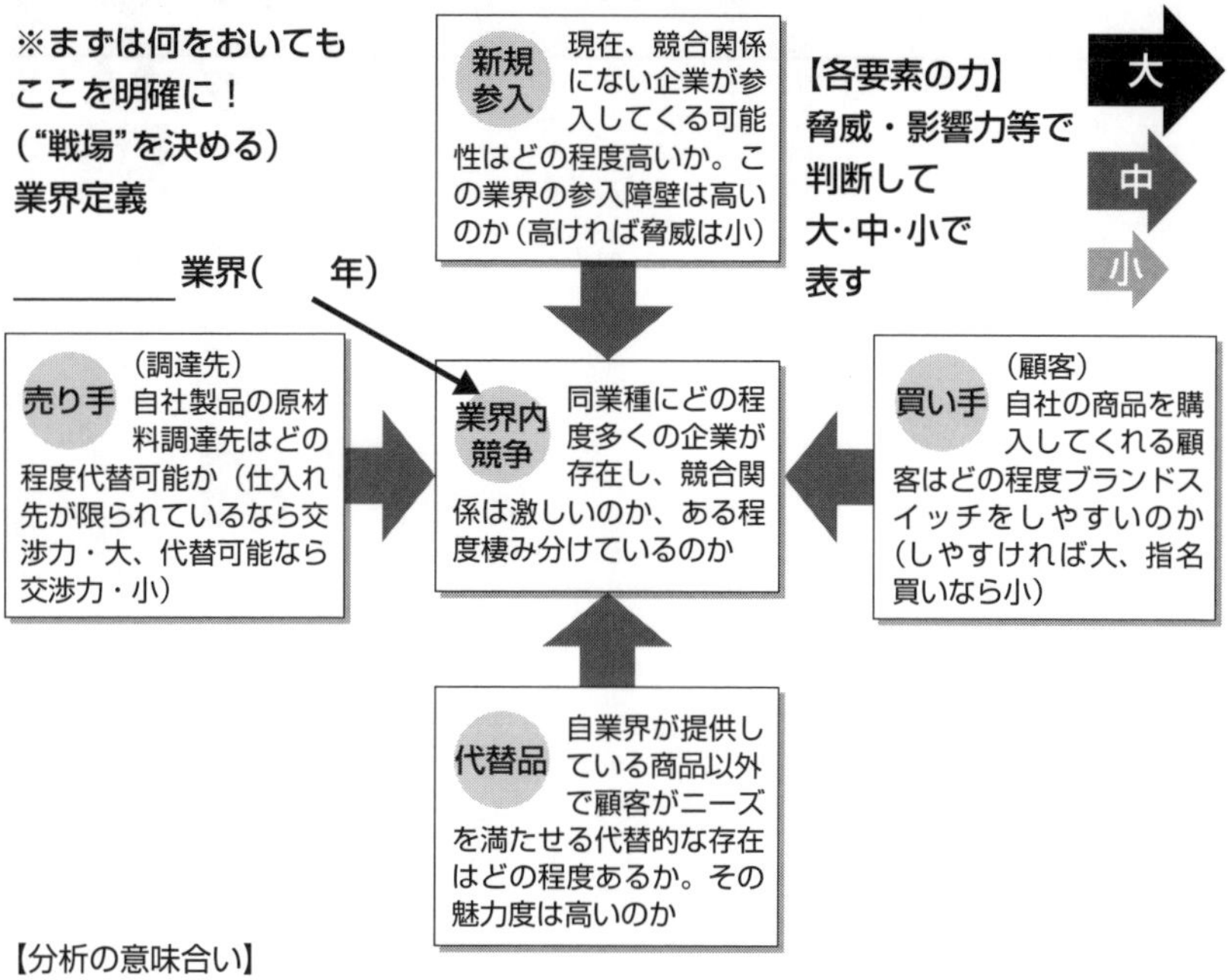
※まずは何をおいても
ここを明確に！
（“戦場”を決める）
業界定義
業界（　　年）
新規参入
現在、競合関係にない企業が参入してくる可能性はどの程度高いか。この業界の参入障壁は高いのか（高ければ脅威は小）
【各要素の力】
脅威・影響力等で判断して大･中･小で表す
大
中
小
売り手
（調達先）
自社製品の原材料調達先はどの程度代替可能か（仕入れ先が限られているなら交渉力・大、代替可能なら交渉力・小）
業界内競争
同業種にどの程度多くの企業が存在し、競合関係は激しいのか、ある程度棲み分けているのか
買い手
（顧客）
自社の商品を購入してくれる顧客はどの程度ブランドスイッチをしやすいのか（しやすければ大、指名買いなら小）
代替品
自業界が提供している商品以外で顧客がニーズを満たせる代替的な存在はどの程度あるか。その魅力度は高いのか

【分析の意味合い】
大きな力が働いているところから利益が流出する
対応策→①大きな力を小さくすべく直接その部分に働きかける
②「業界定義」を変更して業界全体のパワーバランスを変え、優位な力関係を構築する

の可能性」は、どれだけその商品を「指名買いしたいと思うか」と解釈すればわかりやすいだろう。指名買いするほどの思い入れがなければ買い手の交渉力は大きくなり、どうしても買いたいとなれば小さくなる。

▼分析の結論

結果はまず、矢印の大きさとその数から「厳しい業界」か、「魅力的な業界」なのかがわかる。厳しい業界なら、ひとつは前述の中国対日本のレアメタルの例のように、「大きな力に働きかけて、その力を小さくすること」だ。しかし、あまりに「大」が多すぎてどうにもならないこともある。その場合2番目として「業界定義の変更」をする。そうすることで、5つの力の要素すべてが変化して、劇的に環境が変わる。

section 18

✓5F分析の実際は?

100円ショップ業界及び「セリア」の事例

「業界定義」の重要性をよく認識する

5つの力分析で2008年の「100円ショップ業界」を見てみよう。リーマンショックによる不況下で成長した「セリア」の例が、コロナ不況への対策の参考になる。

▼2008年の業界構造

2002年頃、当業界は、「こんなものまで100円で買える!」という「買い手」=生活者の新鮮な驚きを集めて急成長した。「売り手」=取扱商品メーカーも、多数の企業が売り込みをかけ発注先を選び放題という状態。「業界内」は最大手ダイソーによって寡占化されつつあったが、十分利益の出る業界だった。しかし、PESTのEconomicalの影響要因としてリーマンショックがやってきた。左頁上図が当時の5Fの状態だ。

100円ショップの主要な取扱製品の原料である原油や金属の価格が高止まりして、「売り手」であるメーカー各社から一斉に値上げ要請が来て、発注先は多数あっても大きな力として働いている。「買い手」である生活者は不景気の折、本当に必要なものしか買わなくなり、大きな力となった。またスーパーやコンビニが拡大した「100円商品売り場」が「代替品」となり、生活者は利便性からそちらを利用し、大きな力となった。「業界内の競争」は生き残りをかけた熾烈な競争で大きな力だ。「新規参入」に関しては業界の魅力が薄くなっており、力は小さい。つまり5つの力のうち4つが「大」の大変厳しい業界だ。

▼「業界定義の変更」で躍進したセリア

2009年に業界第2位となったセリアは、女性受けするデザインやカラーの、こだわりの100円商品に厳選。品点数を減らしている。ゆとりの出た店内は通路を広く取り、陳列方法にもこだわったオシャレな空間を演出。100円ショップには見えないオシャレなショップを展開して多数の顧客から支持を集めた。つまり、より業界定義を狭め「オシャレ100円雑貨業界」という業界を創出して、魅力を高めたのである。

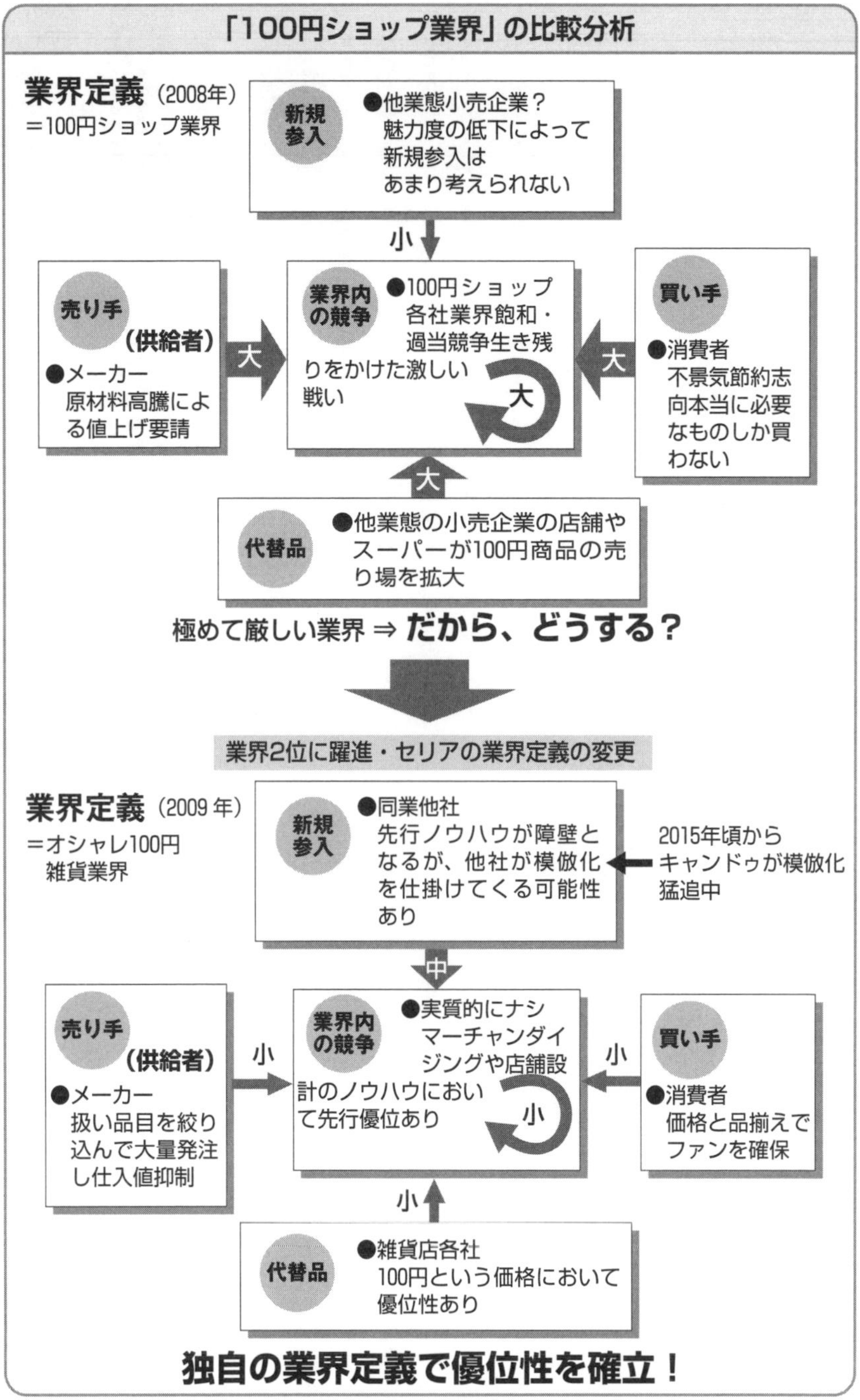
「100円ショップ業界」の比較分析
業界定義（2008年）
＝100円ショップ業界
新規参入
●他業態小売企業？
魅力度の低下によって
新規参入は
あまり考えられない
小
売り手（供給者）
●メーカー
原材料高騰による値上げ要請
大
業界内の競争
●100円ショップ各社業界飽和・過当競争生き残りをかけた激しい戦い
大
大
買い手
●消費者
不景気節約志向本当に必要なものしか買わない
大
代替品
●他業態の小売企業の店舗やスーパーが100円商品の売り場を拡大
極めて厳しい業界 ⇒ だから、どうする？
業界2位に躍進・セリアの業界定義の変更
業界定義（2009年）
＝オシャレ100円
雑貨業界
新規参入
●同業他社
先行ノウハウが障壁となるが、他社が模倣化を仕掛けてくる可能性あり
2015年頃から
キャンドゥが模倣化
猛追中
中
売り手（供給者）
●メーカー
扱い品目を絞り込んで大量発注し仕入値抑制
小
業界内の競争
●実質的にナシマーチャンダイジングや店舗設計のノウハウにおいて先行優位あり
小
小
買い手
●消費者
価格と品揃えでファンを確保
小
代替品
●雑貨店各社
100円という価格において
優位性あり
独自の業界定義で優位性を確立！

section 19

5F分析の実際は?

紳士服業界の5F

分析の意味合いから「ではどうする?」を考える

▼PESTとの整合性を確認する

16項のPEST分析の事例の続きを5F分析で考えよう。PESTは「自社及びその属する業界」に影響を与える世の中の要因を抽出するのが重要だった。故に、その時考えた「業界定義」で5F分析を行い、「整合性」を確認する。この事例では、PESTですでに業界の手詰まり感が見えていたが、5Fをやっても、悪い意味で整合性が確認できる。そこでPESTの結論で「仮説」として導出した「リモートワーク対応」の単なる機能性だけではないまったく新しい発想の製品を市場に送り出す必要がある」という結論を掘り下げてみよう。

▼リモートワークの「ふの字」は何か?

「自宅でのリモートワーク中は、負担のない楽な格好で過ごしたい。かといって、オンラインミーティングのたびにわざわざ着替えるのは煩わしく、負荷がかかる。でも、カッチリした服装の相手とまったく合わないような、不格好なことにはなりたくない……」というところだろう。また、オフィスと違い、休憩時間・終業後には、リビングのソファーでゴロゴロしたり、近所のコンビニに出かけたりもしたい。とすると、業界内で各社が「機能性」でしのぎを削っているが、まったく異なる、顧客のニーズを捉えて「ON・OFF兼用リラックス・リモートワークスーツ」とでも言える業界定義を考え出したのが、「紳士服のAOKI」だ。「パジャマスーツ」という画期的なコンセプトがそのまま商品名になっている。

2021年8月20日付同社ニュースリリースによると、2020年11月以来9ヶ月間で累計3万着を販売。さらに業界規模を拡大するため、ラインナップを拡大し、21年10月14日付けリリースでは3年で100億円の目標を表明した。明らかに「アフターコロナのニューノーマル時代のスタンダード」となることを狙った展開だろう。

「ではどうする？」という５Ｆ分析からの対応法

業界定義（2018）
=紳士服・スーツ 業界

新規参入 ECで多店舗展開が不要になり、新興オーダーメイドブランドも多数参入。ただし、業界の魅力自体が縮小し大資本の本格新規参入などはない。
中

売り手（調達先）仕入れ製造先の確保は可能であるが、客単価・総売上の売上減少により地代家賃・人件費等の固定比率上昇。
中

業界内競争 大 市場のカジュアル化、メイン顧客層の高齢化などで縮小した市場で、限られたパイの奪い合い。

買い手（顧客）既成スーツの需要は縮小し、オーダーはまだ指名買いのポジションまで得られていない。
大

大
代替品 ユニクロを筆頭にカジュアルブランドがビジネスカジュアルに進出し、代替需要を満たしている。

極めて厳しい業界！→ではどうする？

業界定義（2021）
=ON・OFF兼用
リラックス・リモート
ワークスーツ業界

新規参入 従来のスーツより簡易に作れることから、カジュアルブランドの参入に対する障壁は低いが、まだ需要が確定していないため参入意向は高くいない。
中

売り手（調達先）通常のスーツより簡易に作れ、原材料の仕入れ・縫製の外注先の選択肢は広がる。
小

業界内競争 小 現状の所、同様な顧客ニーズに注目している競合はいない。

買い手（顧客）一度着て体験すれば、その使い心地の良さを実感できるが、まだイノベーターしか反応していない。
中

小
代替品 リモートワーク兼用は各社展開しているが専用はなく機能性フォーマル寄り。ユニクロ等カジュアルブランドはむしろビジネスシーンに寄せている。

魅力的な業界だが業界規模が小さい。
より幅広いニーズに応えるため、バリエーションを増やし、
アーリーアダプターから大衆層に広げる必要あり

写真提供：AOKI

section 20

✓「戦いの土俵」は内部環境も十分検討して決める

「事業ドメイン」を意識した「業界定義」決定の事例

「製粉業」という「ドメイン」を持った「島田製粉」

前項までで「業界定義」の重要性を述べてきたが、「では、どうやって決めればいいのか?」と思われるだろう。そんな時は、自社の「事業ドメイン」との関係から考えていくことをお勧めする。

▼「事業ドメイン」とは

domainとは、直訳すれば「領地・領土」のことで、転じて経営学的には「事業ドメイン」として「事業を、誰に・何を・どのように展開していくのか?」を決めることを意味する。事業ドメインによって、企業の活動領域が決まる。その意味では、乱暴に言えば、5Fの「業界定義を」17項の図中で「戦場」と書いたのとほぼ同義だと思えばいい。

▼決め方

ドメインも業界定義も勝手に決めていいものではない。顧客支持なくして商売は成り立たないからだ。故に次の3項目から考える。

①その事業の恩恵を受ける「顧客」は誰なのか?

②その事業で満たすべき「顧客ニーズ」は何なのか?

③その事業はどんな「企業資源（3項参照）」によって実現できるのか?

つまり、「業界定義の変更」とは、対象とする「顧客」とその「ニーズ」、そしてそれを満たすべく自社のどんな「資源」を使うかの組み合わせを変えるのだ。

▼島田製粉の場合

東京都三鷹市にある島田製粉は、調布市の「深大寺そば」で有名な深大寺の門前のそば店にそば粉を挽き卸して85年になる老舗だ。そば店の依頼でお土産用乾麺を作り始めたのが70年前、地道な商売を続け、4代目社長になってから3年前に百貨店を皮切りに高級スーパー、量販店、ECと販路を広げた。「製粉業」としての知見、ノウハウで作られた流通向け「深大寺そば」製品は、一般の「製麺業者」の納入してくる日本そばとは「まったく別格の味」だと、流通のバイヤーやECの顧

島田製粉の業界拡張とドメインの例

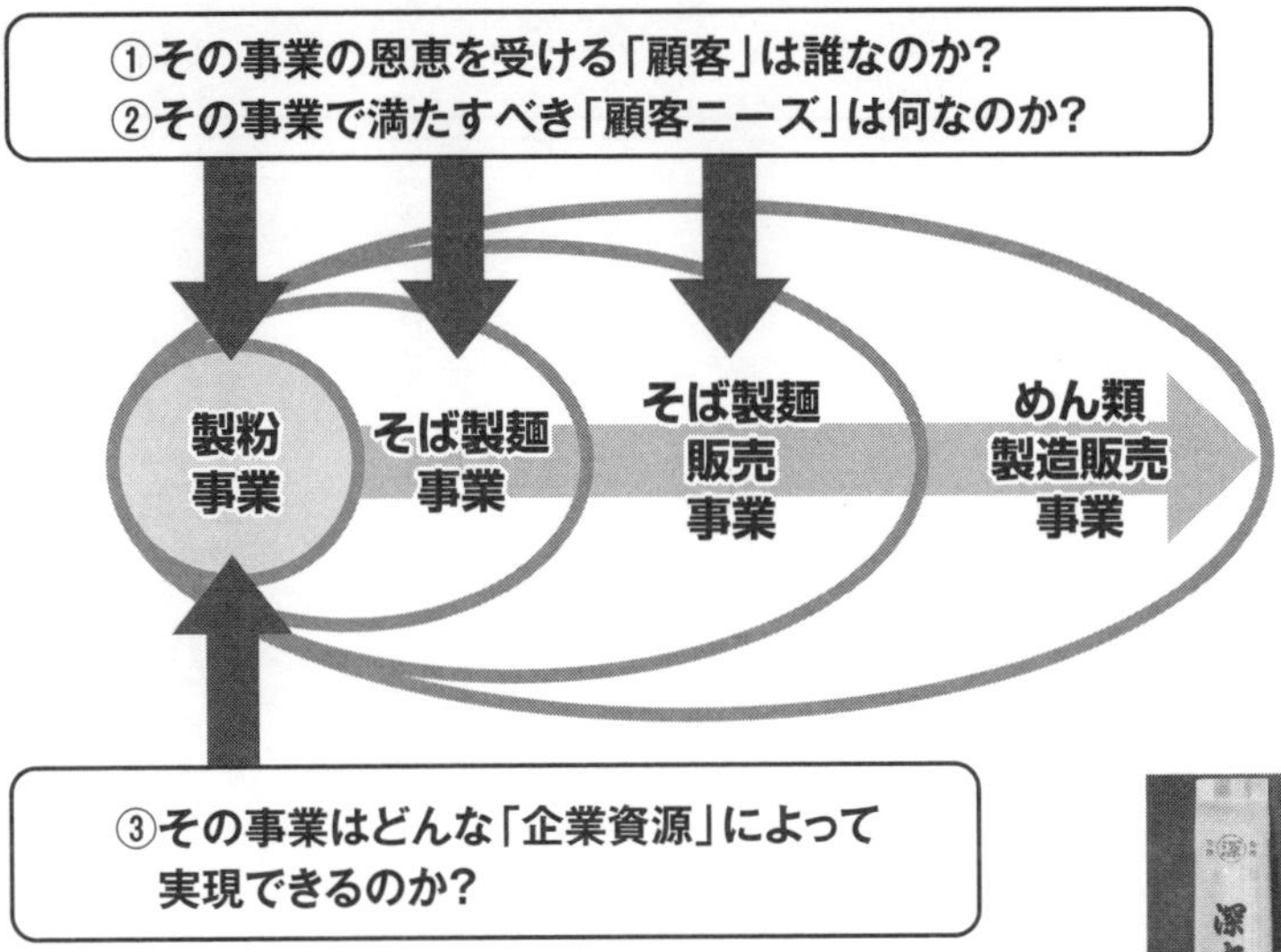

写真提供：島田製粉

客が口を揃えて言う。

そして、「深大寺」だけでなく、同じ武蔵野地域で愛される「武蔵野うどん」や、「高尾山・とろろそば」まで手を広げている。それが可能なのは、前述の③製粉業者の知見・ノウハウ・人脈という「企業資産」によって①地域のそば・めん類愛好者に始まり、全国の顧客に②「本格的な味わいで満たされたい」というニーズに応える……という芯がしっかりしているので、販路・販売地域や製品が変わっても、それに合わせて①〜③の組み合わせを変えるだけで対応が可能だからである。

section 21

3C分析の手順①

✓競争環境を把握する

「3つのC」の要素と抽出内容

▼3つのCで考える

3C分析とは、左図にあるように、Customer・Competitor・Companyの3つの要素の頭文字を取って名付けられている。

考案したのは経営コンサルタントの大前研一で、1982年の著作『The Mind of the strategist: The art of Japanese business』（日本語版：ストラテジック・マインド ― 変革期の企業戦略論）によって世界に知られるようになったフレームワークだ。同著では「およそいかなる経営戦略の立案に当たっても、三者の主たるプレーヤーを考慮に入れなければならない」として、立場の異なる三者の視点で分析を行って戦略を立案する方法として解説されている。つまり、3つのCの視点から市場の環境を明らかにするのである。

Customerは2つの意味で捉えるようにすることが肝要だ。「市場」と「顧客」である。故に「市場・顧客」と表現する。要素として明らかにすべきことは、「市場の環境と顧客とそのニーズ」である。「市場の環境」は、自社と関わる世の中の大きな動き＝マクロ環境と、自社が属する業界の動き＝業界環境などがどうなっているかである。「顧客とそのニーズ」では、その市場にはどのような顧客候補が存在し、どのようなニーズを持っているかを明らかにする。

Competitorは「競合」を指す。業界内にはどのようなプレーヤーが存在するのか。その中でどこが自社の直接的な競合になるのか。それらはどのような動きをしているのかである。

Companyは「自社」のことだ。自社の業界内でのポジション（位置づけ）や具体的な強みとしている要素、抱えている弱みなどを挙げていく。

▼肝心な考察・導出すべき結論

「フレームワークは情報整理では意味がない」と前述したが、肝心なのは、KBFとKSFの導出である。重要なので次項で詳説する。

3C分析は自社の置かれている「競争環境（ミクロ環境）」を分析する

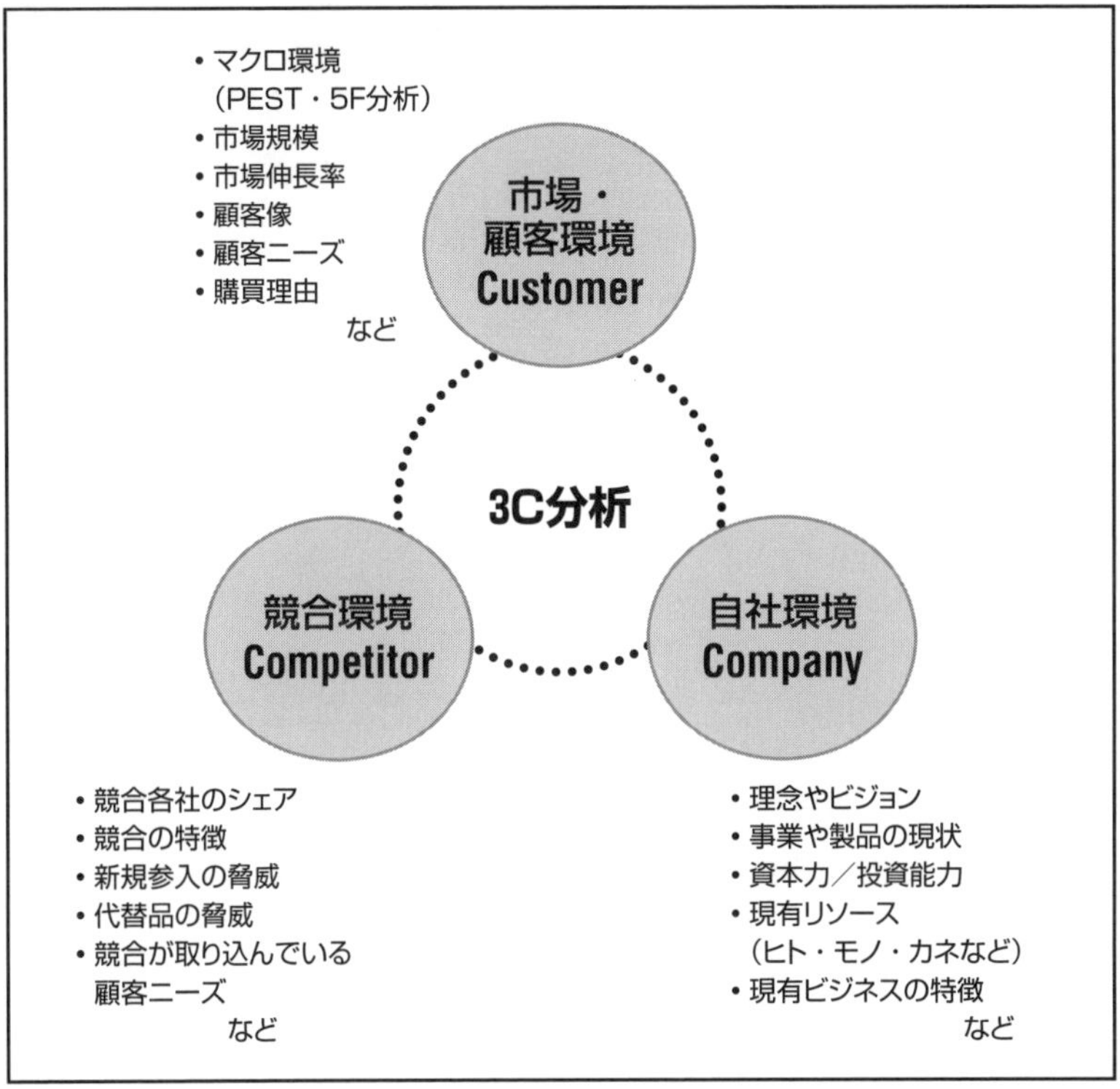

KBF
【Key Buying Factor～購買決定要因】

KSF
【Key Success Factor～市場で勝つ成功要因】

- 業界KSF＝業界における勝ちパターン
  （勝ち残りに欠かせない要素）
- 自社KSF＝直接的な競合に対する勝機
  （勝つための戦い方）

section 22

3C分析の手順②

✓KBFとKSFを導出する

事実関係から、考察・導出すべき要素

▼KBFは幅広に洗い出す

「顧客とそのニーズ」がわかったら、そこから連続してKBF（Key Buying Factor＝購買決定要因）を推測することができるだろう。決定要因としては顧客にとって重要度の軽重はあるだろうが、まずは幅広く洗い出しておきたい。その上で、重要度までわかるのであれば、重視する優先順位順に番号を振るとよい。

▼「業界KSF」は「勝ちパターン」を意識する

業界KSFを最も端的に例えるなら、「オセロゲーム（リバーシ）」を思い出して欲しい。あのゲームの「勝ちパターン」もしくは「勝ち残るために欠かせない要素」は何だっただろうか？そう、「角を取ること」だ。言い換えれば、業界KSFを明らかにせずに戦うのは、ルールを知らないゲームをやっているに等しい。つまり、業界KSFとは一義的には、業界で汎用性のある勝ち残りのカギを知ることである。

業界KSFの導出方法としては、大前研一の著書にあるように、1つは「勝者となった会社と敗者となった会社の違いが何であるかを知り、その差違を誇張して分析すること」という見方がある。さらに、既存の業界KSFがわかっていた場合は、次のような勝ちパターンも考えられるので参考にするとよい。①既存の市場のKSFを踏襲し上回る、②新たなKSFを構築し棲み分ける、③既存のKSFを破壊し市場を刷新する

▼「自社KSF」は「顧客のニーズギャップ」を見つけ出す

「自社KSF」を導出する際には、大前研一の考え方では、「可能な限り想像力を働かせて市場を分析し、カギとなるセグメントを確認すること」という見方を拡張して考えるとよい。詳しくは4章の「セグメンテーション（顧客細分化）」で述べるが、顧客候補（セグメント）として顧客を細分化する際に注目すべき点は、「顧客のニーズ」である。そのニーズに対して、

KSF:「ファストフード業界（市場）」の場合の事例

前提 利益 ＝ 売上 － コスト　売上 ＝ 客数 × 客単価 × 回転率

KBF（顧客・買い手の視点で考える）	料理の提供が早い（待ち時間が短い）・手ごろな価格・（過度な期待はしないが）一定レベルの味で提供されること
業界KSF（売り手の視点で、基本的な顧客のKBFを満たし、その期待を上回ることを考える）	＝「早い・安い・（そこそこ）うまい」 より多くの顧客を集客し、原価を抑えた低～中価格帯のメニューを大量に販売する（規模の経済性・経験効果で原価低減を図り、利益を確保する）。 味は本部からの一括原料供給と詳細なマニュアルによる調理で、味とオペレーションスピードの均質化を図る。
マクドナルドの自社KSF	早い：オペレーションの高効率化によって「とても早い」→多くの客を高回転でさばく 安い：大量販売で原価率を下げられる うまい：マニュアル化されたオペレーションによる均質化された味

※業界リーダーの自社KSFは、業界KSFとほぼ同じになることも多い

モスバーガーの自社KSF	早くない（注文を受けてから作る）…ただし、注文を受けてからの時間短縮はマニュアル化して早くしている そこそこの価格：（注文を受けてから作るなど“手作り感”から、マクドナルドよりは高いが、顧客が納得できる価格に設定 うまい：マクドナルドより高単価なので原材料費もかけられる。「作りたて」なので、味がよい

※チャレンジャー以下のポジションなら、顧客のKBFの期待を上回るポイントを作りつつ、業界KSF、及び自社の直接競合といかに差別化を図るかを考える。

Competitor（競合）はその動きの中で充足することができているのか否かを見るのだ。もし、充足できておらず、「ニーズギャップ」が存在するようであれば、それを自社（Company）の「強み」で充足することができるようであれば、それが自社KSFにつながることになる。競合が充足できているようであれば、自社はより「よく充足させることができないか？」と、「潜在ニーズ」まで含めて、顧客候補に「まだ充足できていないニーズはないか？」まで洗い出してみることが重要である。

section 23

✓3C分析がうまくいく必須ポイント

3C分析の手順③

顧客と競合そして自社自身をよく観る・調べる！

▼まずはCustomerを見る！ の原則

「3つのC」を見る順番の大原則は「まずは市場と顧客を見る」だ。ただ、この段階でざっくりとどのような「顧客（候補）」がいて、どんなニーズを持っているのかという、後述する「セグメンテーション（顧客細分化）」的な考え方を細かく行うと、各々のKBFが具体的に見えてくる。また、KBFは自社都合ではなく、顧客の視点で考えることは絶対原則である。

▼Competitorはもう少し幅広く見る

「自社KSF導出＝競合に勝つ方法を知る」3Cでは、「目の前の競合」だけでなく、「顧客のニーズを満たす者＝競合」と考え、5F分析における「代替品」的な存在まで視野に入れ、「想定外の存在に顧客をさらわれる・流出する」ことを避けるのが肝要だ。その上で、それが顧客候補にどのようなアプローチをしているかをつかむ。

▼自社の要素はポジティブ／ネガティブの両面を明らかにする

Company（自社）の要素は、とかく調子のいい時はイケイケで、「強み」ばかりが目に付く。しかし、調子の悪い時には、アレもできていない、コレもできていない…と「弱み」ばかりが挙げられがちだ。客観的に、「活かすべき強み／克服すべき弱み」を洗い出すことである。

▼Companyの「資源の最適配分」で「顧客の未充足ニーズ」を捉える

競合との戦い方は左図の通り、競合が捉え切れていない顧客の未充足ニーズを、自社の戦略立案の基本となる6つの資源（3項）を用いてすくい取ることだ。例えば、「買い物をする時間がない」という未充足ニーズを抱えている顧客候補が、「もっと身近に買える場所」というKBFを持っていた場合。競合には多くの販売店との取引があるとしても、顧客はそこへ行く時間もない。自社は少数の直営店展開のみだとしたら、コンビニ受け取り可能な自社通信販売で顧客の「時間がない」という未充足ニーズを満たす。競合は

競争環境分析（3C分析）の使い方

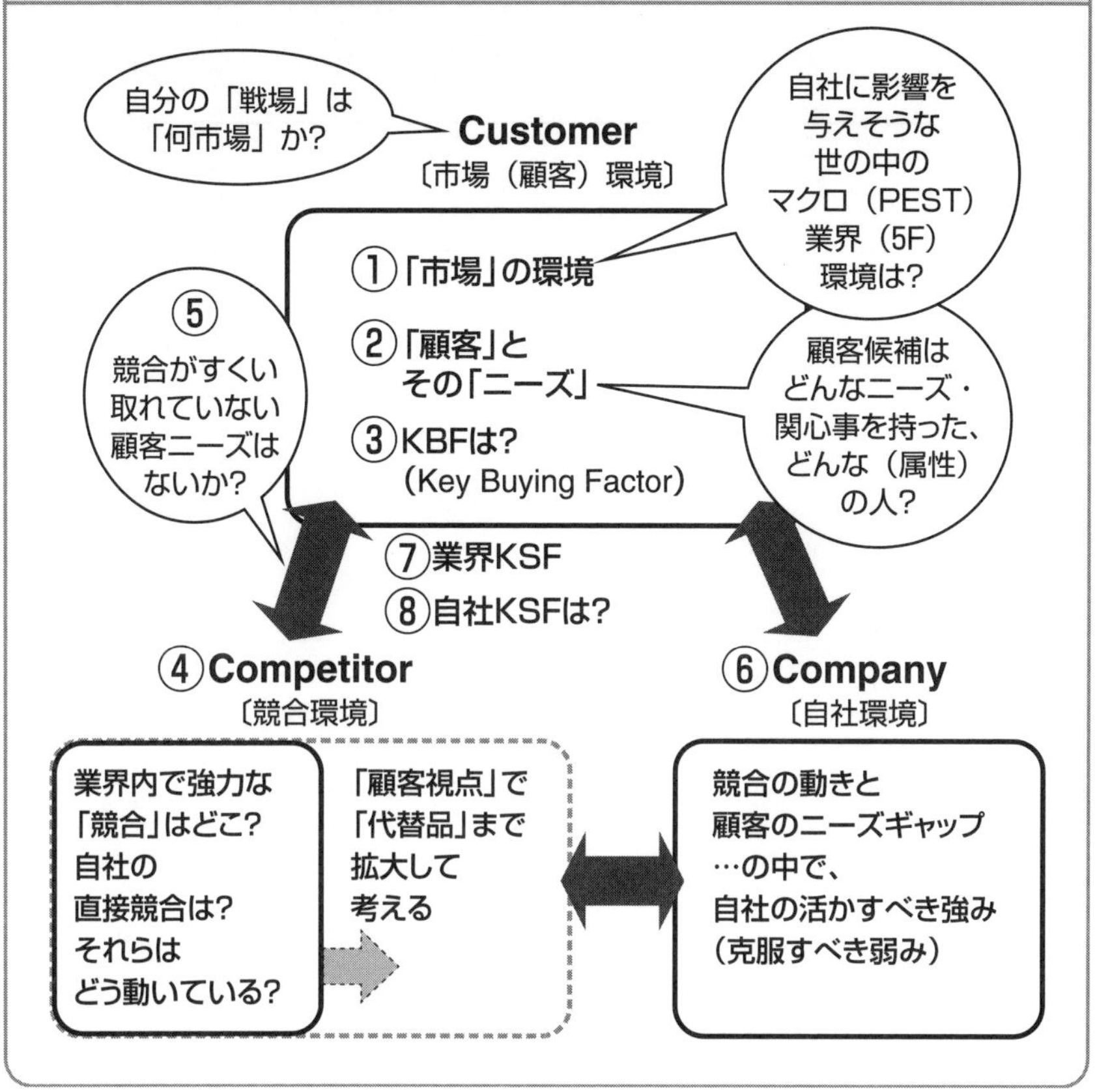

販売店との関係悪化を恐れ自社通販には手を出せない。それこそが、自社ならではのKSFになる。

▼注意！　KSFはKBFではない

分析においてKBF（顧客の購買決定要因）とKSF（Key Success Factor＝成功のカギ要因）を混同する誤用が散見される。それは、顧客のKBFを満たせば、市場での勝ち残りや競合に対する優位性が実現するという意味で、特に業界KSFは両者が似か寄ることはある。しかし、あくまでもKBFは「顧客視点」であり、幅広く出す。KSFは「企業側の視点」だ。顧客が望むKBFをそのまますべて実現できるとは限らない。また、実現できたとしても、「成功のカギ」としては、結果よりもそれを実現できる「しくみ」自体がKSFとなることが多い。KBFとKSFの違いをきちんと認識することが肝要だ。

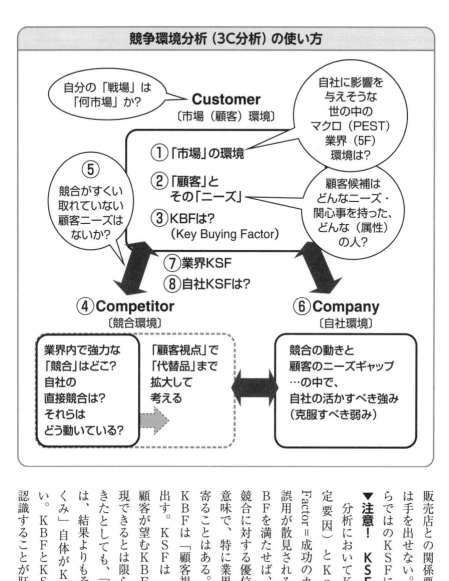

section 24

コメダ珈琲の人気のヒミツを3Cで分析する

✓3C分析の実例

昔懐かしい雰囲気とゆとり感がKSF

名古屋市発祥の喫茶店チェーン「コメダ珈琲」が急拡大している。2022年2月末時点で全国899店舗にまで拡大している。1996年にスターバックスが日本に上陸して以来、「シアトルスタイル」というエスプレッソを中心とした形式が全盛の中、コメダ珈琲はなぜ選ばれて、勝ち残りを果たしているのか。3C分析の実例として考えてみよう。

▼市場の環境と顧客のニーズ

日本のカフェ市場は順調に伸長している。その中で、顧客層（セグメント）とそのニーズは多様化しており、様々なKBFが存在している。このような場合の分析としては、とりあえずは顧客とそのニーズ、KBFを幅広く挙げておく。左図ではスペースの都合で簡易に書いたが、顧客層とそのニーズ、それに伴うKBFを分類しておくとなおよい。

▼競合とその動き

直接的な競合となるか否かは別として、市場のプレイヤーが顧客に対してどのようにアプローチしているかという意味で、その特徴を洗い出してみた。もっと精緻に行うなら、どのタイプの競合がどの顧客層を狙っているのかまで整理しておくとよい。

▼自社の特徴

コメダ珈琲のウェブサイトから競合との差別化要因となる点を抽出した。この内容から、コメダ珈琲は図で挙げた競合のどのタイプとも直接被らないことがわかる。むしろ現在は主流となっていない、昔ながらの喫茶店スタイルであることが最大の特徴であり、それを好む顧客層を幅広く取り込み、後発の同スタイルの競合が登場するまでに先行したことがKSFとなっている。

▼3C分析の要点

分析の結論としては、様々なタイプが存在する顧客層の中からニーズギャップを抱えている層を見つけたことがポイントとなったわけだ。つまり、3C分析で最も大切なのは、顧客とそのニーズをよく見ることなのである。

コメダ珈琲都市部進出における3C分析

①Customer〔市場環境〕

・市場の環境
日本フードサービス協会調査/2019年「喫茶店市場」の規模1兆1780億円。10年間で約17%増加（外食産業全体は約10%増）。飲酒人口と「飲み」機会の減少。代替としてカフェには追い風。くつろぎ・デスクワークや食事の場など用途の拡大と共に「カフェブーム」とも言われ、市場は伸長中。

・顧客のニーズ
コーヒーそのものの味を求める層や、オシャレさやくつろぎなど、店内空間に重きを置く層、低廉な価格でちょっとした休息と喫煙室での一服を目的とする層など、セグメントごとにニーズの多様化が進む。

昔ながらの「喫茶店」的「ゆとり」ある単独店舗、小規模チェーンは消失。ルノワール・珈琲館の二大巨頭は残るも店舗数減少の一途。
昨今のカフェの店舗スタイルに居心地の悪さを感じる層も少なくない。【居心地〝不満〟】
新規勃興の兆しある高級フルサービス店は金額的に敷居が高い。【費用の〝負担〟】

KBF（Key Buying Factor）
=コーヒーの味、メニューの種類、店内空間、価格の安さ……

業界KSF（Key Success Factor）
=主流はセルフ・中価格でオシャレな店舗・多用なメニュー

（自社）KSF
=フルサービスを基本に珈琲やフードの味等の独自色と、「ゆったりとした店内空間と雰囲気の提供を実現し、体験させる。幅広いメニューで顧客の注文点数が多くなり、長居客からも高客単価が取れる

②Competitor〔競合環境〕

〈シアトル系〉

ブームの火付け役ともなったスターバックスに代表されるエスプレッソのバリエーションメニューと店内空間が売り。ただし、徐々に座席が詰め込み気味に。勉強をする学生やPCで仕事をする人など飲食・休息以外が主目的な客層も多い

〈低価格系〉

ドトール、ベローチェなどセルフサービスと狭めなスペースの代わりに低廉なメニューが売り

〈本格コーヒー系〉

ブルーボトルコーヒー、猿田彦珈琲の人気が高まる。サービスはシアトル系・低価格系同様セルフ

〈新世代高価格フルサービス系〉

椿屋珈琲店等フルサービス系復興の兆しもあるが、1杯1,000円近く、敷居は高い

〈個人経営及び旧来のチェーン喫茶店〉

個人経営の喫茶店は激減。「珈琲館」「ルノアール」等のチェーンも店舗数減少傾向

③Company〔自社環境〕

〈コメダのこだわり=強み〉
・くつろぎ=「街のリビングルーム」をコンセプトに広めのスペースと新聞雑誌の設置など
・おいしさ=自社製のパンや「名古屋スタイル」とも言われるモーニングセットや豆菓子のサービス
・サービス=座席への案内～水・おしぼりの提供
・メニュー単価は中価格帯だが、メニューの幅が広く客単価が上げられる

〈コメダの弱み・脅威〉
・都市部知名度なし/駐車場の優位性が活きない
・「古くさいイメージ」と受け取られるリスク

section 25

バリューチェーン分析

✓KSFがわかったら……？

自社の事業活動を機能分解し、付加価値から生じる「強み」と「コスト構造」を明らかにする

3C分析で「KSF」が明らかになったら、実現する具体的な「しくみ」を作らねばならない。新規事業のみならず、既存事業なら現在の事業を手直ししていくわけだ。それがハーバードビジネススクールの教授、マイケル・ポーターが提唱したバリューチェーン（Value Chain＝VC）分析だ。自社の製品・サービスが顧客に届くまでの活動を一連の価値（Value）の連鎖（Chain）として捉える考え方である。

▼バリューチェーン分析の実際

バリューチェーンは企業ごとに異なる。まずは分析すべき企業の事業活動を機能分解する。この際のポイントはあまり細かく分けすぎないこと。上流から下流まで大きく4～5が目安だ。細かすぎると「業務プロセス分析」のようになり、「KSFの実現」という事業全体に対する視点ではなくなってしまうので注意。分解すべき機能は部門に紐づいていることも多いので、部門間の業務の受け渡しポイントに注目する。そして、各機能のどこで付加価値が生み出され、そのためにどれだけのコストが投じられ、最終的にどれだけ利益があげられているのかを明らかにする。これがVCの「コスト構造分析」の側面だ。さらに、生み出された付加価値が、全体としてどのような強み（弱み）を形成しているのかを明らかにする。これが「強み・弱み分析」の側面である。バリューチェーンの構造が同じであれば、個々の機能の中味をさらに詳細に把握して比較することが必要となるが、構造の組み方が異なっている場合は、構造自体が強みや弱みとなっている場合が多い。

▼整合性に留意する

VCは、全体がつながり合って「KSFを実現するために整合したしくみ」になっていることが重要だ。どこか個々の機能が優れているだけでは意味がない。また、全体としてのKSFに対する整合性を図る意味でも、洗い出したコスト構造を元に、コストを適正配分するような調整も必要となる。

バリューチェーン:「強み・弱み」から「しくみ」を作る

〈強み・弱み分析〉

業界平均的な従来のビジネスのプロセスや、競合の情報を推測・調査し、比較して、自社のどこにどのような強み・弱みがあるのかを明らかにし、業界 KSF を満たす。更に自社独自の勝機を高めるしくみを実現、または最適化する。

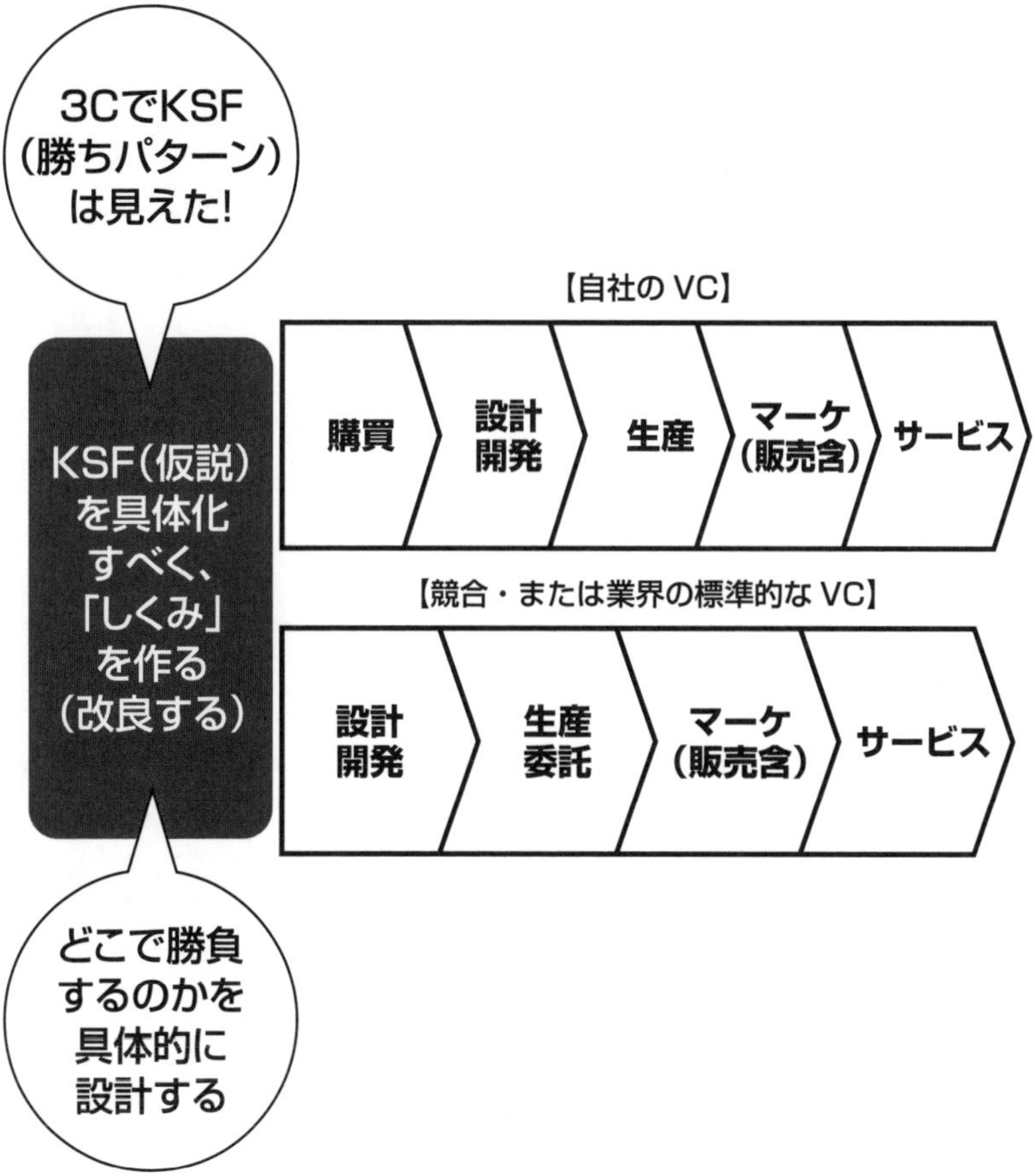

section 26

✓3C～バリューチェーン分析の事例

クルマが売れない時代の新業態誕生のヒミツ

「KSF仮説」から具体的な「しくみ」を組み立て、「強固なKSF」を構築する

3CとVCを連続して考えることによって自社の市場での勝ち残り、競合へ勝利するカギ＝KSFの仮説を見出し、それに従って具体的な「しくみ」を設計していけば、強固で実現可能なKSFを構築することができる。その事例を見てみよう。

▼中古車店「ガリバー」のSC展開

クルマの買い取り・販売会社ガリバーインターナショナルは従来、新車・中古車を扱う自動車販売の競合と同様に幹線道路沿いなどの路面店を中心に店舗網を広げてきた。しかし、市場環境を見れば生活者の多くがクルマに対する関心を希薄化させていた。特に長期の不況下に成長した若いエントリー層ほどその傾向が顕著だ。関心がなければ幹線道路沿いなどという立地に足を運ぶことはあり得ない。市場縮小の中でジリ貧になっていくことは目に見えている。そこで同社は「待ちの営業」から「攻め」に転じるべく、滋賀県守山市のショッピングセンター（SC）「ピエリ守山」に新業態の中古車店「ビークルポート」を開くことにした。SCなら、エントリー層という重点ターゲットとの親和性も高い。

▼「手を変え品を変え」を実現できる強みを活かす

接点を構築して認知させても、興味喚起して購買欲求を高めなければ意味がない。そこでガリバーは自社が展開する5系列の専門店から月替わりでタイプの異なるクルマを選び、テーマ設定をして専門店展開をすることにした。例えばある月は「RV専門店」として看板を掲げ、1ヶ月後には「軽自動車専門店」として品揃えも看板も一新する。低関心層に常に刺激を与えて関心を高めるためだ。同社が他系列に比べ豊富なタイプのクルマの在庫を持っている強みを活かしているのだ。

メディアによれば、同店は路面店に比べて来店客数が桁違いに多く、開業以来の販売も想定を上回るペースを実現しているという。見事に3Cの仮説がVCで実現できたわけである。

ガリバーインターナショナル「ビークルポート」の3C分析

クルマへの関心が低い・またはないので、わざわざ遠くまで見に行く気にならない。見に行こうとも思わない。多少の関心があっても、幹線道路沿いの店舗まで行く車を持っていない…

Customer〔市場（顧客）環境〕

「市場」の環境は?

自動車販売数は10年間で10%以上減少(長い不景気で消費者の価値観が変化し、消費者のクルマ離れが顕著に)。


「顧客」のニーズは?

クルマに興味がない・関心が低い・多少関心があっても購買意思決定まではなかなか至らない…故に自動車販売店までわざわざ出かけることはない。


KBFは?：興味・関心がないのでわざわざクルマに触れに行かない。側にあれば多少関心を持つ（…という人もいる=ターゲット）

（かつての業界）KSFは?：多くの消費者が集まる所に接点を設け、多くの車種を陳列する（自社）KSF：手を変え品を変え、まずはクルマに触れさせ、関心向上、購買検討を図っていく。

Competitor〔競合環境〕

業界の動き
従来の方法論が通用しなくなり、各種集客イベントを繰り返す。自社顧客と営業を多く抱える企業は訪問営業に乗り出す。

「競合」はどこ?　どう動いている?

競合となる同業の中古車販売業者、代替となる新車販売店も多くは幹線道路沿いなどの路面店を中心に店舗網を拡大している。その場所は「わざわざ足を運ぶ場所」であり、クルマに高い関心や購買意志が高い顧客以外の集客は望めない。

Company〔自社環境〕

競合・代替同様に幹線道路沿いなどの路面店を中心に店舗網を展開。しかし、消費者の車への関心低下によってこのままではジリ貧。

■自社の強み
自社には5つの専門店があり、集客さえできれば顧客を飽きさせず関心を高めることができる。

■事業課題
低関心な状態から購買意向を高め、クロージングしていくには通常は時間がかかるが、中古車は「売り逃し」を避けるため短期での回転が必要。関心を示してから契約までの期間短縮が課題。

競合（街道沿いの中古車販売業者）

調達（買取）	立地	集客	展示	販売
通常の買い取りを実施し、販売商品を揃える	街道沿いの従来型立地	通りがかりの来店待ち、または周辺地域にチラシ配布など実施	台数は多いが品揃えは固定化	興味・購買意欲のある顧客との条件交渉が主

自社（ガリバーインターナショナル「ビークルポート」）

調達（買取）	立地	集客	展示	販売
自社5系列の在庫から売れ筋をピックアップ	ショッピングモールにテナント出店	クルマに興味のない客も含め、黙っていても店舗に来客あり	品揃えを絞り常に来客の興味を引くべく、様々なカテゴリー車種に頻繁に入れ替え	まずは興味を持たせ、クルマとの接触体験を作るところから息の長い営業

〈具体的なKSF〉

クルマへの低関心層との接点を作り、まずはクルマに接触させ育成して購買意欲を高めていく

section 27

✓SWOT分析はどう使うのか？

SWOT分析の手順

4つの要素の事実情報を洗い出し、各要素を掛け合わせ、意味合いを抽出する

▼SWOT分析の基本

SWOTとは、S＝Strength（強み）、W＝Weakness（弱み）、O＝Opportunity（機会）、T＝Threat（脅威）の頭文字を取ったものである。

まずは以下のような要領で事実情報を洗い出していく。

[Strength] 自社が活かせる強みは何か。[Weakness] 自社の不得意とするところ、弱みは何か。[Opportunity] 自社にとって追い風となっている環境の変化・機会はないか。[Threat] 自社にとって都合が悪い環境の変化はないか。

▼要素を掛け合わせるクロスSWOT

SWOTの各項目に事実情報が整理できたら、各要素を掛け合わせることによって意味合いをさらに抽出する。

「強み」×「機会」は「積極的攻勢戦略」と呼ばれ、外部環境の追い風を受けて自社の強みをどこまで伸ばせるかを考える。

「弱み」×「機会」は「段階的施策戦略」と呼ばれる。自社の弱みでつかみ損ねている機会を、段階的にどのように解消していくかを考える。

「脅威」×「強み」は「差別化戦略」と呼ばれており、いかに自社の強みで脅威を回避するかを考える。

最後に、「脅威」×「弱み」である。ここは「専守防衛、または戦略的撤退」で、最悪の事態の回避策を検討するところである。

▼最後に「意味合い」を明確に出す

SWOT分析に限らないが、フレームワークに事実を当てはめて整理しただけで安心しては意味がない。特にSWOTのフレームを用いて会議で意見を出し合った時などに起こりがちな傾向である。SWOTを俯瞰する、もしくは、クロスSWOTまで展開したらその結果から、「市場機会と事業課題」を導出することが重要である。自社は何に取り組むべきなのか。ものにすべき機会・克服すべき課題は何かまで明確に書き出して、ようやく分析が終了したと言えるのだ。

戦略の方向性を導出する：SWOT分析

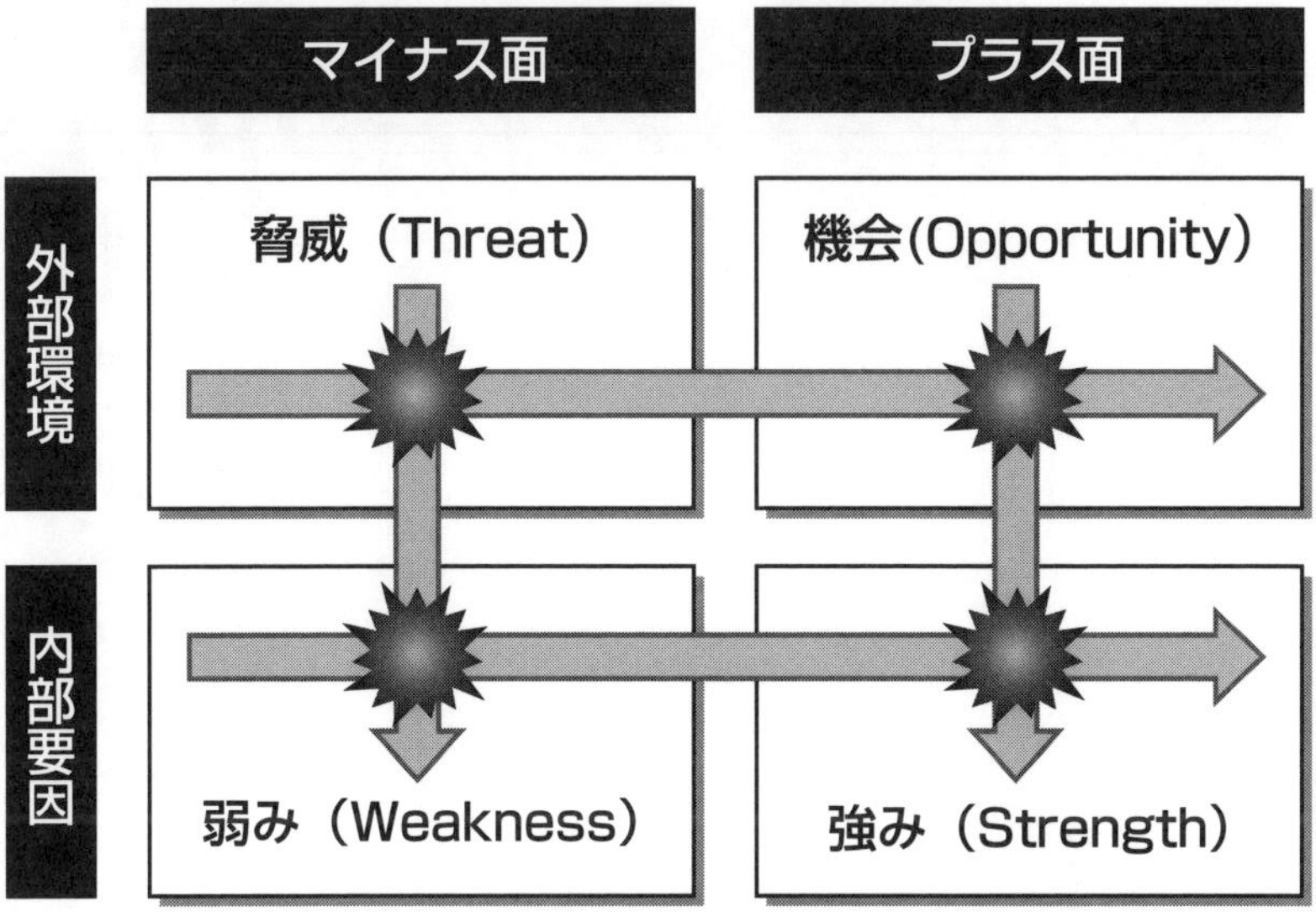

		外部環境	
		機会（Opportunity）	脅威（Threat）
内部要因	強み（Strength）	積極的攻勢	差別化戦略
	弱み（Weakness）	段階的施策	専守防衛または撤退

〈市場機会・事業課題〉
戦略の方向性＝自社は何に取り組むべきなのか？
（ものにすべき機会／克服すべき課題）
→「なぜその取組みが有効なのか？」という論拠も必要

section 28

✓「うまくできない」という人のために

SWOT分析の「使用上の注意」

実は最も「ミスリード」しやすいフレームワーク

結論から言い切ってしまうと、「下手なSWOTやらぬが花」である。先に取り上げた3C分析をしっかりやるほうがはるかに正しい分析ができる。なぜなら、SWOTは非常にポピュラーな割には誤用が散見され、「ミスリード製造器」ともなりがちだからだ。

しかし、それでもSWOTが勝っている点もある。それは、正しく用いれば分析結果として「戦略の方向性」がはっきり見えてくることである。

そこで、SWOTのありがちな誤用の例と、正しく使える方法をここから3項にわたって述べることにする。

▼誤用防止のチェックポイント

そのポイントを一言でいうと、「それは、SWOTのどこに入れるのか？　なぜ、そこなのか？　他に入れるべき場所はないか？」ということだ。

会議でブレスト的にSWOTのフレームをホワイトボードに書いて議論をしていた時に、「当社には販売店がたくさんある」という意見が出たとする。そのポイントは、図の通りだ。

▼枠内には「解釈」を書くこと

一番ありがちなのが①で、ワンワード、単語・熟語・体言止めの発言がそのまま記載されている例。これは、「事実」ではあるが、それがなぜ「強み」なのか、それを見た人にはわからない。

▼外部環境との関係を考える

②は「外部環境の影響を考慮せよ」だ。脅威と機会の内容では、脅威は今現在の「事実」であり、機会はあくまでも「可能性」を述べている。ならば、「弱み」を先に出すべきだ。

▼両面をまずは挙げる

とはいえ、ものごとには両面がある。強みにも弱みにもなり得るのなら、解釈を加えて両方挙げ、最後に全体をまとめる時に、どちらの影響が大きいのかを判断する（③）。重要な強み・弱みの要素を見落として、戦略の方向付けをミスリードすることになってしまうからだ。片面しか見ていないためにミスリードするパターンが一番多い。

SWOT（TWOS）の留意点

（当社には）販売店がたくさんある ◀ **これ、どこに入る？**

①「体言止め」のファクトだけ列記しても意味合いが出てこない。「解釈」を書く。

弱み（Weakness）	強み（Strength）
	・販売店がたくさんある **…だから、ナゼそれが強みになる？** **↑顧客への購買機会を逃さないから**

②外部環境を見て、内部要因はその「意味合い」を考える。（強みとなるか、弱みとなるかは外部環境次第の場合が多い）

脅威（Threat）	機会（Opportunity）
・若年層を中心に「車離れ」が進んでいて積極的な購買行動がない	・景気が回復傾向にあり、クルマの販売も復調する可能性がある

↓

弱み（Weakness）	強み（Strength）
・販売網維持のため高コスト体質になる	・販売店がたくさんあるから、顧客への販売機会を逃がさない **↑本当に強み？弱みにならない？**

③モノゴトには両面の意味がある。片方だけで考えずに、両方挙げて、その影響度の大きさを判断する。

section 29

✓正しく使える！　ＳＷＯＴのフレームワーク①

ＳＷＯＴは「分析をまとめるツール」と考える

フレームワークのつながりを理解し、モレ抜けのない分析をする

前項で、ＳＷＯＴの危険性と留意点を述べた。加えて、Ｓ・Ｗ・Ｏ・Ｔの各欄に思いつくまま要素を挙げていくだけだとモレ抜けだらけになり、より危険性は増す。そうならないための手法をここで紹介しよう。

▼ＳＷＯＴと他フレームワークの関連

ＳＷＯＴ分析をモレ抜けなく行うためには、他のフレームワークをざっと行って中央の長方形の箱に入れる。この時点で深い解釈はいらない。事実関係に近い状態でいい。前項の「当社には販売店が多い」を例にすれば、それは、３Ｃの「Company」の中に出てくるだろう。それを解釈して、左右のＳ・Ｗ・Ｏ・Ｔの箱の中に記載するのだ。つまりＳＷＯＴを単体のフレームワークではなく「まとめツール」と考えるのである。

ＰＥＳＴはマクロ環境の中から４つの切り口で自社に影響をおよぼす可能性を洗い出し、その影響がプラス・マイナスどちらに働くかを考える。ＳＷＯＴに落とし込むときは、マイナスは脅威、プラスは機会だ。

５Ｆの５つの力のうち、自社の利益を奪う「大」の力、およびやがて影響が大きくなる可能性もある「中」の力は脅威に入れ、「小」は機会に入れる。

３Ｃは外部環境から内部要因にまたがる。３ＣのCustomerの「顧客のニーズ」は自社が満たせる要素は機会だ。満たせない要素は競合に取り込まれるか、顧客の満足度の低下を招く可能性があるため脅威となる。

CompetitorとCompanyは双方を比較し、顧客のニーズを満たすにあたって優劣を判断する。Competitorの勝っている点は脅威と内部要因の弱みに、劣っている点は機会と強みに入れる。

バリューチェーンは「強み・弱み分析」であるが、強み弱みの分類に迷ったらコストにも注目する。強みを形成する以上にコストがかかっている機能は弱みに、コストがかかっていてもＶＣ全体の核となる機能は強みに入れる。

＋／－両面を常に意識しモレ抜けを防止・「解釈」を導き出すフレーム

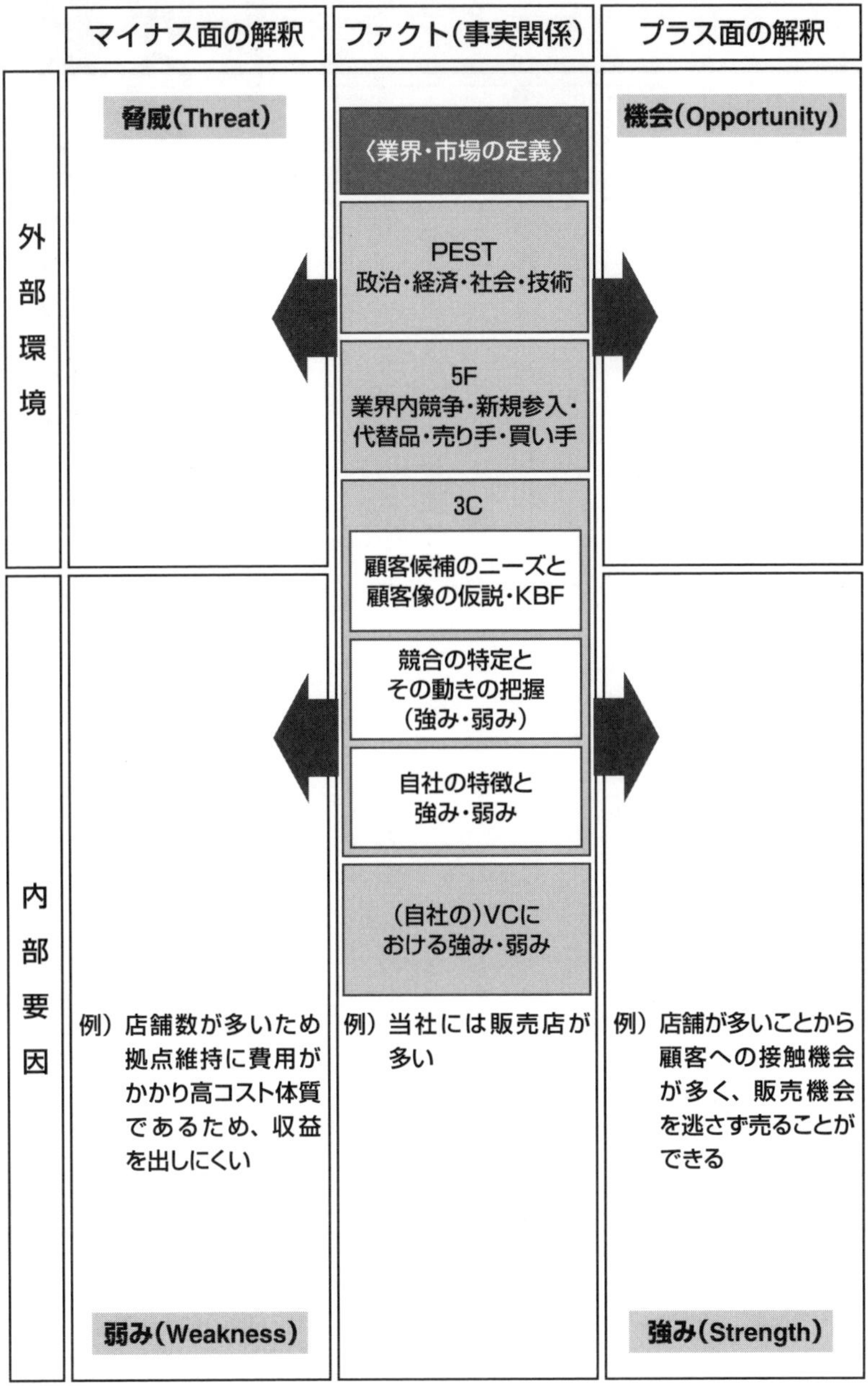

マイナス面の解釈
ファクト（事実関係）
プラス面の解釈
外部環境
脅威（Threat）
機会（Opportunity）
〈業界・市場の定義〉
PEST
政治・経済・社会・技術
5F
業界内競争・新規参入・代替品・売り手・買い手
3C
顧客候補のニーズと顧客像の仮説・KBF
競合の特定とその動きの把握（強み・弱み）
自社の特徴と強み・弱み
（自社の）VCにおける強み・弱み
内部要因
例）店舗数が多いため拠点維持に費用がかかり高コスト体質であるため、収益を出しにくい
例）当社には販売店が多い
例）店舗が多いことから顧客への接触機会が多く、販売機会を逃さず売ることができる
弱み（Weakness）
強み（Strength）

section 30

✓正しく使える！ SWOTのフレームワーク②

「解釈」を適切にしてこそSWOTの真骨頂！

解釈を前提としたフレームと結果をまとめる文章テンプレート

前項の手法でモレ抜けは防止できるが、分析は「解釈」がキモだ。特にSWOTは正しく解釈して、結果を誰でもわかるように示すことが肝要だ。

▼誰でもわかるように文章化する

SWOT分析に限らないが、フレームそのものを見せて、分析結果を読み手、もしくは報告相手に自ら読み取らせることはあり得ない。したがって、その報告書なり企画書なりが一人歩きしたときに正しく理解してもらえる保証はどこにもない。そこで「誰が読んでも正しく意味を理解できる文章で示す」ことが重要になる。

▼各欄の「解釈」からさらに「考察」を加える

先に述べたように、SWOTの4つの枠には、中央の事実関係を「解釈」して記入するが、それだけではバラバラな脅威・機会・弱み・強みを列挙しただけになってしまい、「だから何が言えるのか?」という結論が導出されていないことになる。一般には、そこから意味合いを出すために、27項で紹介した「クロスSWOT」が使われるが、その使い方はなかなかに難易度が高く、また、結果としてそのフレームに記載された内容を見ても、「なぜ、その結論が導き出されたのか?」が理解しにくい。故に、「文章化」するのである。

左頁の文章テンプレートそのままでなくとも構わないが、SWOTの枠で既に解釈してある部分と、新たに考察して文章化しなくてはならないところがあることに注意されたい。「T＋O」は外部環境のまとめなので、TとOから考えねばならない。その下の「ターゲット仮説」は、前項の図の、「3CのCustomerの顧客とそのニーズ」の要素で、顧客候補の仮説が挙げられているはずなので、それを手がかりに考えるべき所だ。そして、一番最後に、全体から「市場機会・事業課題」を導出するのである。

このように文章化すれば、誰でもアタマから最後まで「読めばわかる」と

分析結果を明文化し戦略を鮮明にする（文章化）

○○（当該商材など）を取り巻く環境は、
Tフレームワークの「Tの欄」記述結果よりという
マイナス要因と、
Oフレームワークの「Oの欄」記述結果よりという
プラス要因があり、
総合的には　**T+O**（外部環境のまとめとして上記から考察）
であると言える。
その中で【上記より考察　※ここでの「 ターゲット」は、
あくまでも大まかに考える→STPで詳細化】
　　　などターゲットへのアプローチが考えられ、その際に、
Wフレームワークの「Wの欄」記述結果よりという弱みを
カバーし
Sフレームワークの「Sの欄」記述結果よりという強みを
活かす戦い方ができる可能性がある。
以上のことから、
【考察する】という市場機会と【考察する】という
事業課題を意識してこの後の具体的な
マーケティング戦略を立案する。

※外部環境を考慮して、機会をものにする強みを明確にする。または、自社の弱みを改善することなどを考える。

※外部環境を考慮し、自社における特に解決すべき問題点はどこにあるのか考える。特に弱みで機会を台なしにしない。脅威で弱みを突かれ最悪の事態を招くことを回避する等。

いう状態になる。

▼短い言葉にまとめすぎない

せっかくここまでやったのに、うまく伝わらなくなる例は、各文章を短い言葉でまとめすぎた場合だ。とかくビジネスの現場では「簡潔な説明」が求められがちだ。しかし、これはここまでやってきた環境分析の総まとめで、この「戦略の方向性」に従って、意向の検討がなされる指針になるのだ。短すぎて伝わらない。誤解を生じるよりは、長い文章になっても、間違いなくしっかり伝わるほうがいいに決まっている。「長い文章を恐れるな」が秘訣だ。

section 31

マーケティングリサーチによる環境把握

✓リサーチにはどのような留意点があるのか?

調査の目的を明確にし、仮説をもってリサーチにあたる

フレームワーク分析は短時間で有用な分析結果を導出できる。だが、それはあくまで定性的な「デスクリサーチ」の範疇だ。意思決定の精度を高めるため、「裏付け」となる市場調査で収集した定量的データや定性的な顧客の声なども必要となる。

▼まずは「目的の明確化」

「調査（リサーチ）を行って顧客ニーズを明らかにしよう！」と意気込んでも、明らかにすべき内容が固まっていなければ、調査項目が設計できず顧客に聞くこともできない。曖昧な目的設定で大雑把な調査を行えば、質問内容が絞り込めず、設問数が多くなって回答率が低下したり、回答内容の信憑性が低くなったりする。そんな調査結果では、意思決定に資するに値しない結果しか残らない。大切なのは、調査の設計段階で「調査の目的」を明確にすることだ。そのためには、いきなり市場調査に頼るのではなく、フレームワーク分析で十分調査の「論点」を絞り込むことだ。

▼「仮説」なくして調査なし

調査目的が明確になったら、具体的な「調査対象」や「調査項目」などの設計に入る。その際には「仮説」が重要だ。「顧客は○○についてどう捉えているのだろうか？　明らかにするため、△△というポイントを中心に設計してみよう」というのが仮説だ。間違えてはいけないのが、「仮説」と「先入観」はまったく違うということである。「顧客は○○と考えているに違いないから、その是非を聞いてみよう」という「思い込み」で設計したら、偏った結果しか出てこない。客観性があるか冷静にチェックするようにしたい。

▼ネット調査は便利だが……

インターネットの普及によって調査は格段のスピードと低コストが実現した。かつてはサンプル母数の偏りを気にすることがあったが、今日、そこを気にする必要はない。ただし、あくまでも回答者は調査会社の抱える「アンケート回答ＯＫ」のパネルである。ま

マーケティングリサーチ実施までの手順

1 調査目的の明確化

1）明らかにすべきことは何か
2）具体的にどのようなデータが必要なのか？

2 調査仮説の立案

1）「検証すべき仮説」を明確にする
2）収集すべき情報、取捨選択の基準を定める
3）仮説の中に先入観が混ざっていないかを確認する

3 調査の設計

1）調査対象（サンプル）を設定する
2）調査の質問・回答方法・選択肢等を設定する
3）調査手法を選択する

4 調査の実施・分析

た、ネット調査は、低コスト故に、安易な設計で実施しがちだ。それよりも今日の多くのマーケターは、一人ひとりと話をして、徹底的に本人も意識していなかったような深層心理までを引き出す「デプスインタビュー」という定性調査の手法に重きを置き、定量的な裏付けとして、ネット調査を行っている。

▼調査以外の選択肢も考慮する

調査の代替・補完手段もあらかじめ検討しておきたい。「ビッグデータの時代」とも言われ、ＡＩの進化もめざましい。顧客購買行動データをはじめとした各種のログ（記録）データの解析技術は大きく進歩した。だが、分析者が調査同様、仮説を持って試行錯誤を繰り返すことも必要になる。

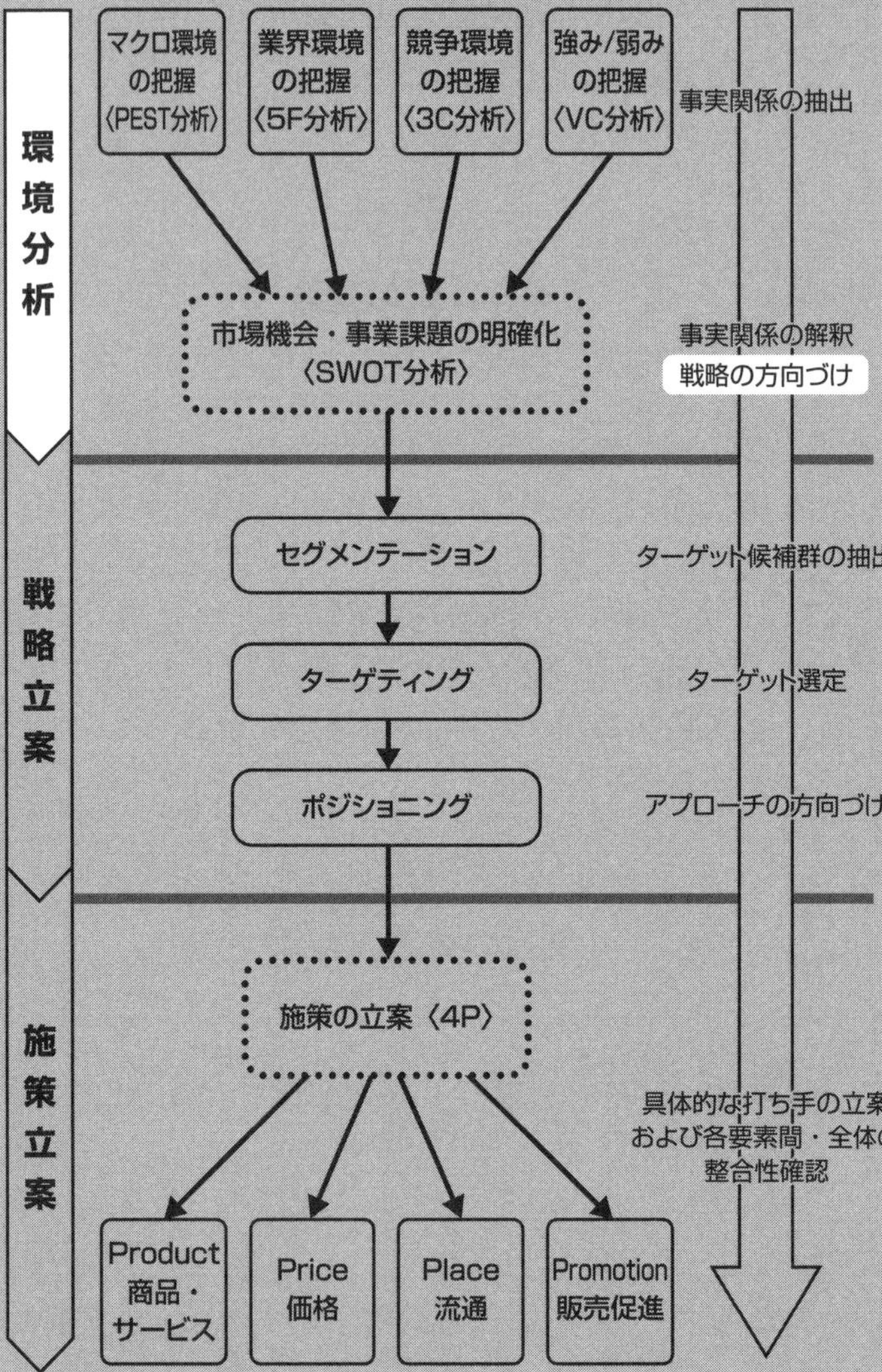

自社と競合のポジションの違いを明らかにすることによって、どのような戦い方になるかを「戦略の定石」で予想することができる。

第3章

戦略オプション

section

32 クープマンの目標値
33 ポーターの戦略の3類型
34 戦略の3類型の実際
35 3類型で想定しておくべき前提とリスク
36 リーダーの戦略――コトラーの4類型
37 チャレンジャーの戦略――コトラーの4類型
38 ニッチャー・フォロアーの戦略
――コトラーの4類型

section 32

✓自社はどれだけ強いのか？

クープマンの目標値

市場シェアでポジションをざっくり把握する

環境分析と市場調査によって「勝ち残りのシナリオ」が見えてきたら、次は市場における競合と自社の立場を明確にし、定石となる戦略を考えることだ。

▼自らの戦場を意識する

「戦略」を考えるには、まず自社はどんな市場、もしくは業界で誰と戦っていくのかを意識することが必要だ。20項で「ドメイン」という言葉を使ったが、「領地・領土」、自分が護り戦うべき場所の意味だ。つまり5F分析の「業界定義」とほぼ同義である。20項の事例、島田製粉はドメインの拡張⇒業界定義の変更を行っても、「製粉業」という根本のドメインを意識し続けている。一方、18項の事例セリアも、「100円ショップ業界」の中に自ら「オシャレ100円雑貨業界」という「業界定義」を創出し、新たな市場を切り拓いたが、100円という価格は残している。

▼シェアで定量的にポジションを認識

自らが定義したドメインや業界定義という言葉で表した戦場において、自社はどの程度優位性を持った立場なのか、つまり「市場ポジション」を理解しておくことは戦いの方針を決める上で重要だ。そこで、それを定量的に把握するための指標が「シェア」である。

▼参考基準：クープマンの目標値

シェアの数字がわかっても、その意味するものを理解できなければ使えない。そこで「クープマンの目標値」が参考になる。ランチェスター戦略の研究者、B・O・クープマンはシェアを6種に分類し、その意味合いを導出した。シェアの数値と意味は左ページの通りだ。

▼シェアの概念の注意点

自らの戦場を定義してそこでのポジションで戦略を考えることは重要だが、それが広い戦場で戦おうとするプレイヤーに容易に侵食されるのでは意味がない。その意味で、自らの定義より広く市場を見た場合のシェアとポジションも同時に意識しておくことが必要だ。次項から詳説する。

クープマンの目標値

73.9％ ▶ 独占的シェア

短期的には首位のポジションを奪われることはあり得ない、絶対的な安定シェア

41.7％ ▶ 安定的シェア

不測の事態がない限り、競合からの逆転や新規参入によってトップの座が奪われることがない安定的なシェア

26.1％ ▶ 市場影響シェア

市場に影響をもたらす、一歩抜け出した状態を示すシェア。２位以下であってもトップを狙えるポジション。トップなら逆転される可能性がある

19.3％ ▶ 並列的競争シェア

複数のライバルが拮抗し、安定的な地位をどの企業も獲得できていない状態

10.9％ ▶ 市場認知シェア

生活者が自ら思い出せる（純粋想起）ギリギリのシェア。競合から存在を意識されるボーダーライン

6.8％ ▶ 市場存在シェア

生活者が人からヒントを出されて思い出せる（助成想起）レベルのシェア。市場において、かろうじて存在が許されるレベル

section 33

✓企業の戦い方の基本は?

ポーターの戦略の3類型

コストか差別化を武器にするのか、戦場を限定するのか

ハーバードビジネススクールのマイケル・ポーター教授は、企業が市場で生き抜くための戦い方を3つに類型化した。当然、競争条件や相対的な条件によって状況は異なり、すべての企業戦略が3つに分類できるわけではない。しかし、競合の戦略を予想したり、自社の取るべき戦略の方向性を検討したりする際に大いに参考となる。

▼競争力の源泉は何か

3つの類型は、まず競争力の源泉を何に置くかで考える。ひとつは低コストを実現する力。もうひとつは顧客が目に見える差別化を実現する力である。「安くて価値が高い」なら顧客からは支持されるが、低価格と高価値を同時に実現することは難しい。故に、「同じ商品なら安いほうが勝つ」「価格が多少高くても価値が高いほうが勝つ」のどちらの考え方を戦略として採用するか意思決定がなされる。前者を「コスト・リーダーシップ戦略」、後者を「差別化戦略」と言う。

なお差別化要素となる価値とは、製品の品質だけでなく、品揃えやチャネルの利便性、サービスの充実など、顧客にとっての便益を指す。

注意すべきは、「コスト・リーダーシップ戦略」は単なるコスト削減とは異なることだ。経営資源の大半を費やして業界の最低コストを実現し、市場の価格決定権を掌握。競合と価格で徹底的に競争しても負けることなく、黒字経営が実現できる体質を持っていることが求められるのだ。

▼競争の範囲をどう定義するか

限定した範囲で戦って勝ち残りを目指すという選択肢もある。市場全体を対象にして戦うのではなく、特定の顧客層や地域、製品カテゴリーに限定することを「集中戦略」と言う。業界シェア下位の企業がナンバーワン企業に対抗するための戦略のひとつである。

限定した市場での戦い方にも、集中した領域でコストを武器に戦う「コスト集中戦略」と、差別化力を武器に戦う「差別化集中戦略」がある。

戦略の３種類

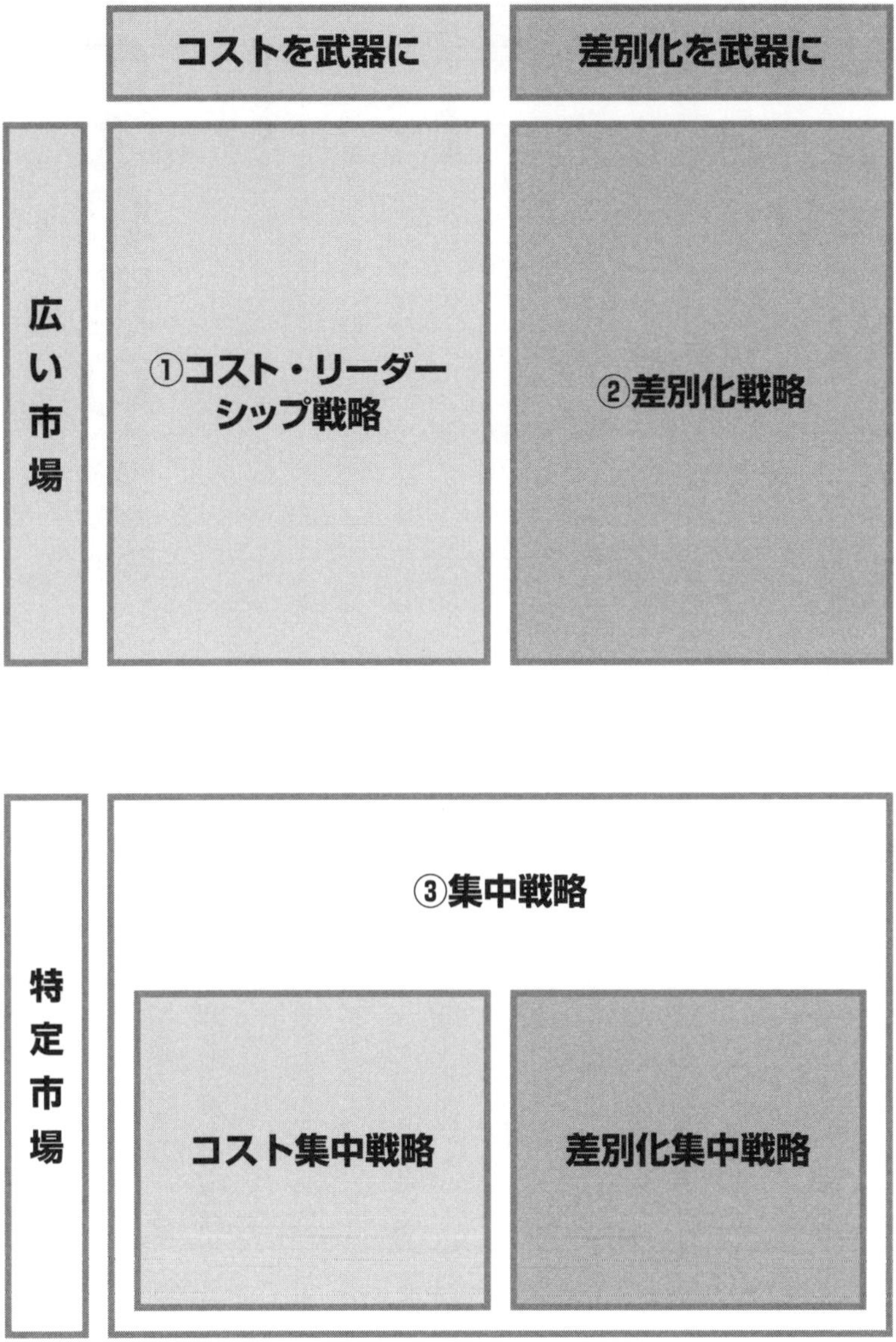

出典：『競争の戦略』マイケル・E・ポーター著、土岐坤、服部照夫、中辻万治翻訳（ダイヤモンド社）

section 34

戦略の3類型の実際

✓各企業の戦い方は?

戦略の明確さが勝負のカギ

戦略の3類型を理解するためには、現実の企業で考えるとわかりやすい。

▼自動車業界の3類型

国内の自動車業界では「コスト・リーダーシップ戦略」はまぎれもなくトヨタ自動車の戦い方だ。「差別化戦略」のポジションは色々と意見があるかもしれないが、本田技研工業が該当すると言えるだろう。創業者の本田宗一郎から、代々技術者が多く社長を務めていたり、独自技術で自動車以外の新規分野の開発にチャレンジしたりという点に差別化力に賭ける同社の姿勢が見える。二足歩行ロボットASIMOは2018年に開発中止になったが、小型ジェット機Honda Jetは2021年時点で世界で約170機が運用されており、小型ジェット機カテゴリーにおける出荷数で2017年から4年連続で世界一を達成しているという。

「集中戦略」はどんな領域に特化しているかが重要だ。スズキ株式会社は普通自動車メーカーが手を出しにくい軽自動車に特化。専用の生産ラインを構築して高効率な生産を実現。「コスト集中戦略」によってリーズナブルな軽自動車に集中し、地位を確立した。

一方、カーマニアという領域に特化して支持を得ているのが光岡自動車だ。こちらは「差別化集中戦略」の典型であると言えよう。クラシックカー風の外観のクルマや、独特なスタイルのスポーツカーなど、ユニークな商品を展開し、一般的な自動車メーカーのクルマよりかなり割高な価格設定にもかかわらず人気を博している。

▼コスト・リーダーはただ1社

トヨタ自動車のコストに対する逸話は数々あるが、コスト・リーダーは、他の業界にも存在する。ただし、1業界につきただ1社だけだ。コスト競争は「プールの底での息の止め合い」に似ている。我慢が続かなくなったら負け。体力のある者が圧倒的に優位となる。故に多くの企業は差別化要因を磨き上げるか、独自の領域で勝負することになるのである。

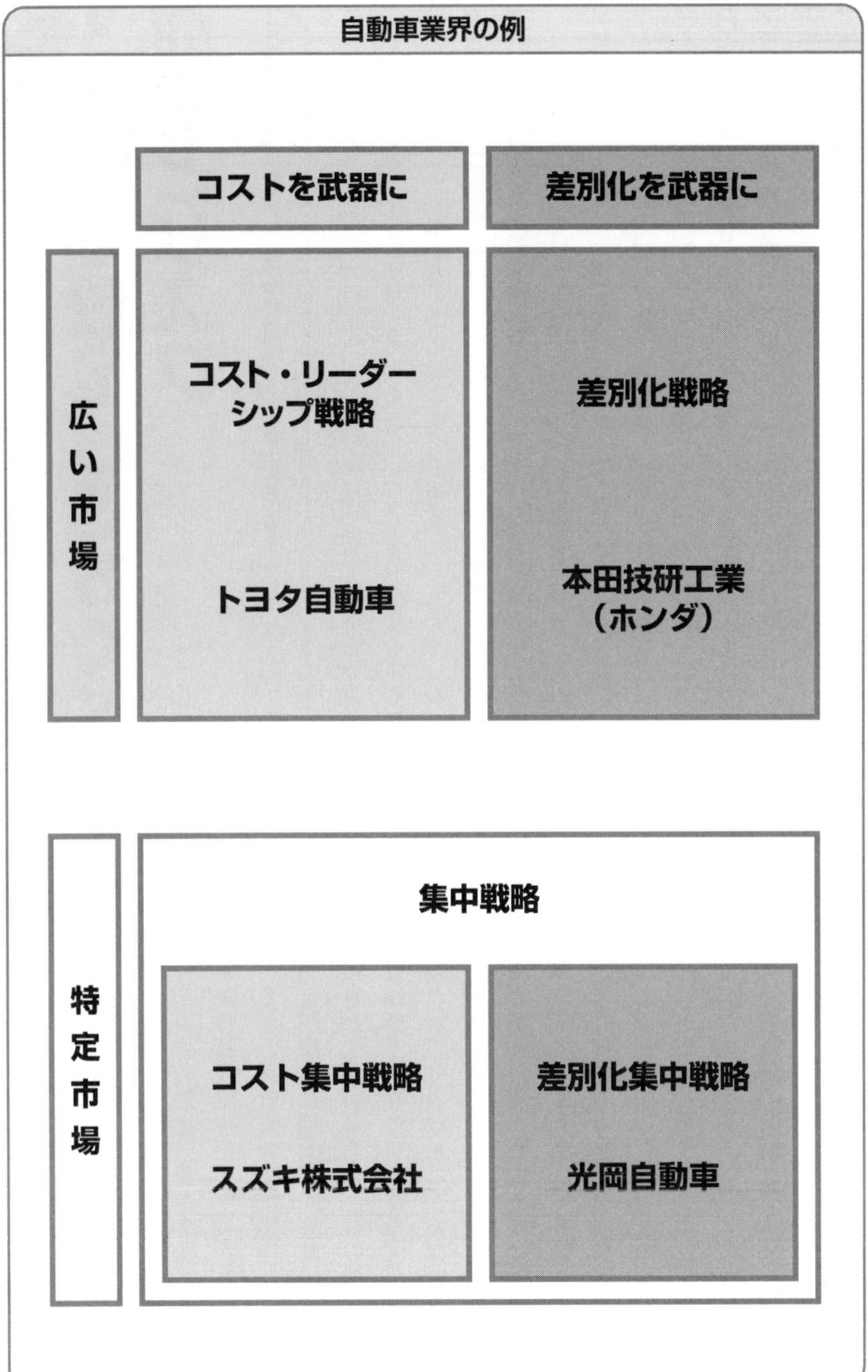
自動車業界の例
コストを武器に
差別化を武器に
広い市場
コスト・リーダーシップ戦略
トヨタ自動車
差別化戦略
本田技研工業（ホンダ）
特定市場
集中戦略
コスト集中戦略
スズキ株式会社
差別化集中戦略
光岡自動車

section 35

3類型で想定しておくべき前提とリスク

✓ 3類型で考えるときの注意点とは?

市場環境を常に分析し、競争優位性を保てるよう留意する

一度築いた3類型におけるポジションも、相互の競争力や市場環境が変化することなどで成立しなくなる場合もあるので注意が必要だ。

▼コスト・リーダーの前提とリスク

コスト・リーダーは低コストを武器に戦うため、そもそも圧縮すべきコストが多大にかかっている。生産・販売量を増やすことで単位あたりの固定費(研究開発費・設備費・広告宣伝費等)を低減する「規模の経済」、生産・販売等にかかる人件費を効率化する「経験効果」、生産設備や原材料、人的資源、販売チャネル等の共有によるシナジーを発揮する「範囲の経済」などを追求することが、コスト・リーダーシップ戦略においては重要である。実現した低コストを武器に低い販売価格で市場のシェアを獲得する。

コスト・リーダーとしてのリスクは、技術革新などによって業界全体が低コスト化して力の源泉を失うことや、競合の差別化戦略が奏功してコストを超えた差別化で顧客を獲得してしまうこと、特定の市場が急速に拡大して、そこでコスト集中戦略をとっていた企業の力が増大すること、などが挙げられる。

▼差別化戦略の前提とリスク

差別化すべき製品品質、品揃えやチャネルの利便性、顧客サービスなど、明確な顧客支持を受ける要素を持っていることが戦略の必須要件だ。差別化要素が簡単に模倣されれば競争優位の源泉が失われるため、その要素は特別な技術やノウハウ、組織文化などで実現されていなければならない。

リスクとしては、差別化要素以上に顧客が魅力と評価するほどの低価格でコスト・リーダーがアプローチしてきたり、特定の市場が急速に拡大し、そこで差別化集中戦略をとっている企業の力が増大したりすることが想定できる。

▼集中戦略の前提とリスク

集中戦略は特定の市場・ターゲットに絞り込んで展開することによって効

戦略の前提とリスク

コスト・リーダーシップ戦略

前提：圧縮すべきコストが大きい（固定費・変動費）

リスク：コスト構造を覆す技術革新・特定市場の急拡大

差別化戦略

前提：明確な差別化ポイントと継続的な模倣困難なしくみ

リスク：差別化を上回る低価格攻勢・特定市場の急拡大

集中戦略

前提：自社だけが強みを活かせる特定市場の存在

リスク：特定市場の縮小・市場拡大による競合の参入

率的にビジネスを展開することが前提である。また、その市場・ターゲットに限定して展開することは、規模や収益性の問題で、コスト・リーダーや差別化戦略を展開する企業にとって効率的でないということも前提条件となっている。

集中戦略は特定の市場に絞り込んでいるため、その市場が縮小し、魅力が失われることは大きなリスクだ。また、市場規模が拡大した場合、さらにその市場を細分化して集中戦略を展開する競合が出現するリスクもあり得る。

以上のように、戦略の3類型における優位性は特定の前提条件の上に成り立っているため、常にマクロ環境、業界環境、競合環境を分析して競争優位性を保つことができるようにしておくことが肝要である。

section 36

リーダーの戦略――コトラーの4類型

市場規模の拡大、市場シェアの保持、市場シェアの拡大を狙うリーダーの3つの戦略

✓「需要創造」「同質化」「非価格対応」とは何か？

33～35項の「戦略の3類型」は全社戦略を検討する際に参考にするのに対して、本項の「競争ポジションの4類型」は個別のブランドや商品など、もう少し小さい単位での戦略立案に用いる。

ノースウェスタン大学ケロッグ経営大学院教授フィリップ・コトラーが提唱した「リーダー・チャレンジャー・ニッチャー・フォロアー」という4分類に応じた戦略の定石がある。

「3類型」と同様に、必ずその戦い方が展開されるとは限らないし、また展開しても有効であるという保証はない。しかし、競合がどのような施策を展開するかを予想し、自社の打ち手の定石を押さえておけば、戦略立案の効果・効率を上げられる可能性が高いため、有用だと言えるだろう。

▼リーダーの戦略1：需要創造

「リーダー」は最大の市場シェアを誇り、強大な商品開発力や販売力を背景として、全方位的に戦うのが特徴だ。

戦略の定石の第一は「需要創造」である。

例えば、製薬会社の「疾病啓発広告」と言われる手法だ。「こんな状態のあなたは○○（病名）かもしれません」、もしくは「××なあなたの症状は通院・服薬で治ります」と広く市場に訴求する。思い当たる節のある人が気になって病院に行けば、その疾病に効く唯一、もしくはシェア・ナンバーワンの製薬会社の薬が処方される。つまり疾病と認識していなかった、もしくは症状の改善や治療ができると思っていなかった人の需要を創造しているのである。

▼リーダーの戦略2：同質化

リーダーは他の企業がヒット商品を開発したら、余りある技術・開発力を総動員して同種の製品を発売、流通させて一気にシェアを奪う。

最も有名な例は日本コカ・コーラの「アクエリアス」だろう。大塚製薬は飲料会社ではないが、ドクターが点滴に用いる「輸液」でのどの渇きを癒や

「リーダー」「チャレンジャー」「フォロアー」「ニッチャー」の戦略

リーダーの戦略
- 市場規模の拡大
- 市場シェアの保持
- 市場シェアの拡大

チャレンジャーの戦略
- 完全な正面攻撃
- 側面攻撃

フォロアーの戦略
- リーダーとの距離をあけずに追随する
- リーダーとの距離をとって追随する

ニッチャーの戦略
- 顧客、市場、品質・価格、サービスにおいて特化する
- 複数ニッチ戦略

出典：『マーケティング原理 第9版』フィリップ・コトラー、ゲイリー・アームストロング著、和田充夫監訳（ダイヤモンド社）

している姿を見たことから飲料化を思いついた。カリウムなどの電解質を補い、水分吸収に優れた健康飲料として「ポカリスエット」を開発、発売したのだ。それに対し、飲料業界のリーダー企業である日本コカ・コーラは、「スポーツ時の水分補給に」という切り口で「アクエリアス」を発売。一気にシェアを奪取したのである。

▼リーダーの戦略3：非価格対応

シェア・ナンバーワンのリーダーは、安売り競争に乗ると自分が一番利益を失うことになる。そのため、自社をプレミアムブランド化して価格維持を図ることに腐心する。仮に前述のポーターの「戦略の3類型」における「コスト集中戦略」の市場が拡大し、対抗上低価格路線に進出せざるを得ない場合には、サブブランドや子会社を立ち上げる展開を行うことが多い。

section 37

✓「差別化戦略」とは何か？

チャレンジャーの戦略——コトラーの4類型

様々なパターンで差別化してリーダーを攻める

「チャレンジャー」の戦略の定石は何と言っても「差別化」である。リーダー企業が、定石のひとつである「同質化」をしかけようとしても簡単には真似できない戦略を展開するのが要諦だ。差別化のパターンを以下に列挙する。

▼資産の負債化

リーダー企業が力の源泉として築き上げた資産を無効化するような展開をチャレンジャーがしかけ、差別化を図る。顕著な例は保険・金融の通信販売やインターネット取引だ。規制緩和を背景に新興の通信販売の自動車保険会社やネット証券会社が登場し、代理店や店舗がなくても営業可能となった。それによって、旧来の損保会社や証券会社が時間やコスト、人的資源を投下して構築した代理店網、支店網のコストが負担となってしまったのだ。代理店、支店、さらに社員を簡単に整理することはできないため、リーダーは長く力を削がれる状態に追い込まれることになった。

▼理論の自縛化

リーダー企業がそれまでに発信してきたメッセージと矛盾するような製品・サービスを展開する。リーダー企業は既存顧客の離反を招きかねないため、急にはメッセージを変更できない。その間にチャレンジャーは徐々に顧客を奪取していくのである。

古い例だが最も有名なのは、アサヒビールだろう。かつてビール市場でのシェアが10％を割り込むまでの危機的状況に陥っていた同社は、チャレンジャーとして一発逆転を賭け、キリンビールに理論の自縛化をしかけた。「ビールのうまさは〝キレ〟にあるという新たな価値観を訴求したのだ。1987年の「スーパードライ」の発売である。

それまでビールの「コク」や「旨み」を訴求してきたキリンビールは、急にはメッセージを変更できない。かくして「キレのスーパードライ」で、シェア50％超えを誇るキリンビールの牙城を切り崩し、一気に首位の座を奪取したのである。

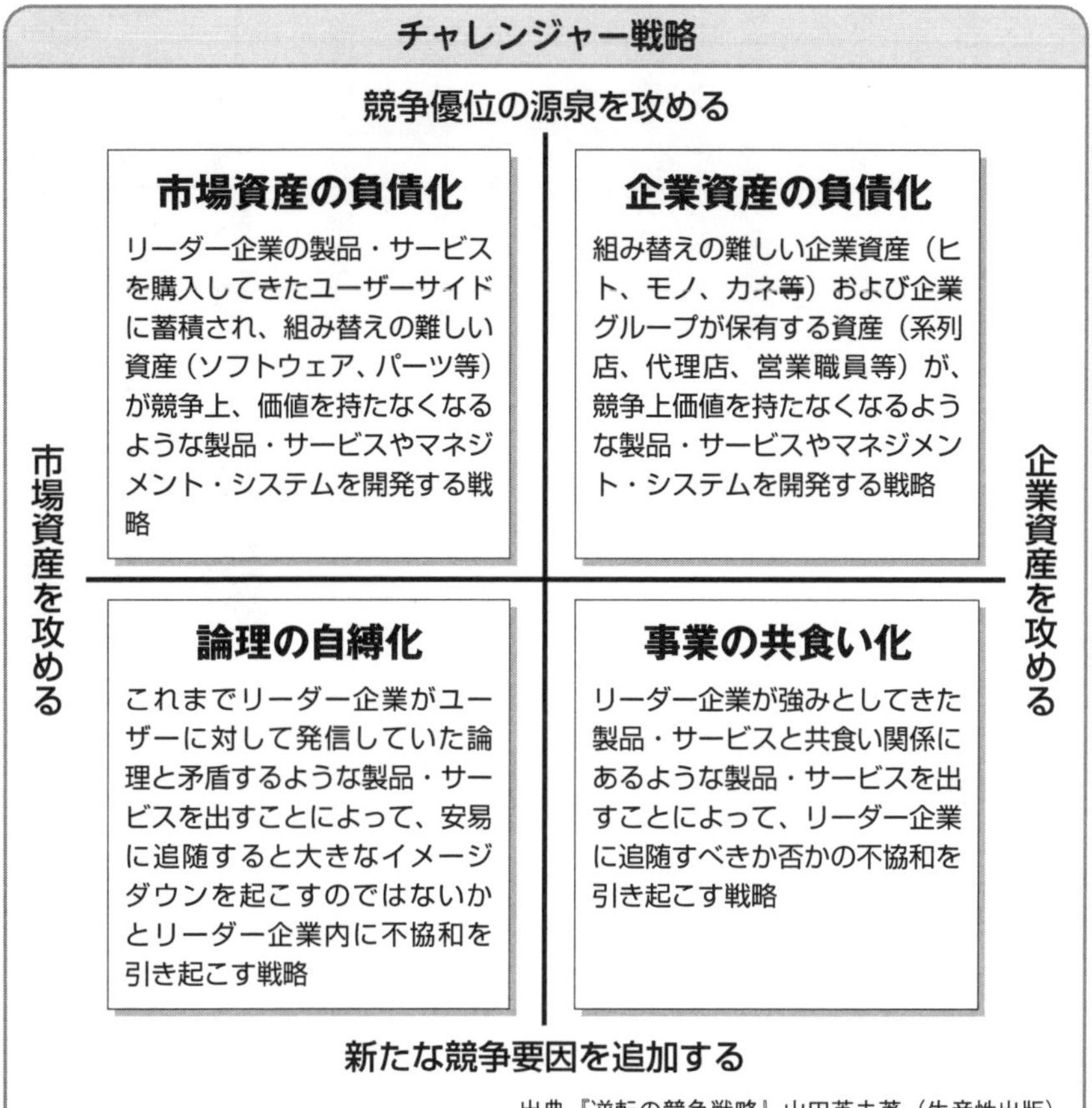
チャレンジャー戦略
競争優位の源泉を攻める
市場資産の負債化
リーダー企業の製品・サービスを購入してきたユーザーサイドに蓄積され、組み替えの難しい資産（ソフトウェア、パーツ等）が競争上、価値を持たなくなるような製品・サービスやマネジメント・システムを開発する戦略
企業資産の負債化
組み替えの難しい企業資産（ヒト、モノ、カネ等）および企業グループが保有する資産（系列店、代理店、営業職員等）が、競争上価値を持たなくなるような製品・サービスやマネジメント・システムを開発する戦略
論理の自縛化
これまでリーダー企業がユーザーに対して発信していた論理と矛盾するような製品・サービスを出すことによって、安易に追随すると大きなイメージダウンを起こすのではないかとリーダー企業内に不協和を引き起こす戦略
事業の共食い化
リーダー企業が強みとしてきた製品・サービスと共食い関係にあるような製品・サービスを出すことによって、リーダー企業に追随すべきか否かの不協和を引き起こす戦略
市場資産を攻める
企業資産を攻める
新たな競争要因を追加する
出典『逆転の競争戦略』山田英夫著（生産性出版）

▼事業の共食い化

リーダー企業が強みとしている製品・サービスと共食い関係となるものを上市し差別化を図る。前述のように「キレ」でアサヒビールはビール業界のリーダーのポジションを獲得した。その後、酒税法の改正で「発泡酒」や「第3のビール」が登場した際に、今度はキリンビールが徹底して「キレ」や「のどごし」を訴求した。

アサヒビールが低価格・低利益率の発泡酒や第3のビールで「キレ」を訴求してしまうと、顧客は「スーパードライ」を買わなくなる。自社の事業が共食い化することを恐れて、アサヒビールは「キレ」よりも「コク」や「旨み」を訴求した。その結果、発泡酒や第3のビールではキリンビールが圧倒的なシェアをおさえるに至ったのである。チャレンジャーに転じたキリンビールの、事業の共食い化戦略である。

section 38

✓「最適化戦略」「模倣戦略」とは何か?

ニッチャー・フォロアーの戦略――コトラーの4類型

独自の生存領域確保か、ひたすら耐え抜くか

シェアナンバーワンのリーダーではない。チャレンジャーとしての力もない。となると残されたポジションは「ニッチャー」か「フォロアー」である。両者の違いは「独自の生存領域」を確保できているか否かだ。

▼ニッチャーの最適化戦略

「ニッチ」の原義は〝飾り物などを置く壁面のくぼみ〟であり、また〝(人・物に)最適の地位(場所・仕事)〟を表す。では、いかにして「最適の地位」を確保するのか。それには、「顧客が求める、競合には真似のできないその企業独自の提供価値(バリュープロポジション)」を明確にすることが基本となる。独自の技術やサービスの提供方法など、企業としての力の源泉は何なのか、自社ビジネスの棚卸しが欠かせない。そしてその「力の源泉」をもって「独自の生存領域を確保すること」が戦略の要諦である。

BtoB(企業対企業取引)でファクトリーオートメーション用の各種センサを設計・製造・販売する「株式会社キーエンス」がその好例である。センサの大手と言えばオムロンの名が上がるが、キーエンスはオムロンと競合することはない。同社は高度にトレーニングされた社員が顧客の製造現場を訪問し、徹底したヒアリングを行う。そして生産ラインに最適なカスタマイズ品を短納期で作り上げ、問題解決のコンサルティングまでを行う。汎用品を代理店経由で大量に販売するオムロンとはまったく異なる戦い方で、取引先企業のニーズを常に最適化するというニッチャー戦略の真髄を実現しているのである。

▼フォロアーの模倣戦略

独自の生存領域を持つことができず、市場全体の中で特徴を打ち出すこともできない場合、フォロアーというポジションとなる。リーダーのような価格的なプレミアムは付けられず、むしろ安価な価格設定をせざるを得ない。故に、開発費や広告宣伝費といった固定費は極限まで絞る。そうして、

家電業界の戦略ポジションの例

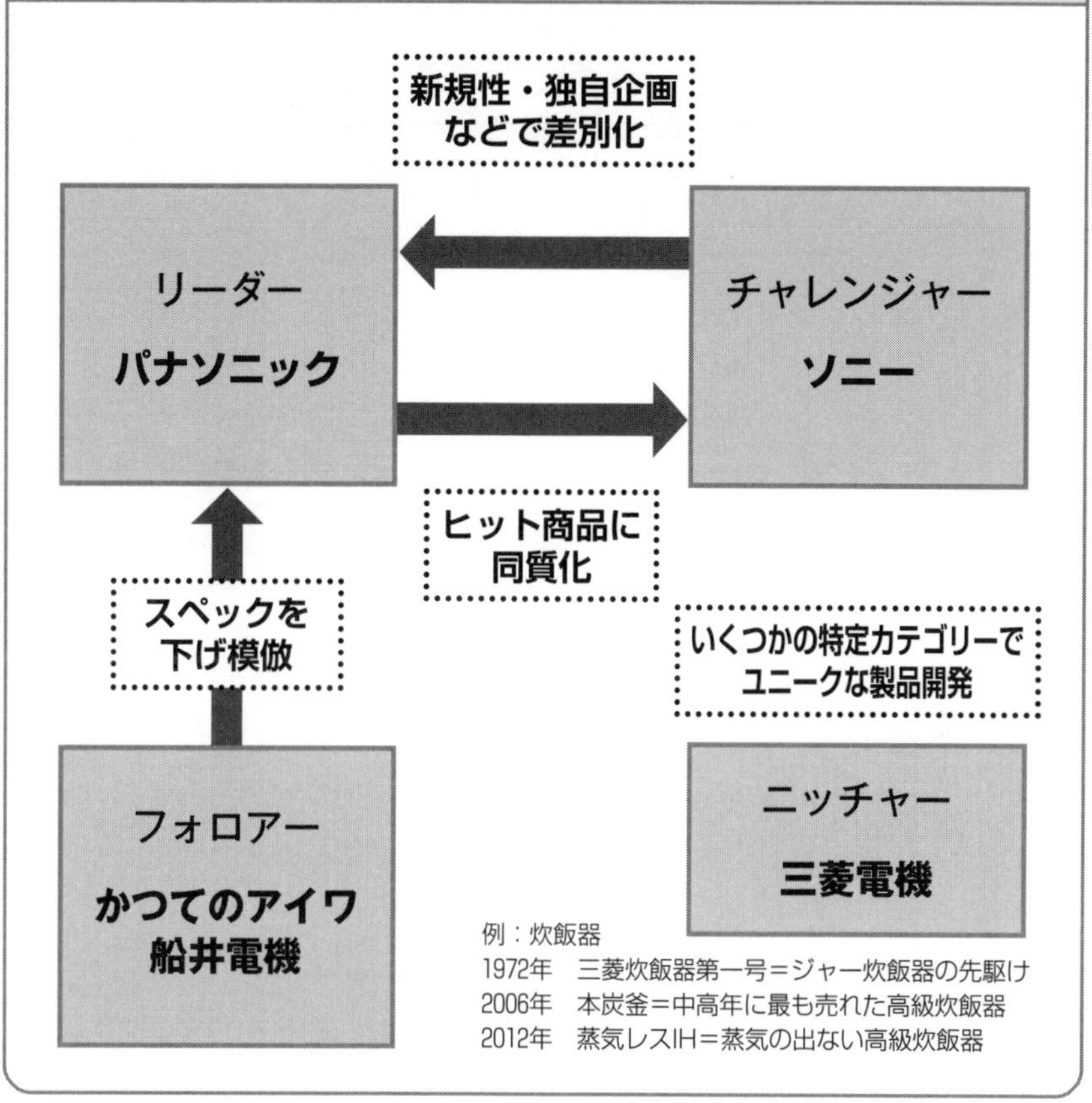

リーダー企業の戦略から一歩下がったところで、リーダーが切り開いた市場で模倣戦略を展開するのである。

リーダー企業の製品より機能的にはワンランク下げて安い価格設定をする。デザインには凝らず、バリエーションの展開も最低限に抑える。広告宣伝は行わず、販売チャネルの店頭ではリーダーの商品のそばにそっと置かれる。リーダーの落ち穂拾いをしてひたすら生き残りを図ることになるわけである。

フォロアーが自らのポジション向上を望むのであれば、独自の生存領域を見つけて、そこで質を高めてニッチャーになるか、他企業との提携や合併で大規模化を図り、リーダーに挑める力をつけてチャレンジャーを目指すことになる。

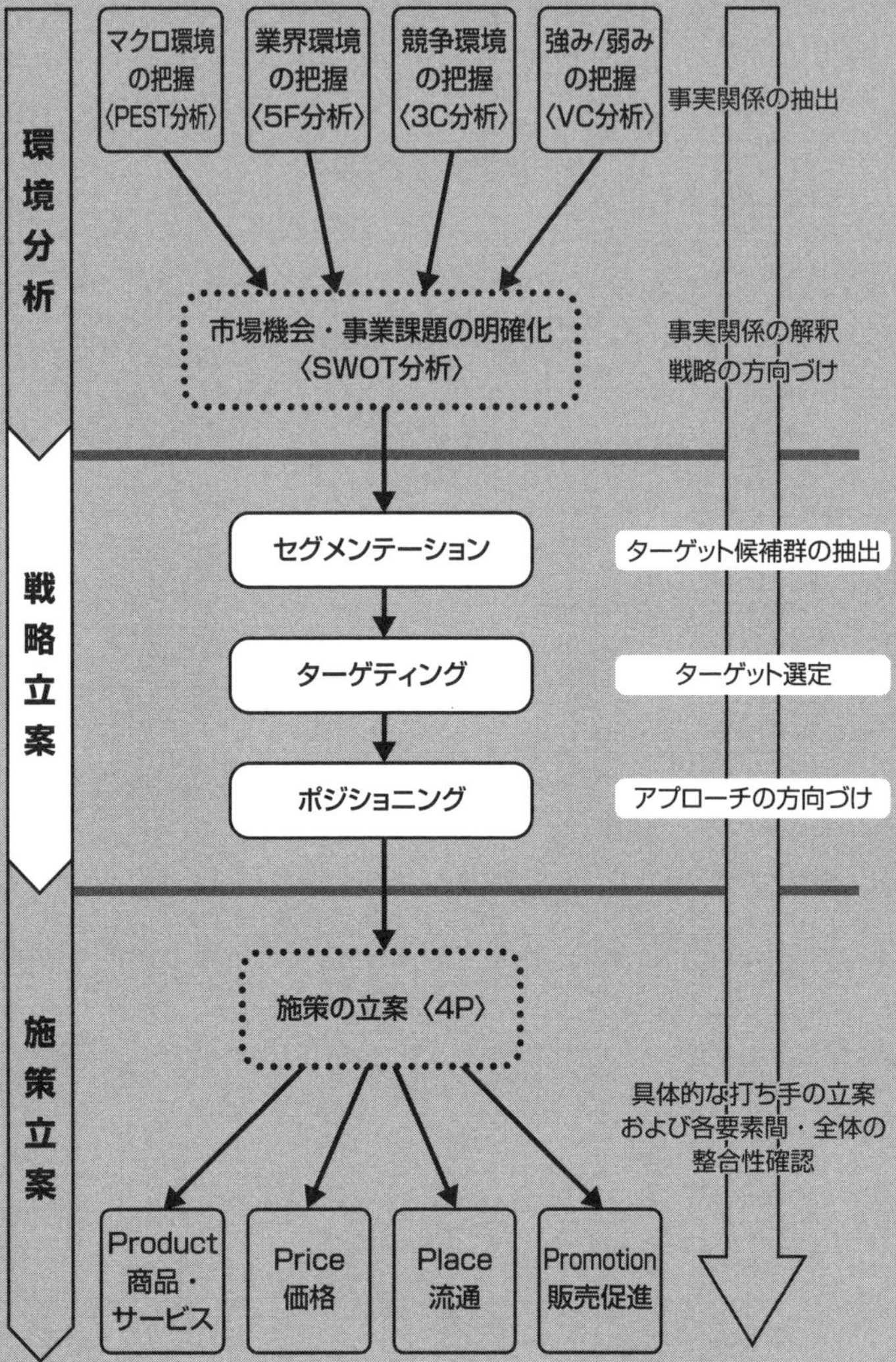

具体的な戦略は、どのような「ターゲット」を選定して、どのようにアプローチするかという「ポジショニング」で大半が決まる。

第4章

STP
セグメンテーション
ターゲティング
ポジショニング

section

39 具体的な顧客戦略を策定するためのSTP
40 「セグメンテーション」とは「顧客の細分化」である
41 セグメンテーションの実際①
42 セグメンテーションの実際②
43 セグメンテーションは3C分析を手がかりに考える
44 セグメンテーションの実務
45 サントリー「伊右衛門 特茶」の事例①
46 5つの「魅力度」で評価する―5R
47 サントリー「伊右衛門 特茶」の事例②
48 「ペルソナ」という手法
49 戦略策定の要となるポジショニング
50 ポジショニングの検討実務①
51 ポジショニングの検討実務②
52 ポジショニングの検討実務③
53 デジタル時代にSTPは古いのか？

section 39

戦略策定の基本は？

具体的な顧客戦略を策定するためのSTP

個別の施策（打ち手）を考える前に、「誰に、どのような価値を示すのか？」を考える

環境分析が終わり、自社の戦略ポジションが明確になると、「さて、どうやって戦うか」という施策（打ち手）に意識が向くがまだ早い。

▼4Pより、まずSTP

商品担当になって、売上を伸ばしたいと思案したとする。品質向上を図ろうか、価格は今のままでいいのか、販路をもっと拡大すべきだろうか、広告を増やして認知度を上げようか……。そこまで考えてふと気付かないだろうか。「誰に対しての展開を考えているのだろう？」と。

具体的な施策である4P、「製品戦略（Product）」「価格戦略（Price）」「流通戦略（Place）」「コミュニケーション戦略（Promotion）」は、「誰に」という狙いが定まっていなければ、検討できない。狙いを定めることを「ターゲティング」と言う。

その前に、そもそも市場にはどんな人たちがいるのかがわからなければ、狙いが定まらない。市場に点在する個々の人々を意味のあるカタマリに代えていくことを「セグメンテーション」と呼ぶ。

ターゲットに自社製品の独自性や差別化ポイント、つまり「価値」が明確に伝わるような打ち出し方も考えなければならない。これを「ポジショニング」と言う。

〝Segmentation〟〝Targeting〟〝Positioning〟——略してSTP。ここが個別の施策を考える前の戦略の要、「マーケティングの全体像」における「心臓部」なのである。

▼ありがちなまちがい

「この商品のターゲットは20代の女性です！」などという言葉を聞いたら、まず、それは失敗すると思ったほうがいい。「20代の女性」に限らず、環境分析の後に、「ターゲットは○○という層である」と、いきなりターゲット設定をしてしまう例は多い。そのように「決め打ち」で設定してしまうと、当然、外すことも考えられるし、そこそこ「当たり」で、そのターゲッ

STP分析とは？

Segmentation＝セグメンテーション

不特定多数の顧客を、マーケティング戦略上、**同質なニーズを持っていると考えられる集団（セグメント）**にブレークダウンする

わかりやすく言えば……

市場にバラバラに散らばる人を"ニーズ"に注目して「カタマリに括る」！

↓

Targeting＝ターゲティング

括った「カタマリ」を、個別に「魅力度」の判断基準に照らし合わせ、最も魅力的と思われる「カタマリ」を見つける

わかりやすく言えば……

上記で括られた「カタマリ」の中から「最も魅力的」なカタマリを見つける！

↓

Positioning＝ポジショニング

ターゲットが購買を決定する理由（KBF=Key Buying Factor）で整理して、競合より自社がターゲットから魅力的に見えるアピールのしかたを明らかにする

わかりやすく言えば……

ターゲットが「これなら買いたい！」と思う要素を洗い出して、競合より魅力的に見える打ち出し方を考える！

トに対してモノが売れたとしても、もっと売れる可能性のある層を見逃している可能性もある。故に、まずは自社の顧客になり得る可能性のある層を洗い出す＝セグメンテーションをして、その中から絞り込み（ターゲティング）をする必要があるのだ。そして、「ターゲット」とは、売り手が一方的に決めているだけで、自ら「売ってください」と手を挙げている人ではない。故に、「買いたい」と思って、手を挙げてくれるような「価値・魅力」を示さねばならない。それがポジショニングであるが、得てして「売り手」の発する言葉は、買い手には魅力的に響かないものなのだ。「売り手の言葉」だからである。そうならないために、この章でＳＴＰをしっかり考えてみよう。

✓セグメンテーションの基本とは？

「セグメンテーション」とは「顧客の細分化」である

人々がどんな状態で、何を求めているか――ニーズを考える

セグメンテーション(Segmentation)を辞書で引くと、「分割・区分」というような意味が出てくる。では、何を基準に「分割・区分」すればいいのか。最もよく用いられるのが、性・年齢だろう。

▼大きなカタマリで考えすぎない

テレビ業界や広告業界において、M1、F1という言葉がよく使われる。性・年齢を「共通項」としたセグメントである。

M1＝男性20～34歳、M2＝男性35～49歳、M3＝男性50歳以上、F1＝女性20～34歳、F2＝女性35～49歳、F3＝女性50歳以上。

一見、世の中の人をモレなくダブりなく括っているように見えるが、そこにどんな意味合いがあるかが問題だ。

例えばF1層。20歳と34歳の女性を同じ括りにしていいのだろうか。単純に年齢だけで見ても14歳の開きがある。ライフスタイルや趣味、嗜好や行動にかなりの差異があるのは想像に難くない。男性も同様だ。

この場合、セグメント＝カタマリが大きすぎる。経営学・マーケティング用語としてのセグメンテーションは、「市場細分化」と訳されることが多いが、ちっとも細分化されていない。そもそもそれだけではない。そもそも「性・年齢」という切り口が共通項として働くかも問題なのだ。この方法はあくまでテレビ視聴者層などを大雑把に捉えるものと考えたほうがいい。

▼セグメンテーションはニーズで括る

「共通項」を何にするのか。よく用いられる「切り口＝属性」としては、41項の図のようなものが一般に用いられる。市場（に存在する人々）を「分割・区分」するモデルとして、しばしば世のマーケティング本では、市場を「豆腐」のようなものに見立て、さいの目状に切る（分割）図でセグメンテーションが説明されている。その「切り口」が属性というわけだ。しかし、前述のF1やM1などのように大雑把でなく、例えば年齢を1歳刻みにして

セグメンテーションの切り口の例・街を歩いて何を見る？

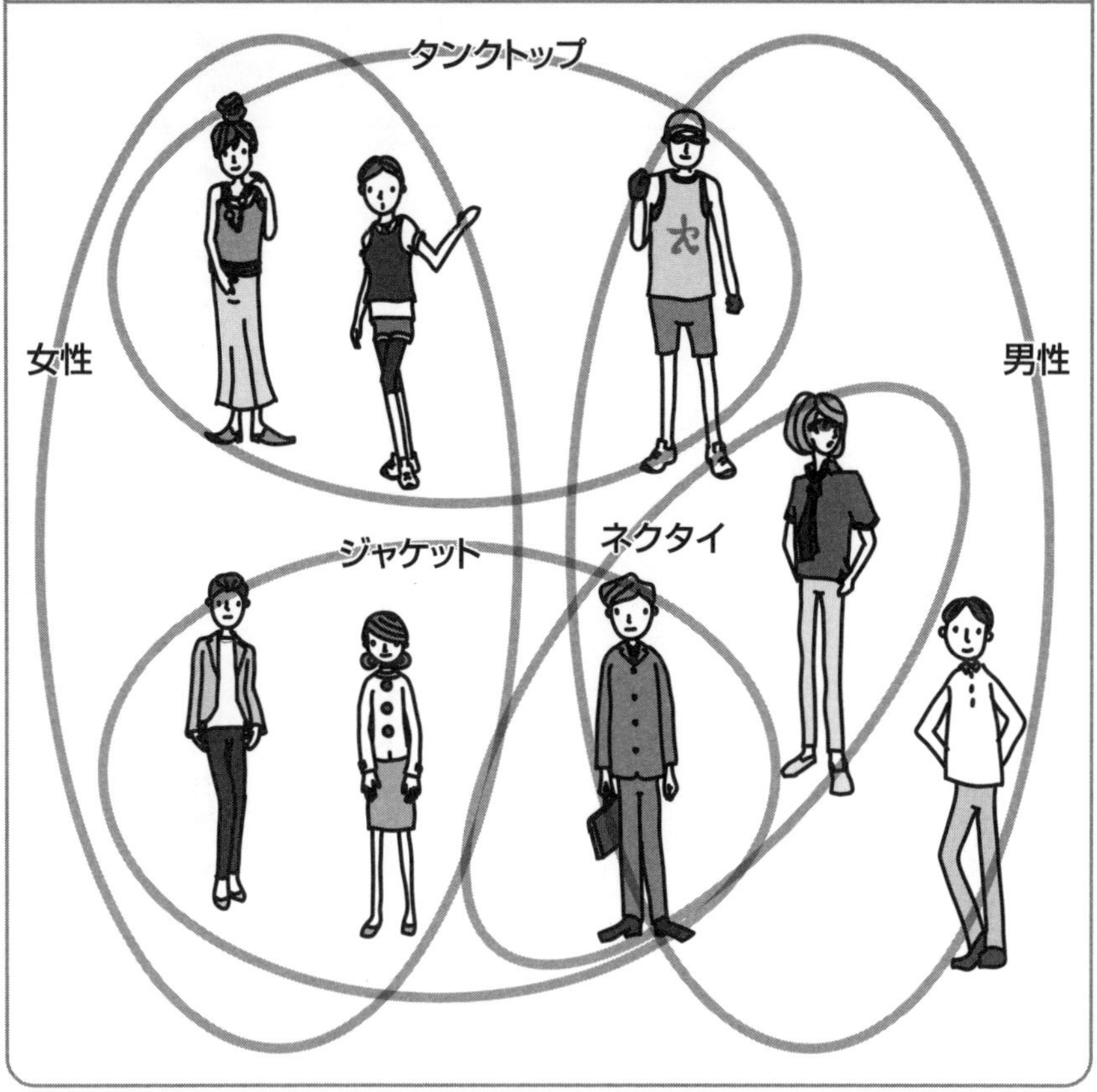

も、同じ年齢・性別の人を同等に扱えるほど、今日の生活者の価値観や行動は単純ではなくなっている。

では、何を基準に「分割・区分」すればいいのか。最初に結論を述べると、「ニーズ」に注目するのである。「セグメンテーションはニーズで括る」と覚えておいて欲しい。そこからセグメンテーションという言葉を定義するなら、「同質のニーズを持った顧客候補群」と表すことができる。

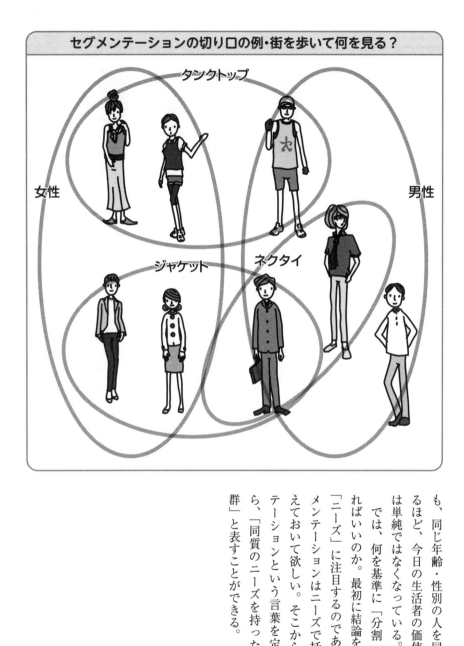

section 41

✓どうすれば適切な「カタマリ」が作れるのか？

セグメンテーションの実際①

よくあるセグメンテーションの「切り口」と問題点

市場全体をMECE（ミーシー＝モレなくダブりなく）に分割できると気持ちがいい。しかし、そもそも、豆腐をさいの目状に「切る」というのはセグメンテーションを表す例としてふさわしくない。世の中には様々な人々がいる。ニーズでなくとも、左図のように様々な変数が入り交じって個々人を形成しているので、キレイには切れない。そうではなく、市場に散らばるニーズの中から、同質なものを拾い集めて「括る」という感覚のほうが本来の正しい意味になる。「拾い集める」という意味からすると、「モレ」が出る恐れはある。しかし、「モレ」がなくとも、見当外れの「区分」からターゲットを選んでしまうより、正しくニーズを捉えられることのほうが重要であるのは言うまでもない。

12・13項で「ニーズ」の定義は詳説したが、どんな「不」の字、満たされていない状態にあり、どう満たされたいのかに注目するのだ。例えば、「すすぎ1回」の洗濯洗剤の大きな訴求点は「時間の節約」だ。すると、まずは「時間の多寡」が最も優先すべきカタマリとして括る基準になる。その中で「時間の不足」という未充足なニーズを持ったカタマリに注目する。

カタマリができたら、さらに共通項はないだろうかと、性別や年齢、職業などの「属性」を見ていくのだ。最終的に属性に落とし込むことをしないと、そのボリュームや成長性が予測できなかったり、適切なコミュニケーションの手段や媒体が選択できなかったりするので属性は必要だ。

だが、繰り返すが重要なのは、「属性」から先に考えるのではなく、まずは「ニーズで括る」ということなのだ。「20代の女性」などというセグメントにしたら、「20代の女性はみな、同じニーズを持っている」ということになる。そんなことはあり得ない。だが、あり得ないセグメンテーションを元にしたマーケティングプランで売れなかった商品は山のようにあるのだ。

一般的なセグメントの“切り口”(例)

従来、国勢調査等、各種既存統計データなどで把握が容易な地理的変数・人口動態的変数を元に市場規模等を試算。その中から自社製品（群）と適合すると考えられる集団に分割し、適合度の高い集団をターゲットとする。もしくはより確度を上げるため、定量・定性的なアンケート・調査で心理的・行動変数などを補完し「ターゲットに適している」という集団をターゲットとする傾向が多かった。

ジオグラフィック デモグラフィック

（地理的・人口動態的変数）

地理的変数
一部・例

地域	A、B、C、D
都市規模	２万人未満、５万人未満100万人未満、
都市環境	都市部、都市近郊、郊外、地方都市、地方町村部
気候	北部型、南部型、(降雪量、晴天率　等も)

人口動態的変数
一部・例

年齢	10歳未満、10代、20代、30代、40代、50代、60代、70代、75歳以上
性別	男、女
家族数	単身、2人、3人、4人、5人以上
所得	300万未満、300万～400万、400万～600万、600～1000万、1000万 以上
職業	公務員、技術職、事務職、管理職、自営業、学生、主婦
社会階層	下流階級、中流階級上流階級

サイコグラフィック ビヘイビア

（心理的・行動的変数）

心理的変数
一部・例

ライフスタイル	保守的、享楽的、自然主義、
性格	脅迫的、社会的、権威主義的、野心的
トレンド	キュート、エレガント、カジュアル、クール

行動的変数
一部・例

購買機会	定期的機会、特別機会、衝動、惰性
追求便益	経済性、便宜性、信頼、権威性
使用者状態	非使用者、潜在的使用者、定期的使用者
使用頻繁	少量、中程度、大量
ロイヤルティ	無、中間、強、絶対
購買準備段階	無知、知っている、知識あり、興味あり
購買重視点	品質、価格、サービス、広告、セールス

section 42

✓「ニーズで括る」の具体例

セグメンテーションの実際②

属性から考えない・先入観を捨てる

もう少し「セグメンテーションはニーズで括る」を具体的な事例で考えてみよう。

▼大型バーガーを食べるのは……

自社がハンバーガーチェーンで、「食べ応えのある大型バーガー」という商品の発売を検討していたとする。その商品の顧客候補はどのような人だろうか？　この問いを発すると、多くの人が、「若い男性」と答える。しかし、ハンバーガー店の店頭では、「若い男性」でも普通サイズを食べている姿が見受けられる。逆に、大型バーガーを「中年男性」が頬張っていたりするし、「女性客」も混じっていたりする。「若い男性」と考えてしまうのは、「思い込み」による、「年齢・性別」という切り口での「決め打ち」だ。大型バーガーを食べる人のニーズは何だろうか。ニーズは「ふの字」に隠れている。「ふの字探し」をしてみれば、普通サイズでは「不足」、お腹がいっぱいにならないという「不満」という「不の字」が見えてくるはずだ。すなわち、「心ゆくまで思い切り食べたい」というニーズである。そのニーズを持っている人の属性を考えれば、「若い・男性」だけでなく、「中年」や「女性」も存在しうることがわかる。

▼ニーズを多く挙げるところからスタートする

他にも見落としているニーズはないだろうか。提供された大型バーガーを前に、その写真をスマホで撮っている人が見受けられる。その人のニーズは、写真に撮って「話題になりたい」だろう。属性的には、趣味としてインスタグラムにはまっている人ではないだろうか。「ネタ不足」を解消するために、大型バーガーというウォンツを求めているわけだ。

この例のように、まずは注目すべきは「ニーズ（ふの字）」である。どのような共通の「ふの字」を抱えているかで括って、そのカタマリに「属性」を付与すること。その逆、「属性」から考えないことが肝要である。

「属性」に注目しがちだが、まず「ニーズ」に注目する

「ガッツリした大型バーガー」を
食べているのは……？

提供物（ウォンツ）	どんな人？（属性）	そのニーズは？
ガッツリした大型 ハンバーガー	外国人（アメリカ人？） 若い人 体格のいい体育会系男子	お腹いっぱい食べたい！ （普通サイズじゃ不足）
同上	若い女性・中年 男性・子ども	同上
同上	Instagramなどの SNS好きな人	みんなに注目されたい！ （SNSのネタ不足）

❷ 次にその人の「属性」を考える

❶ ココに注目！

【大原則！】

「セグメント」は「性・年齢」などの「属性」から先に考えてはいけない！

▼先入観を捨てる

自社で発売予定の大型バーガーのターゲットとなり得るセグメントのひとつが「ＳＮＳにアップしてネタにしたいというニーズを持ったカタマリ」だと推測できるなら、発売前にＳＮＳで口コミ促進を図るなどの施策も考えられる。「男性」という性別ばかりを固定観念で見ていたら、女性のニーズを見落とすことになる。もし、「ガッツリ食べよう漢のバーガー！」などという訴求をしてしまったら、せっかくニーズを持っていた女性もどん引きしてしまうかもしれない。つまり、ターゲットを間違え、適切なポジショニングも示せなくなってしまうのだ。

「セグメンテーションはニーズで括る！」「先入観を持って属性から考えない！」これが絶対原則なのである。

section 43

セグメンテーションの実務①

セグメンテーションは3C分析を手がかりに考える

マーケティングのキモはニーズの把握であり、的確なセグメンテーションに通じる

「セグメンテーションはニーズで括る」「市場の中の同質なニーズを発見してカタマリを作る」と言われても、いきなりそこから考えるのは、よほど市場に対するアンテナが高かったり、観察眼が発達していたりしなければなかなか難しい。手がかりが必要だ。

▼マーケティングは「流れで読み解く」

「マーケティングの全体像」をとにかくアタマに焼き付けること。「マーケティングは流れで読み解く」というキーワードを繰り返してきたが、その意味の重要さを認識していただきたい。

「セグメンテーション」の段階で「同質のニーズを持った顧客候補」を探そうとするから難しいのだ。「流れ」で考えたとき、セグメンテーションの前の段階は何をやっていただろうか？「環境分析」をしていたはずだ。だが、その段階が終わると、分析結果を棚上げして、「さて、ＳＴＰのセグメンテーションを考えるぞ！」と一からまたリスタートしてしまう人が多い。

▼３ＣのCustomerを見直す

３Ｃ分析は最初にCustomerとして、市場のマクロ環境に加え、「顧客とそのニーズ」＝「市場にどのような顧客候補がいて、どのようなニーズや関心事を持っているか？　その顧客候補はどんな属性の人か？」を考えているはずだ。そこを見直してみるのである。

もちろん、環境分析の段階では、ラフな仮説でしか考えていないが、手がかりにはなる。そこから、他に見落としているニーズはないか？　などと精査していけばいいのだ。しかし、３Ｃ分析のCustomerの所で、「市場の環境」のマクロ的な要素しか見ていなかったり、「顧客とそのニーズ」で、ニーズ・関心事だけ挙げて、属性を想定していなかったりすると、この段階で苦労することになるのである。「マーケティングの全体像」は、単に形だけを覚えるのではなく、どことどこがつながっているのかを意識しておくことが重要なのだ。

3C分析に戻って〝顧客候補仮説〟を見直し、深掘りする

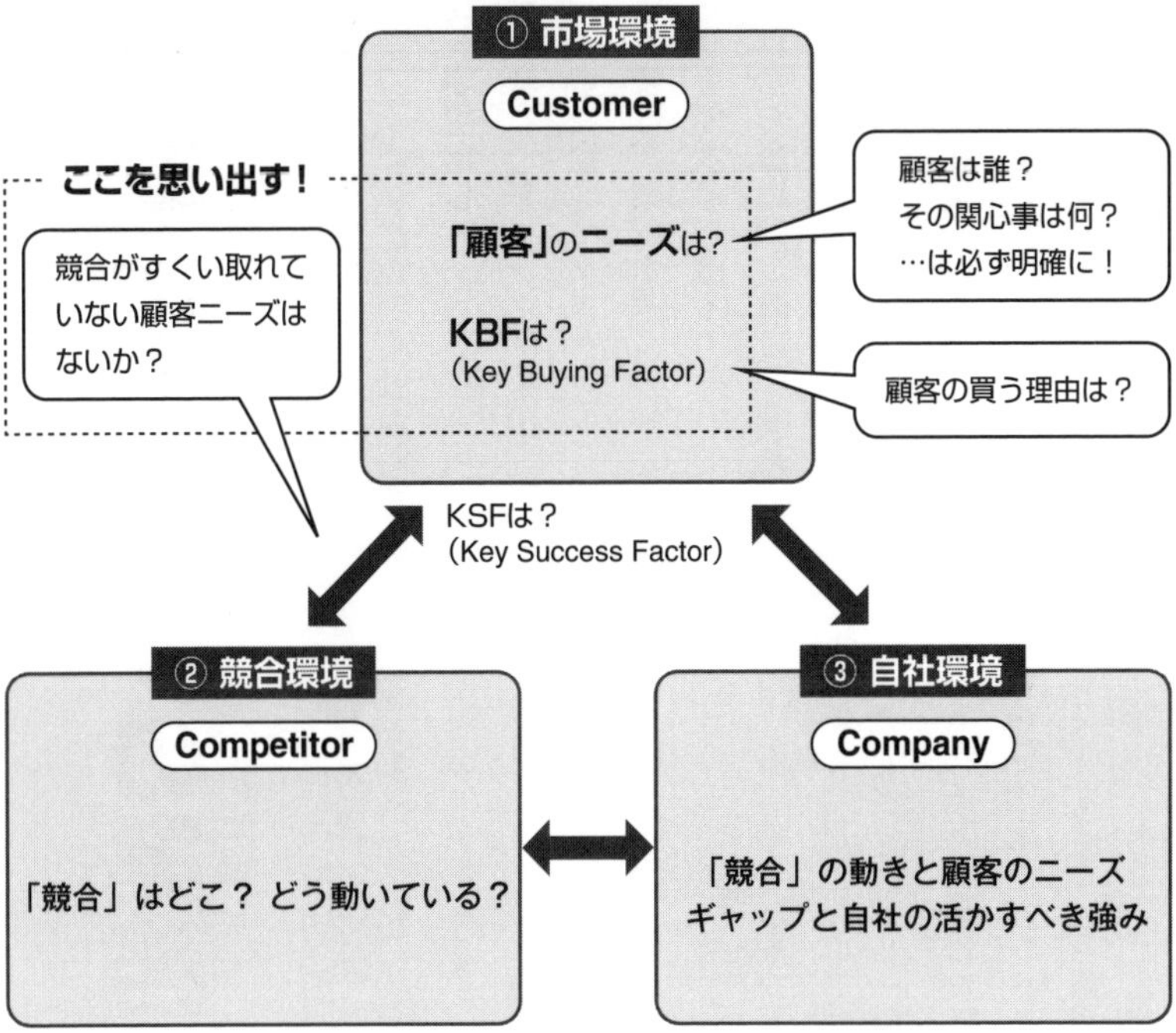

ニーズからセグメントを抽出する

ニーズ	ウォンツ（提供物）	属性
→	→	
→	→	
→	→	

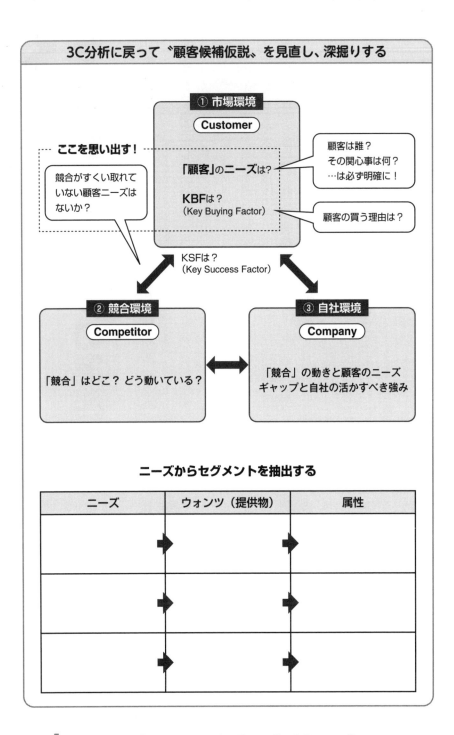

section 44

✓実務におけるカタマリの見つけ方

セグメンテーションの実務

当該市場に対する世の中のニーズと関心事を洗い出すことが基本

▼セグメント項目出し

どのカタマリ（セグメント）を狙うかを一定の基準に従ってターゲットとして決定するには、選択すべき候補となるカタマリをできるだけ多く作っておかなければならない。左図は「新たなカフェチェーンを作ろう」と考えた時、どんなターゲット候補となるセグメントが市場に存在するかを明らかにするための考え方を示したものだ。まず、該当市場や商品に対するニーズや関心事の項目を設定することから始める（「カフェ」に対する世の中のニーズや関心事を列挙する）。

一例として「コーヒーの味／店内空間／フードの味／価格／店員の対応／喫煙可否」などの項目を挙げ、各々の項目をどれくらい重要視するかという尺度をつける。項目はもっと数多く挙げてもいい。ただ、この方法だと「モレなくダブりなく（ＭＥＣＥ）」という観点で考えると、項目をどこまで挙げればいいか限度がわからなくなり、ダブりが発生するという難点がある。

一方、極めて重要な要素が見えている場合は軸を設定して、下図のような「セグメンテーションマップ」を書いてもいい。列挙する場合と異なり、ダブりはなくなる。ただ、こちらはその軸で本当にいいのか、「モレ」のないことに確証が持てるかが問題となる。

どちらも一長一短があるので、まずは列挙してみて、次にマップを書いてみるといいだろう。

▼ターゲット候補を作る

上の項目を列挙する方法なら、各項目を重要視する程度を選択していけば、「ターゲット候補」が作れる。どの項目をどれだけ重要視するかによって異なるターゲット候補像も作れる。軸を決める場合は設定した軸によって候補像が異なることになる。

いずれにしても、最終的にターゲット像が具体的にどんなニーズを持った人物像なのかを明らかにして、その人物像はどんな属性なのかを考えるところまで行う。

【例示】セルフサービスカフェチェーン開業のためのユーザーのセグメント

該当市場や商品（この場合はカフェ）に対するニーズや関心事で項目を設定する

※今回はこだわりをどの程度満たしたいかで設定（既存市場への満足～不満・不足）

チェーン店系コーヒーの味へのこだわり

強くこだわる　ややこだわる　こだわらない

自分の時間が持てる店内の空間・雰囲気

満足　やや満足　やや不満　不満　こだわらない

チェーン店系コーヒーのフードの味へのこだわり

強くこだわる　ややこだわる　こだわらない

現状価格への評価

割安感あり　妥当　やや不当　不当（もっと安く）

店員の対応・コミュニケーションの嗜好

もっとおもてなし感希望　更にフレンドリーに

マニュアル的で可　不干渉希望：完全セルフ

店舗立地（便利：都市部駅中　身近：地元郊外駅等）

もっと便利に　現状維持　もっと身近に

喫煙の可否の希望

完全禁煙　分煙なら可　全席喫煙希望

セグメント①空間重視・意識高い系

コーヒーの味にこだわりはそれなりにあるが、それ以上に人に干渉されない自分の好きな時間や作業空間の確保を目的としている。既存チェーンには店内のゆとりに不満。立地は地元駅でもいい。

属性：時間で変化：20～40代・男女共・日中は
ママ友／夕方は学生／夕方～夜は勤労者中心

セグメント②多忙タバコ渇望層

飲食より忙しい仕事の途中等で、ちょっとした休憩と、人に気兼ねなくタバコを吸う場を求めている人

属性：年齢・性差なし・喫煙をする勤労者全般

大原則：ニーズ・関心事等でセグメントの人物像構築→
具体的な属性付加（逆はNG！）

section 45

✓「セグメンテーションマップ」

サントリー「伊右衛門　特茶」の事例①

前項とは違う方法を「特茶」の事例で考える

▼「伊右衛門　特茶」の市場参入とCM

サントリー緑茶「伊右衛門　特茶（特定保健用食品）」が発売されたのは2013年10月のこと。当時話題となった鮮烈なCMを覚えているだろうか。CMのキャラクターは本木雅弘と宮沢りえ。まず、新発売時に本木雅弘が斧で薪を割っている映像に被せて、「丸太は、そのままでは燃えにくい。だから、分解」という文字とナレーションが入り、「脂肪の分解↓燃焼」という効果を発揮するメカニズムを明確にしている。続いてオンエアされた宮沢りえのCMでは、「苦いトクホの時代は、終わったようです」という文字とナレーションが入る。これは、長きに渡ってトクホ飲料市場の王座に君臨していた花王「ヘルシア緑茶」独特の味、苦みを強烈に意識してのことだ。

▼「伊右衛門　特茶」が狙った「ホワイトスペース」

考えられるホワイトスペース＝「狙えるセグメント」は3つある。

ひとつは、メタボ解消意向がライトで、その分、味に対するこだわりが強い層だ。この層は、メタボ解消に対する切実さが低いので、ヘルシア緑茶の味は許容できない。さらに、ヘルシア緑茶のメインユーザーは男性のメタボ中年層を想起させるため、そのイメージも受容しない。属性で考えれば、特に女性や若年層が多いだろう。

2つ目のセグメントは、味に対する許容度はあって、メタボ解消意向は中からライトな層。効果に対して懐疑的な故、今までヘルシア緑茶に手を出していない。

3つ目のセグメントは、メタボ解消意向は高いものの、どうしても味が受容できずにヘルシア緑茶に手を出せない層である。

ひとつ目の属性は「女性や若年層」という性・年齢、つまり人口動態的変数と、「人目を気にする」「味へのこだわり」という心理的変数が考えられる。2つ目の属性には性・年齢という人口動態的変数に関係なく、「若干、

「伊右衛門 特茶」のセグメント構造

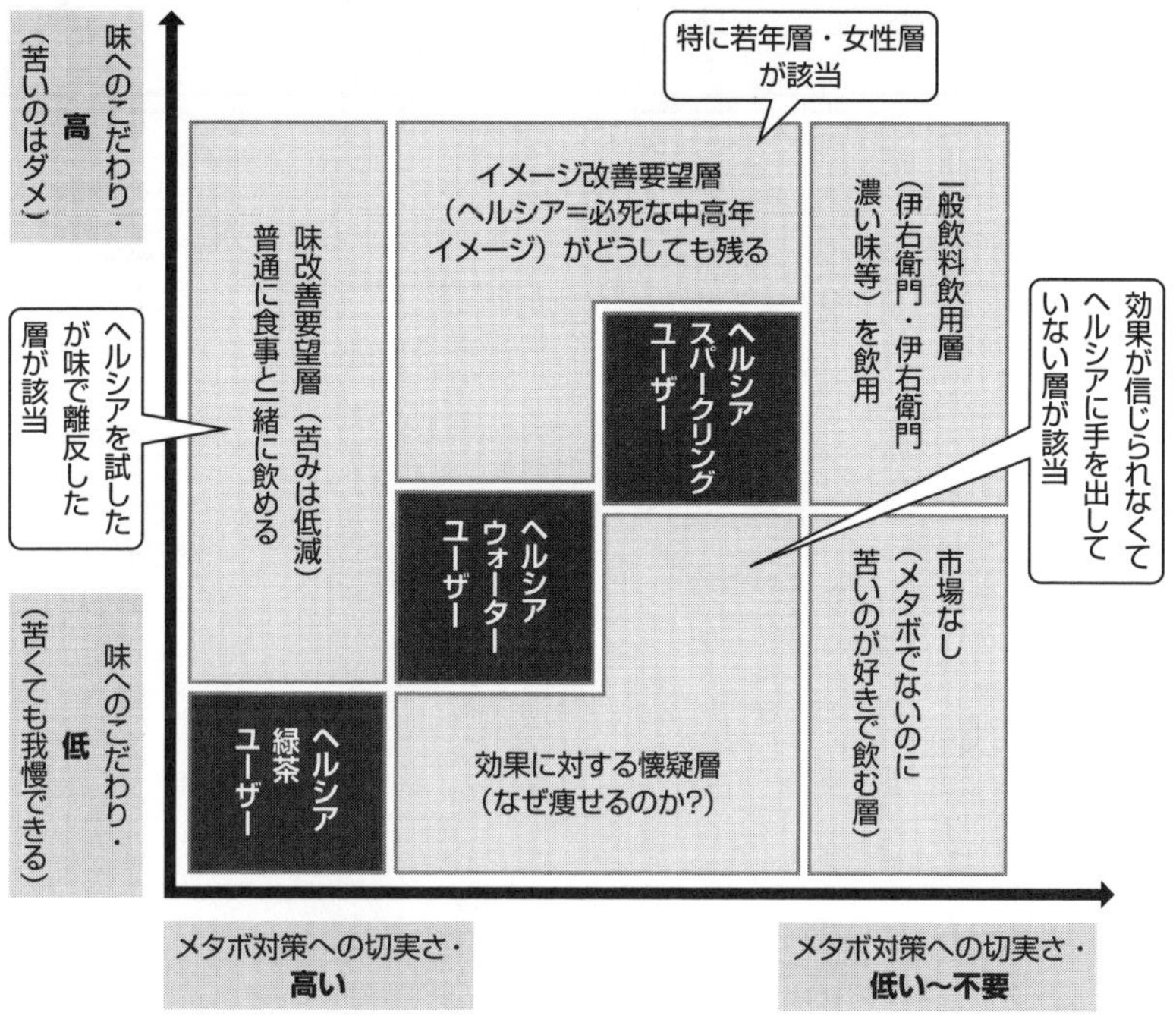

※ターゲットセグメント条件は、性・年齢等でなく製品に対する態度と、製品に対する期待で分類でき、幅広い層に潜在的な需要があることがわかる

体型が気になっている」、もしくは「体型を維持したい」、「効果への信頼感」という心理的変数が多い。3つ目の属性も、「メタボを解消したい」と「味へのこだわり」という心理的変数が大きい。

▼性・年齢だけで考えない！

つい、「性・年齢」という人口動態的変数で考えてしまいがちだが、ひとつ目の一部を除いて「心理的変数」に左右されていることがわかる。やはりここが、セグメンテーションのキモなのである。

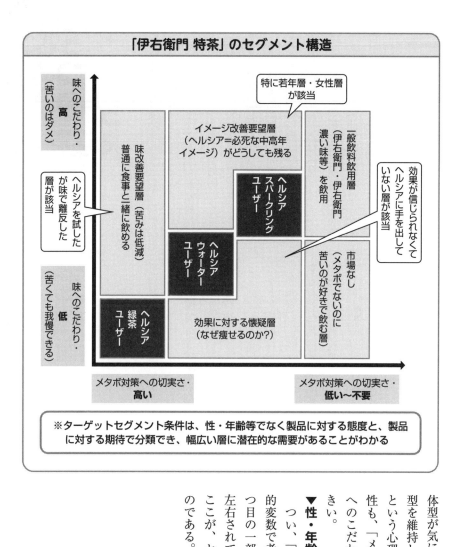

section 46

5つの「魅力度」で評価する——5R

狙いはどうやって絞るのか？

ターゲット候補を抽出したら、魅力度を判定する5項目によって順位づけする

次はいくつかのターゲット候補としてのセグメントから最も魅力的なものを選ぶ。その際の基準が重要だ。

▼3Cの視点でターゲットを絞り込む

まずは2章で何度も登場した環境分析の3Cの視点で検証する。

Customer（市場の環境）は、セグメントにどの程度の市場規模・成長性があるか、収益性はどうかを見る。市場規模が小さすぎる、成長性がない、利益が薄いセグメントなら、見切って狙いを変える。

▼競合環境と自社環境を検討する

Competitorの視点で、どんな競合がどれくらいの数いて、それらは自社と比べてどの程度優位性を持っているのかを確認する。競合の多さや強さなどを考慮し、勝てる見込みがなさそうならそのセグメントは諦め、すぐに他のセグメントの評価に入る。

外部環境だけでなく、自社の従来の戦略との整合性、それを支えてきた企業資産＝3項参照：ヒト・モノ・カネ・情報・時間・知（ノウハウ・パテント・ブランドなど）との整合性も重要だ。

自社が今まで取ってきた戦略と狙うセグメントとの整合性は、例えば、それまで高級路線を走っていた企業が、急に市場が拡大しているからといって安価な市場に進出したら、構築してきたブランドを毀損することになる。また、ローコストオペレーションを展開していた企業が、高客単価を狙って至れり尽くせりのハイ・サービスに進出しようと思っても、急には無理だ。

▼5Rという視点

3Cの視点でセグメントの魅力度評価はほとんどできるが、左図のような「5R」という基準を使う場合もある。3Cの視点とほぼ被っているが、「優先順位と波及効果」という視点はユニークなので、3Cに加えてもいいだろう。一方、5Rには3CのCustomerにある「収益性」の観点が入っていないので、5Rで考える際はその点を付け加えて考えるべきだ。

ターゲットの決定:評価基準の5R

ターゲット（魅力的なカタマリ）としての適正度＝自社が獲得する努力をするに足り、期待した結果を得られるか否かを考える

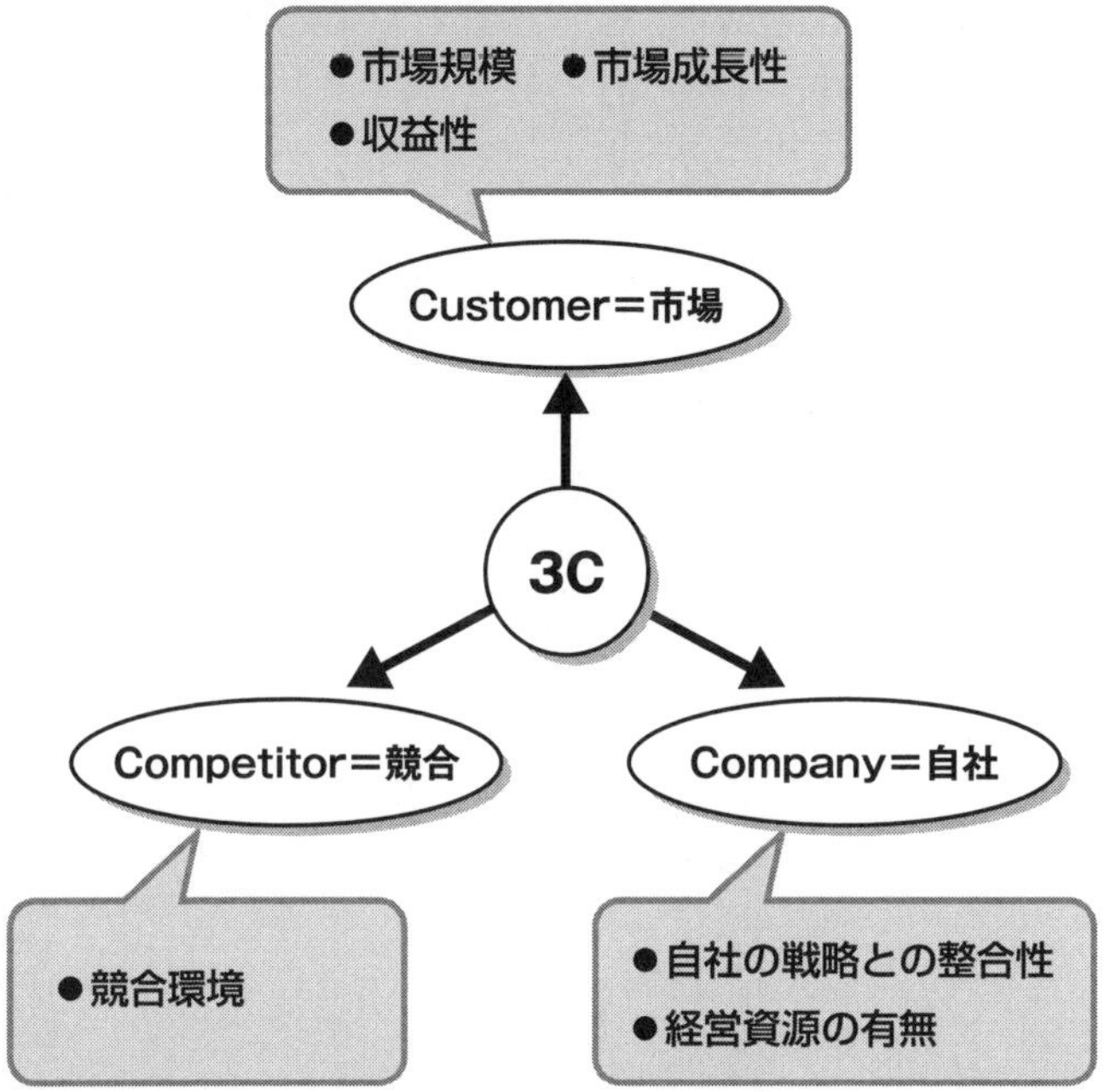

規模は十分？　*Realistic Scale*
十分な市場規模があるターゲットか？

成長性は？　*Rate of Growth*
これからもニーズが増えそうなターゲットか？

波及効果は？　*Ripple Effect*
口コミ波及の発信源となるターゲットか？

到達可能か？　*Reach*
チャネルやメディアを通じて到達可能なターゲットか？

競合状況は？　*Rival*
強い競合ブランドが存在しないターゲットか？
自社に優位性がある、模倣困難性が高いなど競合の中で選ばれる要素はあるか？

section 47

サントリー「伊右衛門 特茶」の事例②

「セグメンテーションマップ」という手法

45項で記したサントリー「伊右衛門特茶」の事例の続きで、ターゲティングとその対応を解説する。

▼「伊右衛門 特茶」のセグメント

45項で伊右衛門特茶のターゲット候補（セグメント）は①「メタボ解消意向ライト・その分、味に対するこだわりが強い層」、②「味に対する許容度あり・メタボ解消意向は中程度からライト・効果に懐疑的な層」、③「メタボ解消意向は高いが、ヘルシア緑茶の味が受容できない層」の3つであるとした。

▼「5R」で考えるために

伊右衛門特茶のセグメントは、性・年齢などの人口動態的変数だけでは考えられなかった。もし、それだけで対処できるなら、総務省統計局のホームページの国勢調査データを参照すれば済む。しかし、心理的変数が大きいこの例の場合、何らかのアンケート調査によって、各セグメントの「5R」の要素を検証するしかない。さらに、サントリーとしては「5R」の「競合状況」として「味の優位性」「効果の明確さ」という部分を重視していることは想像に難くない。また、ターゲティングは「5R」にそれ以外の自社ならではの要素を加えてもよい。サントリーは大量のCM・広告投資によって今まで培ってきた伊右衛門の製品ブランドイメージ、「世界観」や、花王と異なり「飲料専業メーカーである」というコーポレートブランドのイメージなど、自社の資産・優位性がどれぐらい効くかを加えたことだろう。結果的に、セグメント3つとも狙うことに決めたようだ。

▼各セグメントへのアプローチ

①のトクホといえどもイメージがよいことを求めるこのセグメントには、サントリーが通常の「伊右衛門」のCMで作り続けてきた、印象度の高い世界観を演じている本木雅弘と宮沢りえの起用で、ブランドイメージの連続性を持たせることが効く。

②のセグメントは、メタボ解消意向

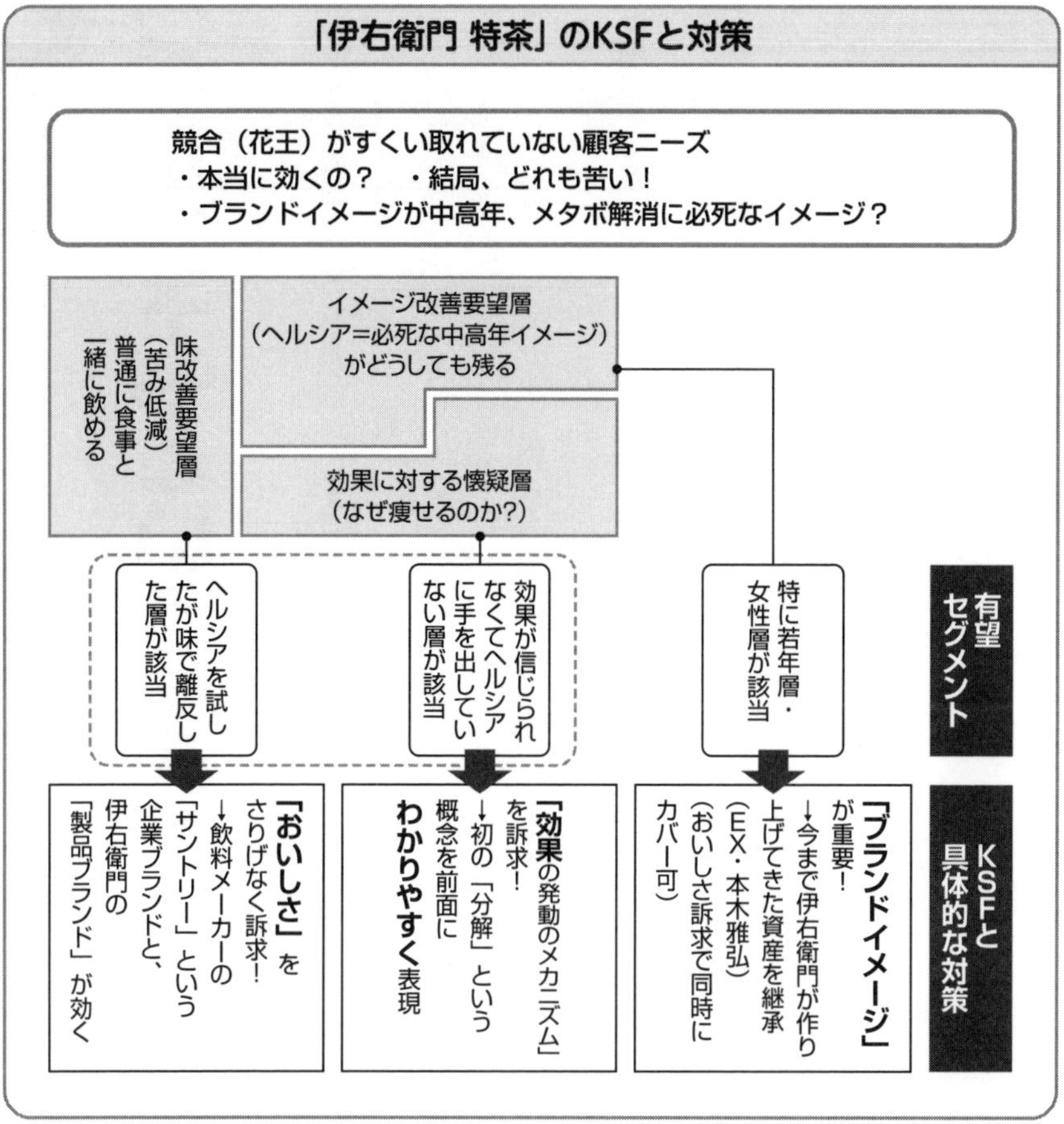

は中程度からライトな層だとはいえ、メタボ解消意向がないわけではない。つまり、「これなら効く」という確証が不足しているが故に手を出していないとも解釈できる。この層には「脂肪を分解する→燃焼する」というメカニズムの訴求が効くのだ。

③のセグメントには、おいしさで定評のある「伊右衛門」ブランドと、苦みを抑え、通常の緑茶飲料とさほど変わらない製品の味で勝負ができる。

ただし③に関しては、従来の伊右衛門本体のブランド訴求路線を続ければいいので、「特茶」に関しては、集中的に①と②のセグメントへの訴求をすることに決めたのだろう。その結果、45項で示したようなCMの訴求、クリエイティブが誕生したというわけである。

section 48

✓ターゲットはどこまで具体化すればいい？

「ペルソナ」という手法

リアルな人物像を詳細に構築していくことがキモ

「ターゲットを性・年齢などの『属性』から考えない」ことは、なかなか難しい。そこで、「ペルソナ」の設定を考えたい。

▼極限までターゲット像を明確にする

「ペルソナ（persona）」とは「仮面」とか「登場人物」という意味だ。つまり「必ず買ってくれる理想のユーザー像」を詳細に作るわけだ。

ペルソナによってターゲット像が極めてリアルになる。ターゲットのニーズや購入動機（ＫＢＦ）などが理解できるようになり、漠然としていたターゲット像とのギャップを埋めることができる。また、従来「ＯＬ層」「ダイエット関心層」などというひと言で括ってしまっていたターゲット像を具体的な個人として意識できるようになり、その心の中や行動、その理由もよりリアルに想定できるようになる。

▼ペルソナを共有するメリット

関係者一同がターゲット像を共有しやすくなるため、マーケティングプラン全体の策定や、具体的な施策（４Ｐ）策定でもブレがなくなる。各々過去の経験に縛られたり、自分に都合のよいターゲットに設定したりすることが避けられる。

▼ペルソナ策定の必要要素

ペルソナは作成者の妄想では意味がない。左図の下にあるように、ターゲットが決まったら関係者で徹底議論して仮説構築する。さらに自分の職場や家庭・知人などの身近な人にターゲットに近い人物がいれば何人かヒアリングし（これを筆者は「半径５メートルのリサーチ」と名付けている）、仮説を修正し膨らませる。最後に、ペルソナのような人物は実在するのか、どの程度の規模がいるのかを定量的なアンケート項目に落とし込み裏付けを作る。その結果、規模が小さければターゲットとしてのペルソナの設定条件を緩める。まずは「絶対に買ってくれる１人」に徹底的に絞り込んで考え、徐々に条件を緩めていくことで高い購買確率を得られることが期待できる。

あるトクホ飲料のペルソナ（例）

【名前を付けてみる】→花園 輝美
【年齢・性別・既婚/未婚など】→29才・独身女性（現在彼氏なしだが結婚も気になる）
【職業など】→IT系企業勤務。入社４年間は営業だったが、この３年は人事部勤務。外出機会はほとんどない。特にコロナ禍で９割リモート勤務に。
【外見は？】→目鼻立ちがはっきりした顔立ち。身長157センチ、服のサイズは９号。最近基礎代謝が落ちてきたのか、以前は「小柄でちょっとぽっちゃりでカワイイ」と言われていたが、いわゆる「ぽっちゃり」の範囲を超えてきた気がして焦っている。
【性格など】→合理的な考え方が好きで、無駄なことはしたくない。物事を信じるなら裏付けを求めるタイプ。一方、ひとつのことを長続きさせるのは苦手なほうで、特に嫌なことからは逃げがち。子供の頃には通信教育を何度も挫折した。
【どこで、どんな暮らしをしている？】→茗荷谷のワンルームで一人暮らし。仕事が遅くなると帰路のコンビニで弁当を買って済ませてしまうことも多かったが、コロナで自炊率高まる。ただし、スイーツが止められず、近くのコンビニまで行き、一品買ってしまう。
【趣味・行動など】→インドア派でカラダを動かす趣味は苦手。演劇・ミュージカル・映画鑑賞が趣味だが、コロナで全面的に映像配信サービスの利用で代替。ますます家にこもりがちに。
【その商品に対する思い入れ（ニーズとKBF）】→ダイエット食品などを真剣に摂ることには抵抗があるので、普段飲んでいる炭酸水と置き換えるだけでいい点が気に入っている。×××も効果がありそうで気になっていたが、中年が必死で飲んでいるイメージがあって手が出しにくかった。○○○は商品名の響きもボトルのデザインも女子っぽくていい感じがする。

【ペルソナの言葉】

「私、課長と一緒の×××じゃイヤなんです！」

実際のペルソナ構築ステップ　**ココ、必須・妄想だけはNG！**

【社内調査・議論】	**【議論】**	**【社内外定性調査】**	**【議論】**	**【社外Web調査】**
事前調査（**デスクリサーチ等**）の結果を元にターゲット概要を決める	ペルソナの仮説設定（**議論**：概要決定）	**社内外協力者を募り、該当ペルソナに近い人に簡単なインタビュー（自分の半径５mのリサーチ）**	ペルソナの詳細設定（行動含む）	ターゲット規模等（５R）の把握と絞り込み条件調整 **規模“小”なら「属性」条件緩和**

ペルソナのチェックポイント・“5N”
No fiction?（事実に基づいているか・思い込みではないか） Nude?（ターゲットを丸裸にしているか） New?（新しい発見はあるか） Nod?（聞く者が思わず頷く説得力があるか） Need?（ニーズはあるか）

section 49

✓ターゲット顧客に選ばれるためには?

戦略策定の要となるポジショニング

ターゲット顧客にとっての価値を示し、競合より優位に見えるようにする

ターゲットが決まったら、自社商品が選ばれるため、「ターゲットにとっての商品の価値を示す」「競合と比べても優位に見える」ようにする。

▼自社の魅力を伝える

『コトラーのマーケティング・コンセプト』(フィリップ・コトラー著、恩藏直人監訳、2003年　東洋経済新報社刊)の「ポジショニング」の項で、欧州の自動車メーカーが自社の独自性をひと言で明確に伝えているフレーズがポジショニングの好例として紹介されている。どれも顧客にとっての提供価値が明確だ。BMWは単なるクルマではなく、自分たちが提供しているのは「究極のドライビングマシン」なんだと強調し、そこから「駆けぬける歓び」という名キャッチコピーも生まれた。個人的にはボルボの「世界一安全な車」もシンプルにして秀逸だと思う。ボルボ＝安全というイメージが浮かぶ方も多いだろう。つまり、商品を「価値あるものと認識させ、そのイメージを植え付けること」がポジショニングの役割なのだ。このように、「自社ならでは」のポジションを示せるか否かは企業や商品にとって生死の分かれ目でもある。つまり、STP(セグメンテーション・ターゲティング・ポジショニング)とは、市場の顧客候補群の中の(セグメンテーション)、誰に(ターゲティング)、何を伝えるのか?(ポジショニング)であり、マーケティングの心臓部だ。その仕上げの部分がポジショニングなのである。現代マーケティングの大家であるコトラーも「マーケティングで最も重要なのは、ポジショニングである」と著書の中で述べている。

▼一言で価値・魅力を示せればいいが

欧州のプレミアムカーのような「一言」を作り出すのは難しい。そもそも、単一の価値や魅力では語り尽くせないものも多いため、複数のキーワードを出し、組み合わせてポジショニングを作り出していくのが一般的だ。

欧州プレミアムカーポジショニング（自社の魅力）を表すキーワード例

BMW：究極のドライビングマシン

ボルボ：世界一安全な車

ポルシェ：世界最強の小型スポーツカー

ポジショニングとは、
顧客のアタマの中で商品を
"価値あるもの"と認識させ、
そのイメージを植え付けること。
そして、競合との明確な差別化を図ること

本来、一言で強烈に印象に残る価値を伝えられるなら、
それが最もいいのだが…。

section 50

✓自社の魅力を打ち出すには？

ポジショニングの検討実務①

2軸を作り、優位な位置にポジションを取る

大ヒット商品である、Nintendo Switchや Wiiで遊んだことがある人は多いだろう。その時、どのように遊んで、どう楽しかったのかを思い出して欲しい。恐らく、多くの人が一人で遊んだのではなく、仲間や家族とワイワイしたり、団らんしたりしながら遊んだのだろう。そして初めての人でも直感的に操作して遊べたのではないだろうか。そんなシーンが頭に浮かんだら、それはNintendo SwitchやWiiが持つ「価値」が頭に刻まれているということになる。その「価値」の要素を抽出して、顧客に使えるメッセージにしたものがポジショニングだ。

▼顧客への価値の示し方

「家族や仲間と一緒に、すぐに簡単にワイワイと楽しく遊べます」……とすれば、顧客に伝わり理解してもらいやすくなるだろう。一方、それは「マニアが一人黙々とやり込んで高度な操作で遊ぶゲーム機とは違います」ということにもなり、競合であるソニーのPlayStationは「一人黙々とやり込んで遊ぶ」「きれいなグラフィックを楽しむ」というような魅力の違いを示すことができている。

示し方＝ポジションと差別化…というより棲み分けができていることを示せる。そのため、ゲーム機最大の商戦であるクリスマスや年末年始のシーズンでは、売れ行きは競合するというより、棲み分けの形で共に売れているというような状態になっているのだ。

▼ポジショニングマップの役割

ポジショニングマップは顧客に直接示すことはないが、これでしっかり整理しておくことによって、STPの次の「施策立案＝4P」の検討にブレがなくなるので、関係者一同で共有しておくことが肝要だ。4Pは、各々の要素で、ポジショニングで顧客に示した価値・魅力を実現していくことを考えねばならないのである。そのために、常に「整合性」を意識することになるため、ポジショニングの果たす役割は重大である。

ポジヨニングの検討実務①

Nintendo SwitchやWiiで遊んだことのある方。
どのように遊びましたか?
その様子を思い出して、**何が楽しかったか**
考えてみてください!

だいたい、こんな感じですね?

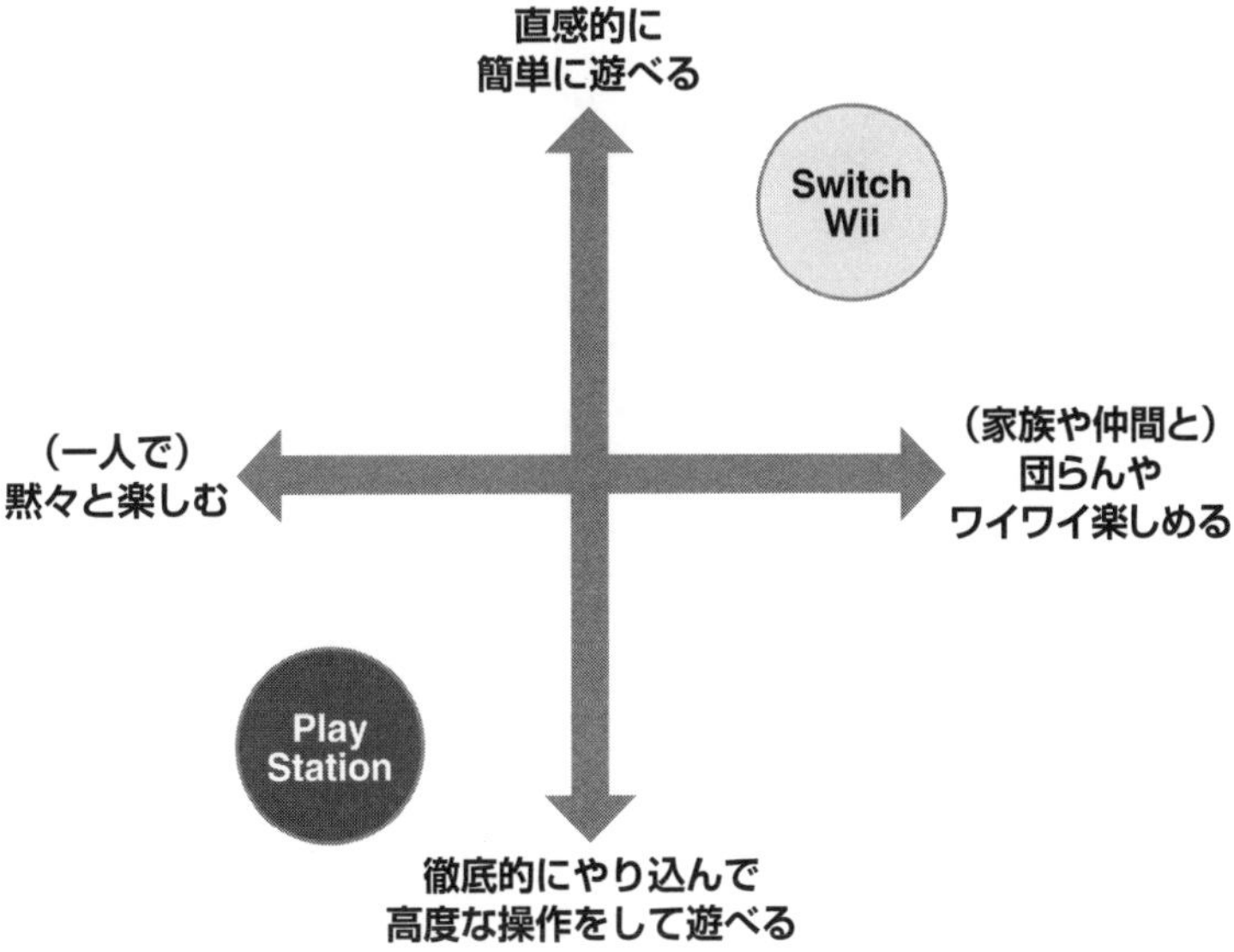

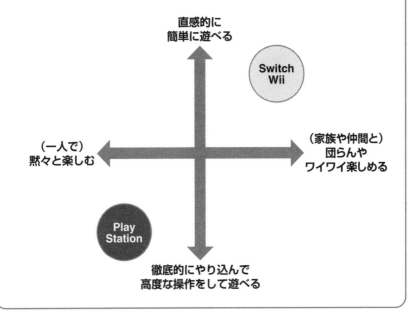

section 51

ポジショニングの検討実務②

「顧客視点」で考えること！

Nintendo SwitchやWiiの例で示したように、ポジショニングは多くの場合、2軸の「ポジショニングマップ」で整理する。問題はその2軸をどのような要素で切るかということだ。

▼「自社視点」ではなく「ＫＢＦ」で

ありがちなのが、自社が優位性を示せる製品・サービスのスペックを使うことだが、それは自社に都合のいい「プロダクト・アウト（製品志向）」の考え方で、顧客に刺さるとは限らない。

軸はターゲットの「ＫＢＦ（Key Buying Factor＝購買決定要因）」で切るのが大原則である。故に、ポジショニングの手前のターゲットのことをよく見直して考えることが重要だ。ＫＢＦ＝顧客の購買決定要因である以上、そのターゲットが曖昧では、絶対に明確なＫＢＦは出せない。

▼ＫＢＦに優先順位をつけ軸を決める

そのようなポジションを作るためには、「顧客視点でできるだけ多くＫＢＦを多く出すことである。ＫＢＦのリストを作るイメージだ。そして、そのリストを、再び「顧客視点」で、どれが重要か優先順位を付けるのだ。その上で、まずは優先順位1番と2番でマップを作る。そして競合と一緒にマップに並べてみて、最も優位性が示せる右上の象限を単独で取れれば成功だ。

▼ダメなポジションの例と対処法

顧客に価値・魅力が伝わるポジションは「単独で右上の象限が取れている」場合だ。だが、同じ象限に競合が入っていたら、まったく差別化ができていないことになる。つまり、ＫＢＦの1番目も2番目も差別化要因になっていないということだ。その場合、3番目、4番目のＫＢＦに変えて再度競合と共にマップに並べて優位性を確認する。その他、競合が右下のポジションになったら、「横軸」で差別化ができていないので、ＫＢＦの2番を変える。左上に来ていれば、縦軸がダメなのでＫＢＦの1番を変える……というように、「軸の切り替え」をしていくのだ。

ポジショニングマップの作り方（任天堂の例）

絶対原則
＝
顧客視点で「軸」を
考えること!

「軸」は顧客の購買決定要因＝**KBF**（Key Buying Factor）
→顧客が買おう!…と決めた要素・理由

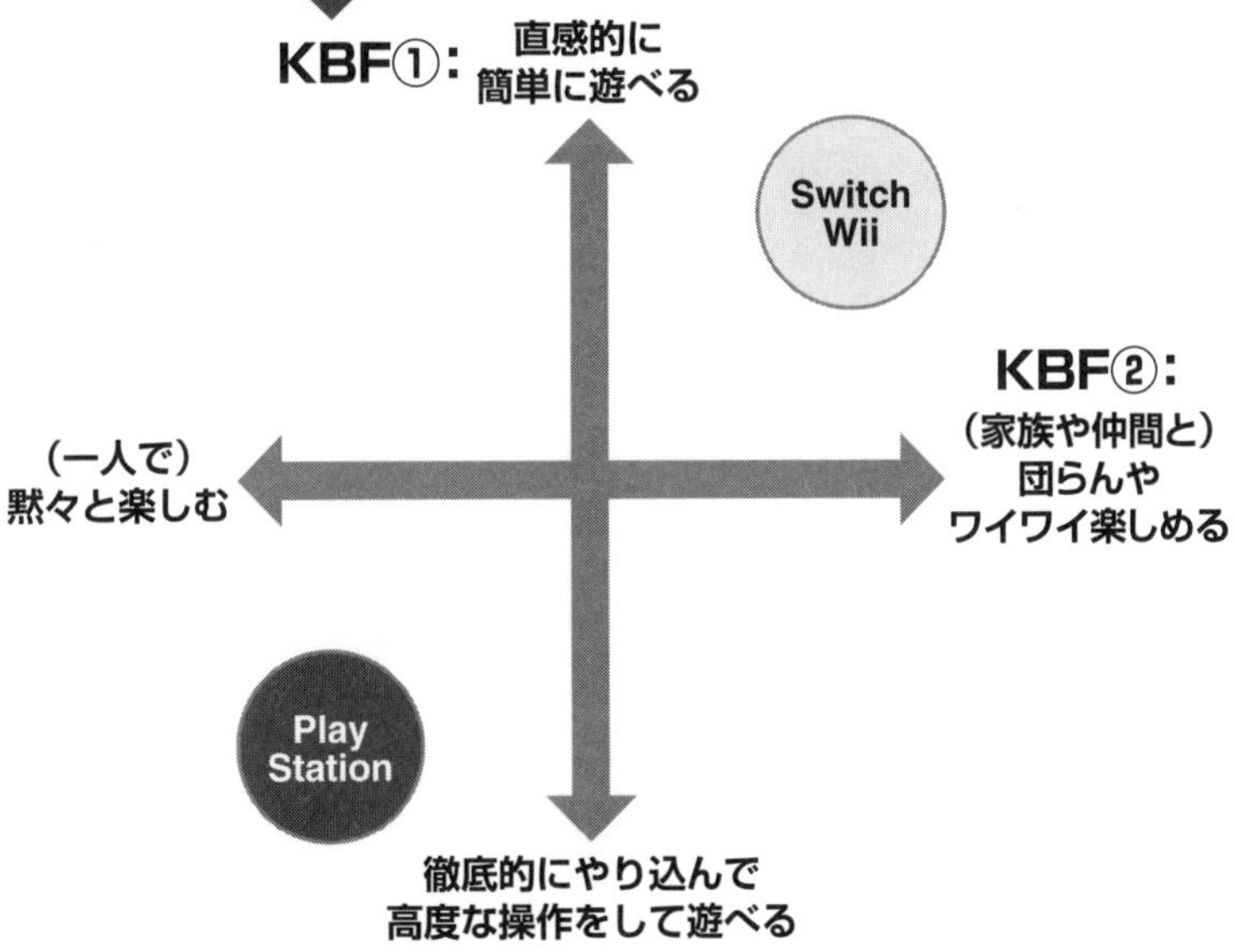

1：ターゲットを明確にする←**顧客は誰か?**
2：ターゲットのKBFを洗い出す（リストアップ）
　↑**顧客にとっての価値（理由買う）は何か?**
3：ターゲットにとってのKBFの優先順位を見極める
4：優先順位の高いKBF（①・②）からマップの「軸」を作る
5：競合と共にマップに示し、優位性を確認する
6：優位性を示せなければ、「軸」を切り替える

section 52

ポジショニング策定のフレームワーク

ポジショニングの検討実務③

最後は顧客に刺さる言葉にする

▼フレームワークとその要点

ポジショニング策定の全体を示した一般的なフレームワークというのはないが、筆者なりのやり方を左図にまとめてみたので参照されたい。

しかし、それでも悩むのは、だいたいが「ＫＢＦを数多く出せない」という点だろう。数多く出せない場合、抽象的な言葉が２つ３つ並んでいるだけということが多い。うまく出せないときは、前出の「ペルソナ」のレベルまでターゲットを詳細化して見ることが肝要である。また、そのターゲットは、その手前のセグメンテーションで「ニーズ」を洗い出しているはずなので、そこも見直す必要がある。また、セグメンテーションの前の環境分析の段階で、３C分析のCustomerの中で、顧客候補とそのＫＢＦは一度考えているので、そこも参考にできる。「マーケティングは流れで読み解く」なので、ここまでの要素をよく見直すことが重要なのだ。

▼WiiやSWITCHで考えれば

前出のNintendo SwitchやWiiの例に戻れば、家庭用ゲーム機を買う、家族で楽しみたいというニーズを持ったファミリーのＫＢＦを考えれば、「家族みんなで楽しめること」「直感的な操作で身体を使って楽しめること」「面白いゲームのタイトルが多数あること」「グラフィックがきれいなこと」「価格が手頃なこと」「設置場所を取らないこと」……等が考えられる。一通りＫＢＦが洗い出せたら、次は列挙したＫＢＦの中でターゲットはどれを重要視するかという優先順位付けをする。先の例であれば、やはり「家族みんなで楽しみたい」というニーズを持っているターゲットなので、「家族みんなで楽しめること」「直感的な操作で身体を使って楽しめること」が１番、２番となるだろう。３番目は、色々楽しめた方がいいので、「面白いゲームのタイトルが多数あること」。４番目が、家計も気になるので、「価格が手頃なこと」。５番目は恐らくリ

ポジショニングのフレームワーク例

■ターゲット（仮説・例）

- ニーズと関心事
「日頃………について、………という悩み（ふの字）を抱えていて………という状態を望んでいる人」
- 属性
●●歳代、性別X、職業○○、可処分所得＝多め……等

〈KBF〉＆優先順位

- ○○○　←④
- ×××　←①
- □□□　←⑥
- △△△　←⑤
- ◎◎◎　←③
- ●●●　←②
- ■■■　←⑦
- ▲▲▲　←⑧（等）

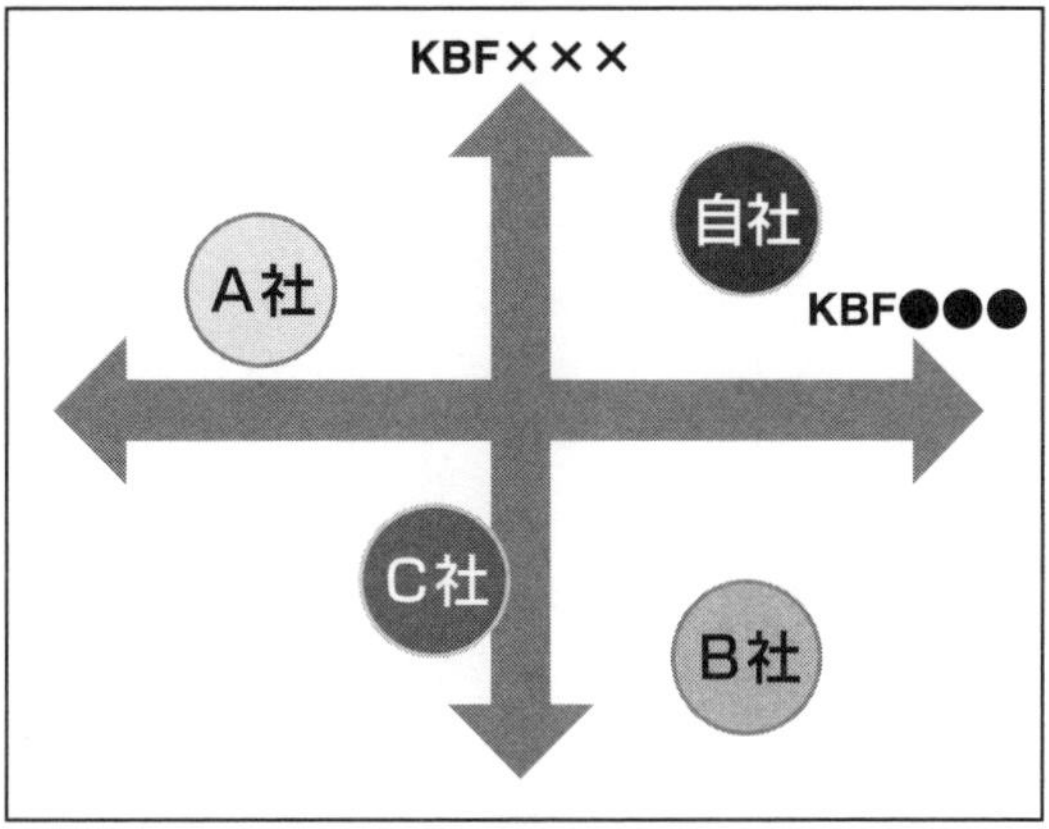

軸（KBF）からポジショニングを表す「顧客にとっての価値」を言葉にする

【例】

○○（商品名）は………という方に、●●●という効果を×××でご利用いただけます

ビングのテレビにつなぐので、「設置場所を取らないこと」。ゲームヘビーユーザーではないので、「グラフィックがきれいなこと」は、優先順位は一番低くなるのではないか。優先順位が付いたら2軸のマップを作り、競合と一緒にマップに載せてみる。そこで、何度か前述の「軸の切り替え」をしつつ、いいポジションが取れればマップは完成だ。そして最後に、マップの「ポジションを表す言葉」を考える。SwitchやWiiのマップなら、「家族みんなで、すぐ簡単に使ってワイワイ楽しめます」ということになるだろう。49項のBMWのような名キャッチコピーをこの段階で作り出す必要はない。しかし、それが、顧客に刺さる、「売り手の言葉」ではなく、顧客視点の「買い手の言葉」になっていることが確認できれば正しいマップになっていることが検証できる。

section 53

デジタル時代にSTPは古いのか？

✓「完璧を目指すよりまず終わらせろ」

「リーン・スタートアップ」の本質

▼完璧を目指すよりまず終わらせろ

これは、Facebook社（現Meta）の壁に描かれているという言葉だ。創業者のマーク・ザッカーバーグ氏が投資家へ向けた手紙で明らかにしたものである。この言葉が名言として取り上げられることが多いのは、昨今のデジタル時代に入ってから、多くの企業が採用していると言われている「リーン・スタートアップ」の開発手法を端的に表しているからだろう。

▼リーン・スタートアップとは？

簡単に言えば、「コスト（手間や時間を含む）をかけずに最低限の製品・サービスの試作品を短期間で作り、上市（もしくはWeb上へ公開）し、顧客の反応を的確に取得して、より満足度が高まるようにブラッシュアップを繰り返していく開発手法」のことだ。

Leanは形容詞で「（筋肉質で）細い、やせた、引き締まった」という意味が辞書にはある。転じて「無駄を省いた開発手法」を意味するようになった。

リーン・スタートアップの正確な工程は「①構築→②計測→③学習→④再構築」とされている。

①**構築**＝アイデアや仮説を元に製品・サービスを企画立案し、なるべくコストと時間をかけずに完璧でなくとも形にし、ＭＶＰ（Minimum Viable Product）と呼ぶ最低限の製品・サービスを開発し、顧客に試してもらう。

②**計測**＝試作品（ＭＶＰ）に対して顧客候補からどのような反応が得られるかを観察・計測する。

③**学習**＝観察・計測の結果をもとに、ＭＶＰを改善していく。反応が思わしくない場合、最初に立てた仮説そのものを見直して方向性を変更し、製品・サービスの改良をしていく。

④**再構築**＝うまくいかなければ、できるだけ早い段階で構築からやり直す。

そして「顧客と、顧客にとっての価値」を見極められるようになるまで、市場の反応を観察・計測し「①構築→②計測→③学習→④再構築」を繰り返す。

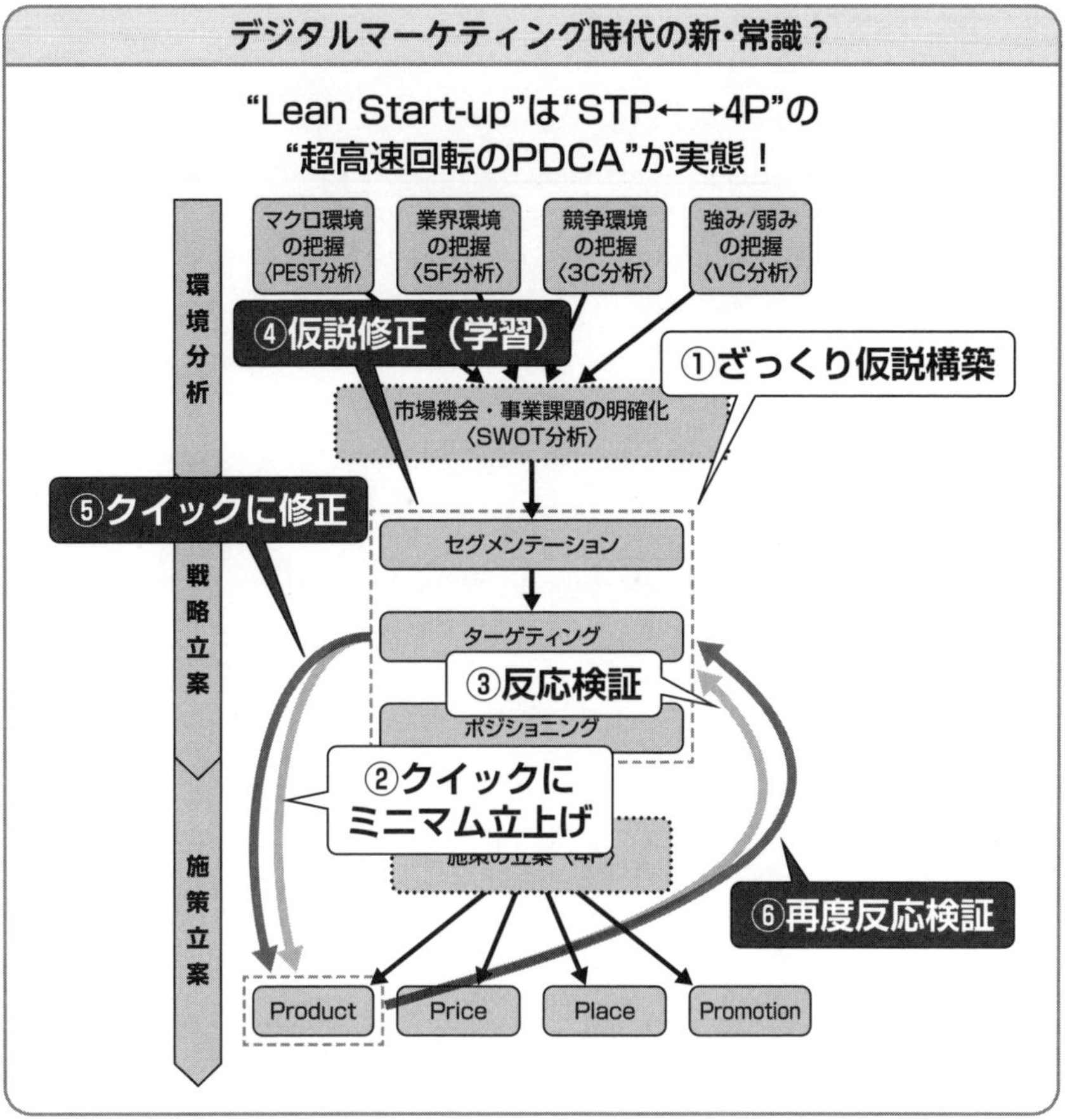

▼STPはもう古い？

「リーン・スタートアップの時代」になったので、ターゲットや、ターゲットが感じる価値をガチガチに固めてから製品開発を行う「STP理論」はもう古いという論調をしばしば耳にする。しかし、それは「リーン・スタートアップ」も「STP理論」も、どちらの本質も理解していないと言えよう。そもそも、マーケティングの実務上の最大のポイントは、10・11項で述べた「戻って考え直す」である。また、「マーケティングの全体像」の心臓部はSTPであると述べた。そこはリーン・スタートアップにおける「①構築」段階でも考える部分だろう。

特に昨今のスタートアップ企業やWeb系のマーケターなどは、「古い」と切って捨てずに、STPの本来の意味と手法も理解した上で「リーン・スタートアップ」に取り組むべきである。

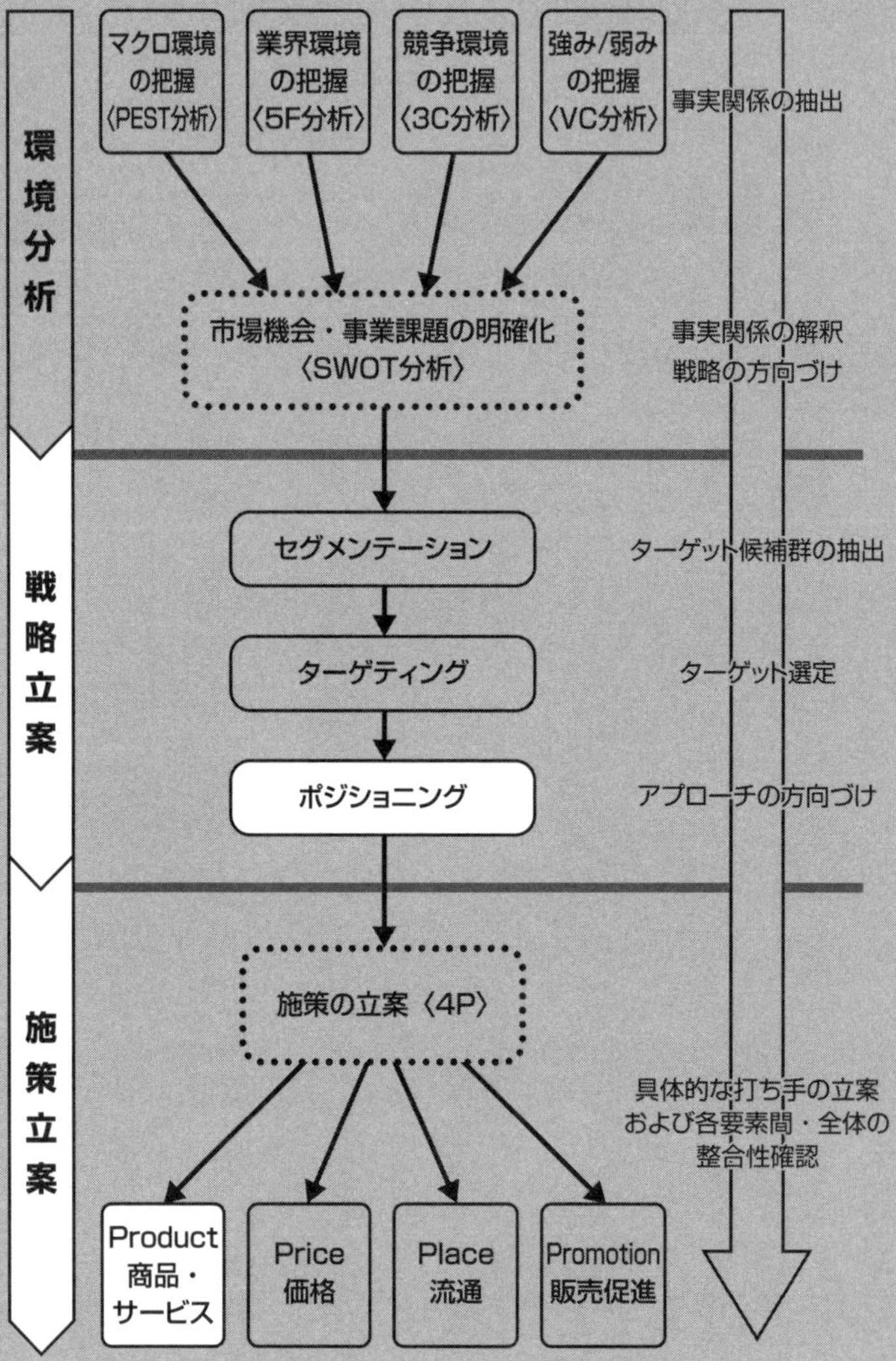

コトラーはブランドを「商品を構成する一部」としたが、本書では同時にポジショニングを先鋭化して示したものとする。

第5章

ブランド

section

54 ブランドの意味と機能
55 ブランド・エクイティ
56 ブランド・エクイティ・システム
57 ブランド・エクイティの実際
58 ブランド共感のピラミッド
59 顧客インサイトと共感形成

section 54

✓ブランドにはどんな価値があるのか?

ブランドの意味と機能

「識別」から始まり、さらに多くの機能に拡大

ブランドは左ページに記した原義から拡大し、今日では多くの機能と価値を持つようになっている。

▼ブランドの定義

「ブランドとは?」への答えは、アメリカマーケティング協会の定義「ブランドとは、個別の売り手もしくは売り手集団の商品やサービスを識別させ、競合他社の商品やサービスから差別化するための名称、言葉、記号、シンボル、デザイン、あるいはそれらを組み合わせたもの」が最も適しているだろう。コトラー、アーカー、ケラーらのマーケティングやブランド論の大家も自分の言葉を加えつつ引用している。

▼ブランドの機能とは

この定義にもあるように、ブランドは原義にも通じる「識別」が第一義だ。また、「ブランドとは〝約束〟である」という考え方がある。後述する56項の「ブランド・エクイティ・システム」というアーカーの理論では、ブランドの中心をなすものは「ブランドエッセンス(ブランドの本質)」であるとしている。その本質通りであると顧客に約束し、裏切らないことがブランドの命なので、第二の機能としては「保証」ということになる。さらに、ブランドによって顧客はプレミアムな価格を受け入れる。それは、ブランドが自らの象徴としての機能を果たしてくれるからだ。

▼企業のブランド価値

顧客のブランドによるプレミアムな価格の受容が企業にもたらすものは大きい。例えば、フォーブス誌が発表した、2016年版「世界の最も価値あるブランド」ランキングでAppleのブランド価値は1541億ドルとされている。iPhoneをはじめとした同社製品は同等の機能を持つ他社製品より明らかにプレミアムな価格が設定されているが、それでも大量に売れている。そのプレミアム分の積算額を元にフォーブス誌が独自に算出した額だが、凄まじい金額であると言えよう。

ブランドの意味と機能

ブランド（Brand）の語源は、焼き印を押す（Burned）。
焼き印によって誰の牛か「識別」できるようにするのが目的。

ブランド商品を購入する意味とブランドの機能

これは間違いなく○○という高級車！

高性能で故障しないし、事故にあっても安全！高級車ならでは！

この車に乗っていると、「上質なものにこだわる人」と人から思われる！

識別

細かく比較しなくても類似の財・サービスと比較できる（ブランドの語源に同じ）

保証

購入前に判断できない品質を保証する

象徴

品質から連想される価値によって所有者を意味づけする

※『マーケティング用語辞典』和田充夫、日本マーケティング協会編（日本経済新聞出版）に加筆修正

section 55

ブランド・エクイティ

✓ブランドが企業にもたらす価値とは?

ブランドとは単なる「イメージ」ではない

ブランドの概念を大きく塗り替えたのは、ブランド論の大家、デイヴィッド・A・アーカーであると言えよう。

▼ブランドに対する考え方の変遷

ブランドに対する認識は広告などによる「ブランドイメージ」というものが先行しがちだが、アーカーが1994年に刊行した『ブランド・エクイティ戦略』から連なる、ブランド三部作（97年『ブランド優位の戦略』、00年『ブランド・リーダーシップ』）といわれる著書によって完全にその位置づけが変容している。つまり、それ以前は

ブランドとは生活者に「イメージ」を植え付けることが主たる機能であり、短期的視点で考えられた衣装・化粧のようなものとして捉えられていた。また、企業がブランド・コミュニケーションに費用を投下するのは「コスト」という認識で、それはすぐに忘れ去られる「フローのコミュニケーション」であると考えられていた。つまり、「広告」の視点でしか考えられていなかったのだ。

だが、現在ではアーカーの提唱した「ブランド・エクイティ」という考え方が広く浸透した。つまり、ブランドは中長期的視点で企業が「投資」をすることによって、生活者にイメージ訴求するだけでなく、「認識を植え付ける」ための「ストック型コミュニケーション」であると。その認識の変革によって、ブランドは単なる広告の課題ではなく、経営課題に格上げされた。事実、今日ではいわゆる「強いブランド」には前項のフォーブス誌がAppleを評価したように、百億・千億という価値がついている。もはや広告だけでどうなるものではないことがわかるだろう。

▼ブランド・エクイティの要素

左図のうち、ちょっとわかりにくい2項目を補足する。「ブランド・ロイヤルティ」の効用は、第一段階は顧客が「話題にする」ことで、「口コミを誘発する」という価値が生まれる。第二段階は「ちょっと高くても買う」こ

ブランド・エクイティの構成要素

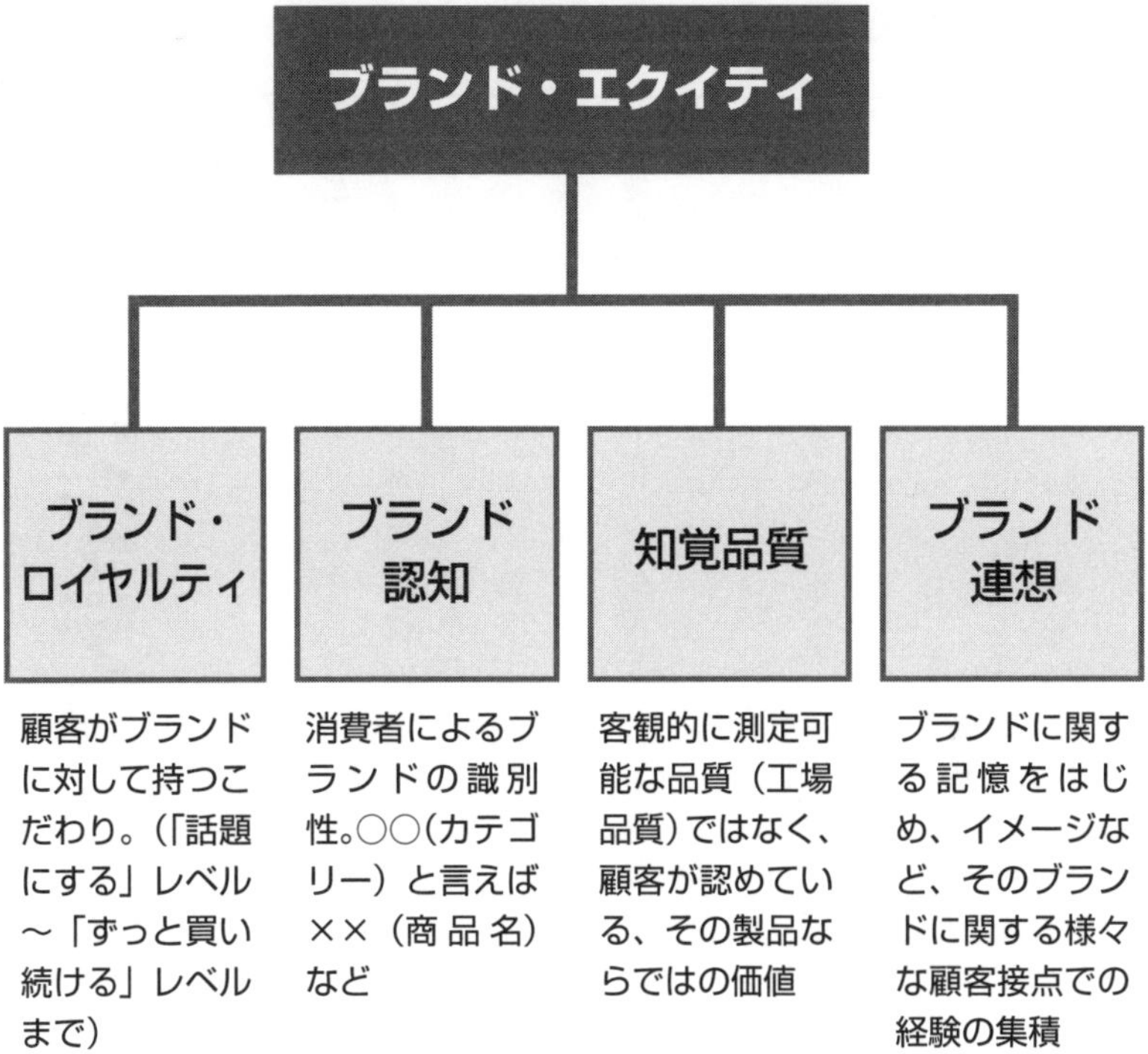

※『ブランド・エクイティ戦略』D・A・アーカー著、陶山計介他訳（ダイヤモンド社）に加筆修正

とで利益率が向上する。第三段階は「人に推奨する」ことで紹介利益（新規顧客獲得コストをかけずに顧客が拡大再生産されるという価値）が生まれる。最終的に「ずっと買い続ける」ことで顧客生涯価値（Life Time Value）が最大化される。

「ブランド認知」に関しては、ブランドはまず「そのブランドを知らない」という「未知」の段階から、「知っている」という「認知」の段階に進み、さらに「そのブランドを意識している」という「ブランド想起」の段階に進まなくてはならない。「○○ならこのブランドと決めている」という「トップオブマインド」のポジションが取れればゴールだが、あるカテゴリーの商品の購入には「想起」以上の「Evoked Set（想起集合）」に入っていなければならず、その数はわずか3つ程度と言われている。

section 56

✓ブランド管理のフレームワークとは?

ブランド・エクイティ・システム

ブランドを資産化するために必要な要素

「ブランド・エクイティ・システム」は1997年に刊行された『ブランド優位の戦略』でアーカーがブランドを資産化するための実践論として示したフレームワークだ。この項ですべては説明しきれないので、ブランドアイデンティティの部分に絞って解説してみよう。

▼ブランドアイデンティティ

ブランドの中核をなすものとして、アーカーは『ブランド優位の戦略』に次のように記している。「コア・アイデンティティは、ブランドの永遠の本質を表す。それは、タマネギの何層もの皮や、チョウセンアザミの葉をむいて後に残っている中心部分である」。難解だが、実際にタマネギをむいてむいて、むききった状態を想像するといい。結局は何も残らないが、タマネギがその形をなしていたからには、確かな目に見えない何かが存在していたのだ。その、すべてを取り去った後にも残るものをブランドの中核であるとしている。それをわかりやすく言葉にしたものが「ブランドエッセンス」である。「ブランドプロミス」や「ブランドステートメント」と同義なので、それがどんなものかは自社のブランドがどのように規定されているかを確認してみるといい。

▼拡張アイデンティティ

上記を補完するものとして、「商品としてのブランド」「人としてのブランド」「シンボルとしてのブランド」「組織としてのブランド」が規定される。商品としてのブランドを考える場合、そのブランドの価値の根幹をなす商品の本質価値は何かを明らかにする。そのためのポイントは、商品開発の背景・将来ビジョン・商品のポジション・顧客にどのように知覚されているか（知覚品質）である。人としてのブランドは「そのブランドを人にたとえると？」と考えればよいが、いわゆる「ブランドパーソナリティ」として5つ因子があると言われている。「誠実因子」＝堅実・正直・健全・励まし、

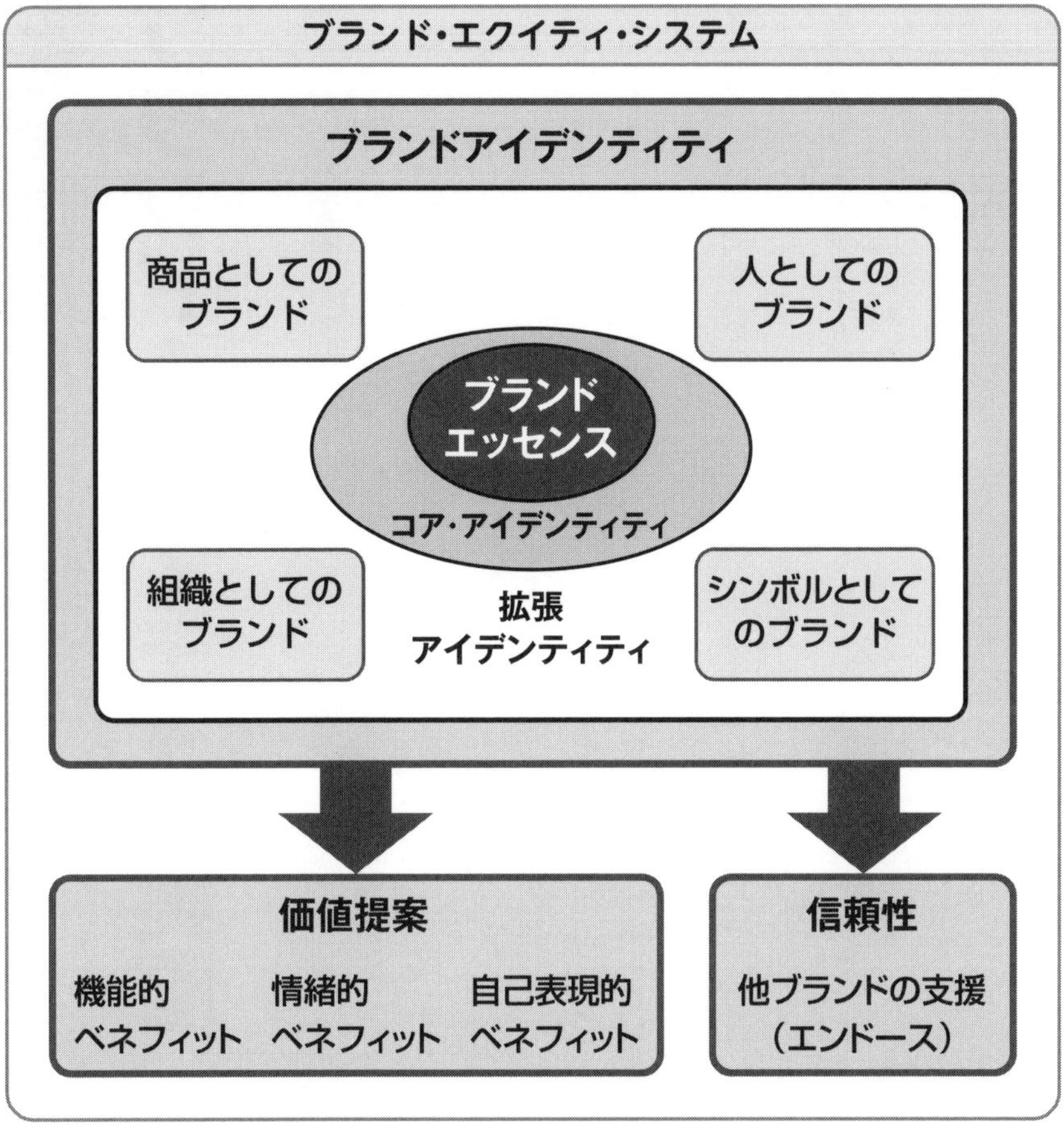

「興奮因子」＝憧れ・挑発的・勇気・想像力・斬新性、「有能因子」＝信頼・知性・成功、「洗練因子」＝上流階級・魅力、「素朴因子」＝アウトドア・頑丈さ、である。

　シンボルとしてのブランドは、「ブランドのコア・アイデンティティを強化し、顧客の頭の中にシンボルとして残っているものは何か？」を考える。例えば、メルセデスなら「スリーポインテッドスター」と言われる車についているブランドマークだろう。場所も重要なシンボルだ。お台場と言えばフジテレビ、汐留なら日テレ。色も、赤と言えばコカ・コーラを表すシンボルだ。組織としてのブランドは、「その組織の全員がブランドのように生きていること」だ。たとえば、ユニクロと無印良品の店員は接客方法から動作、雰囲気まで好対照だが、各々ブランドを体現していると言えるだろう。

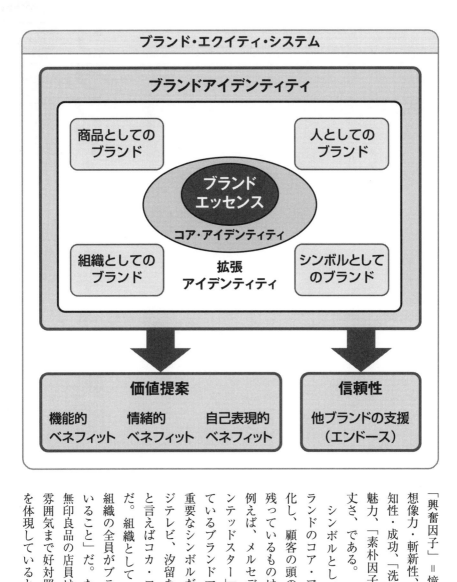

section 57

✓ブランド・エクイティはどう使う？

ブランド・エクイティの実際

メンソレータムの事例で考える

クリクリ巻き毛にナース帽を被ってつぶらな瞳で微笑む「ナースちゃん」のイラスト。メンソレータムのキャラクターは多くの人がすぐに脳裏に描くことができるはずだ。つまり、「シンボルとしてのブランド」がしっかりしている。では、その他の要素も検証してみよう。

▼ブランド・ロイヤルティの要素

ブランド・ロイヤルティに関しては、「メンソレータムがないと死ぬ！」というほどの切望感があるかどうかは別として、薬箱に常に入っているという家庭は多いだろう。また、メンソレータムの認知度は高いが、単に認知しているだけでなくカテゴリーごとに3つ程度と言われている、ブランドとしてすぐに思い出される「想起集合(Evoked Set)」にも確実に入っているはずだ。軟膏と言えば「メンソレータム」と「オロナイン軟膏」、あとひとつ思い浮かぶ人はどれくらいいるだろう。

知覚品質とブランド連想は、メンソレータムのウェブサイトに非常にわかりやすいテキストが掲載されていた。

「お肌になにかあったら、メンソレータム軟膏。うちではずっとそうだった。――子どもの頃、塗ってもらうと安心した　スースーした香りをかぐと、今でもほっとしてしまう。私がお母さんから受けたやさしさを　こんどは子どもたちに。『ほら、もうだいじょうぶだよ』」

薬としての成分がどうこうではなく、「スースーした香りを伴う安心感」が顧客にとっての知覚品質であり、ロングセラー商品として様々な接点で顧客と接触を持っているはずだが、「親に塗ってもらった」といった体験こそが最大のブランド連想となっているのだ。

▼派生商品を支える「信頼性」

ブランドアイデンティティによってもたらされる顧客への提供価値は、前項の図のように大きく見れば2つ、詳細に見れば4つある。「機能的ベネフィット」と「情緒的ベネフィット」は

メンソレータムのブランド・エクイティ

ブランド・エクイティ

ブランド・ロイヤルティ	ブランド認知	知覚品質	ブランド連想
大抵の家庭の救急箱にひとつは必ず入っている。積極的な購買というよりは、自然と買い続けるような高いロイヤルティ	1975年からはロート製薬が製造・販売。軟膏と言えば……思い浮かぶのはメンソレータム（と、オロナイン軟膏ぐらい）。ブランド認知は極めて高い	「スースーした香りを伴う安心感」。「これを塗っておけば大丈夫」という感覚。高い知覚品質	「幼少期に親に塗ってもらった」などの長期間の体験を伴うブランド連想を多数蓄積

写真提供：ロート製薬

よく知られていると思うが、「自己表現的ベネフィット」は54項に記したブランドの機能における「象徴」と同義だと思えばいい。顕著な例としては、すべてのデジタルデバイスをApple製品で統一するユーザーなど、そのブランドを持つことが自己表現となるような価値である。

メンソレータムの場合、情緒的ベネフィットが高いのは前出の知覚品質の点で明らかだが、派生商品が売れるワケは、ブランドアイデンティティがしっかりした本体ブランドが、4つ目の提供価値である「信頼性」を高めているからだ。新商品を見て「本当に効くのかしら？」と思っても、そこに「ナースちゃん」マークとメンソレータムブランドが信頼と安心感のエンドーサー（裏付ける者）となって、購入へと背中を押すのである。

section 58

✓ブランド・ロイヤルティはどうやって向上させればいい？

ブランド共感のピラミッド

理性＋感情で共感形成を目指す

アーカーのブランド・エクイティの4要素にも「ブランド・ロイヤルティ」という項目はあったし、ブランド・エクイティ・システムにおいても顧客への価値提案として「機能的ベネフィット」と「情緒的ベネフィット」が示されていた。それらを強化し、さらにブランドが目指すべきゴールを明確にしているのが、「トライアングルモデル」である。ブランドマネジメント論の大家であるケビン・ケラーが著書『戦略的ブランド・マネジメント』に記している。ケラーは、現代マーケティングの大家、コトラーのライフワークでもある『マーケティング・マネジメント』の著述において、最新の第12版で共著者となっていることでも有名だ。

▼感情面の重要さ

ケラーは、ブランドは左図のように理性と感情の両面で形成されていくとしている。しかし、実際には理性面のアプローチに終始しているブランドが散見される。消費者からの認知を得て、ブランドの持つ機能・性能・デザインを中心として、競合よりも独自性があり、品質と価格のバランスに優れているなど、いかに顧客の機能的ニーズが満たされるかを訴えかける。その結果、顧客自身の意見や評価として、製品の品質やメーカーとしての信用度などを向上させる……。だが、これだけでは技術的差異がなくなった今日では有効な差別化は無理だ。

そのため、感情面へのアプローチとして、認知した商品を、まずはそのブランドが顧客の心理的ニーズや社会的ニーズをどのように満たしてくれるのか、製品やサービスに付帯する特性を訴求する。具体的には、どんな人がどのように用いて、どのような経験をしているのかなど、「ユーザーの声」を紹介するのはこの一例だ。その中に著名人を混ぜてよりイメージを具体化させている成功例はサントリーの健康食品「セサミン」だ。健康・長寿の代表ユーザーとして80歳を超えて現役冒険

ケビン・ケラーの「トライアングル・モデル」－ブランド共感のピラミッド－

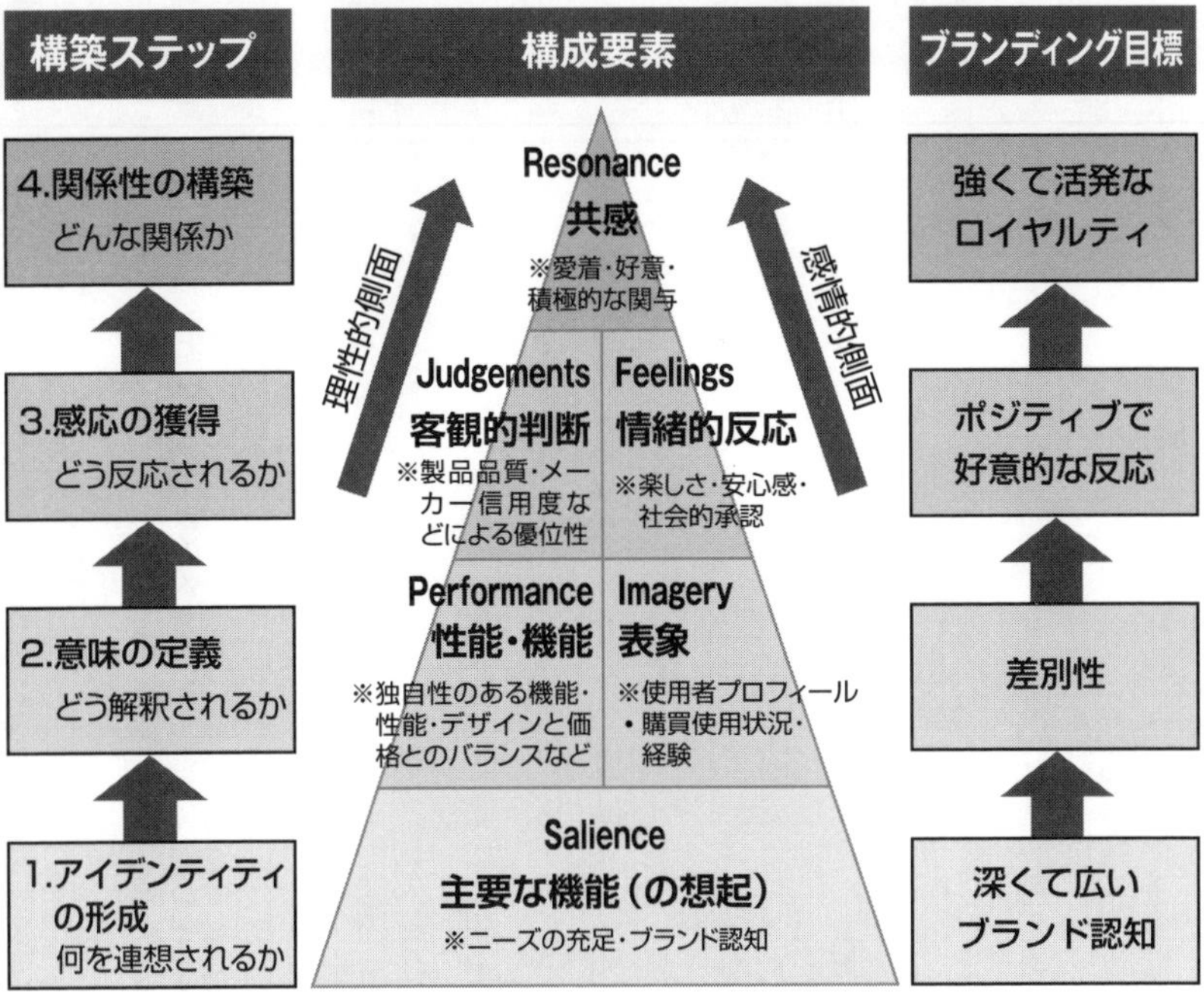

上に行くにつれてブランドの効力が高まり、
最終的には共感によるロイヤルティ形成に至ることを狙う

※『戦略的ブランド・マネジメント』（ケビン・ケラー著）、『コトラー＆ケラーのマーケティングマネジメント 第12版』（フィリップ・コトラー、ケビン・ケラー著）に加筆修正

家・プロスキーヤーの三浦雄一郎を登場させている。その上で、ブランドに対する顧客の良好な感情的対応や反応を引き出すため、どのような楽しさ、安心感が得られ、人からどのようによく見られるかを訴求する。

▼機能・感情の両面で共感を目指す

このモデルでブランドが最終的に目指すべきゴールとしているのは「顧客のブランドに対する共感形成」だ。顧客がブランドに対し、好意・愛着を抱き、積極的に関与しようとする関係を構築することである。アーカーのブランド・エクイティにおけるブランド・ロイヤルティの第三段階において、「人に推奨する」という要素があったが、それは積極的な関与の典型だ。そして「共感」は、顧客がブランドと「同調している」と感じる程度が重要で、「私にピッタリ！（Relevant）」と感じてもらうことが重要なのである。

section 59

顧客インサイトと共感形成

✓顧客の心の中をどう読む？

「共感」は心の深いところで形成される。そこまで辿り着くことが重要

「自分にピッタリ！」と思い、積極的に関与して知人を紹介までしてくれる。そんな「共感」という関係の構築は簡単なことではない。

▼50代以上の高購買力層を狙え！

婦人下着メーカーであるトリンプの事例だ。同社の中心顧客は20～40代だったが、少子化によって中高年の存在感が高まる中、購買力が高い50代以上の新規顧客を取り込まなければならないという課題があった。

▼ターゲットに合わせた機能

同社は、「若い世代は多少の窮屈さをがまんしてでも胸をきれいに見せたい人が多いが、年を重ねていくほど、着け心地を重視する女性が増える。肌が加齢と共に乾燥しがちになるため、肌触りや肩ひもの食い込みなどを気にする人が多い」という事実をつかんでいた。だが、それはあくまでも機能的価値だ。着け心地にこだわった中高年向けの下着は各社から発売されている。

▼情緒的価値を考える

そこで同社は商品の色・柄にこだわった。中高年の下着は従来、ベージュなどの落ち着いた色が中心だったが、同社ブランドはピンクや青など彩り豊かな色を取り揃えることとした。それによって加齢でくすんだ肌が美しく見えるようにして、「上品な大人の女性を演出」することに注力。レースや花柄なども取り入れ、着用時の見た目も重視したと言う。

だが、ちょっと考えるとデザイン変更という付加的な要素程度にも感じられるが、問題はどのような効果が期待できるのか、だろう。

▼インサイト（深層心理）構造

今まで中高年女性向けの下着には、機能的ベネフィットまでしか提供されていなかった。12項で述べたように、不（負）のあるところにニーズはある。今まで機能一辺倒だった下着に対する「不足」「不満」という「不の字」を見つけてトリンプは勝負をかけたのだ。ターゲット女性の心理を構造化してみると左図のようになるだろう。

トリンプ「プレジアフォルテ」の狙ったインサイトの構造

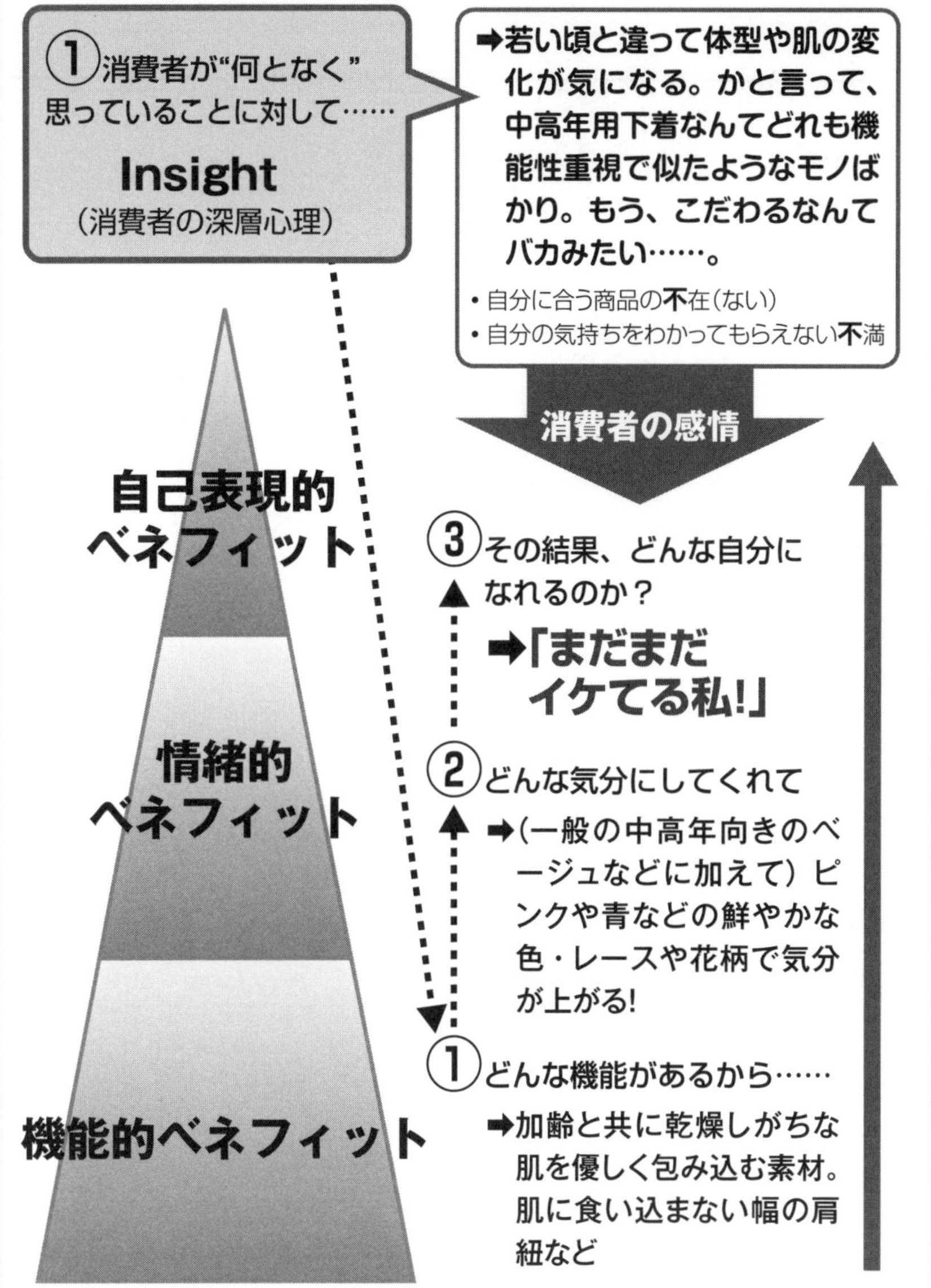

①消費者が“何となく”思っていることに対して……
Insight
（消費者の深層心理）
➡若い頃と違って体型や肌の変化が気になる。かと言って、中高年用下着なんてどれも機能性重視で似たようなモノばかり。もう、こだわるなんてバカみたい……。
・自分に合う商品の不在（ない）
・自分の気持ちをわかってもらえない不満
消費者の感情
自己表現的ベネフィット
情緒的ベネフィット
機能的ベネフィット
③その結果、どんな自分になれるのか？
➡「まだまだイケてる私!」
②どんな気分にしてくれて
➡（一般の中高年向きのベージュなどに加えて）ピンクや青などの鮮やかな色・レースや花柄で気分が上がる!
①どんな機能があるから……
➡加齢と共に乾燥しがちな肌を優しく包み込む素材。肌に食い込まない幅の肩紐など

トリンプは自社の手薄なターゲット層の「不（アンメット・ニーズ）」の存在を発見!
そのネガティブな感情に対するソリューション（課題解決）対応でチャンスが!

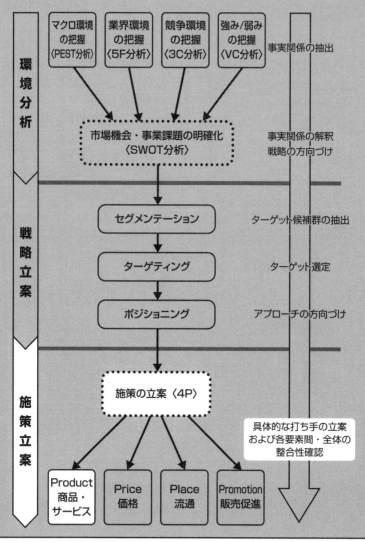

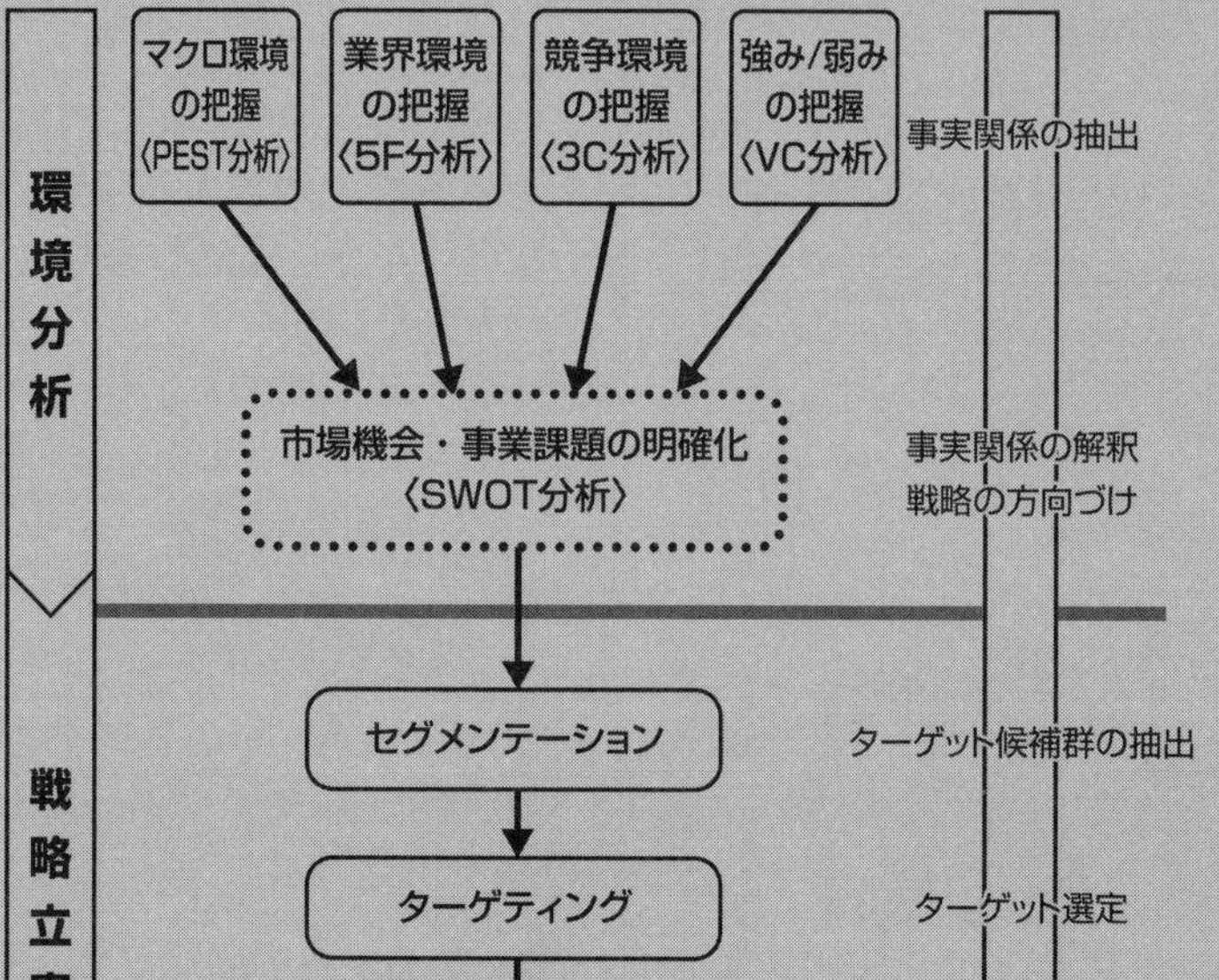

製品戦略は、商品の「提供価値」を明確にすることが基本。さらに、どのような商品を展開するかもフレームワークで検討できる。

第6章

製品戦略

section

60 マーケティングミックス
61 製品特性3層モデル
62 製品特性5層モデル
63 ターゲットの違いによる価値構造の変化
64 プロダクトライフサイクル
65 プロダクトライフサイクルと価値構造
66 製品コンセプトは「顧客の言葉」で
67 新製品が普及するための条件とは？「イノベーション普及要件」
68 プロダクトエクステンション
69 ポートフォリオマネジメント
70 アンゾフのマトリックス①
71 アンゾフのマトリックス②

section 60

マーケティングミックス

✓4Pはどこから考えればいいのか？

縦（＝STP）と横（＝4P）の整合性を確保する

「ターゲットに対する魅力の打ち出し方」＝「ポジショニング」を明らかにしたら、それを「4つのP」で実現していく。「マーケティングの流れ」では最終段階の「施策立案」に入るのだ。だが、「大前提」を忘れると効果半減かうまくいかなくなるので注意が必要だ。大前提とは各々の整合性だ。

▼「マーケティングミックス」とは？

4PはProduct、Price、Place、Promotionというマーケティングの実行プランにおける4要素の頭文字を取っている。だが、4つを順々に考えていけばいいわけではない。「4P」は「マーケティングミックス」とも呼ばれる。つまり個別のPの内容を設計することを考えるだけでなく、「4つのPをミックス（組み合わせ）しつつ、相互の整合性を図り、相乗効果を発揮する」ことこそがキモなのである。

▼「最適なミックス」を阻むもの

「最適なミックス」の実現を「組織の壁」が邪魔をすることがある。製品は開発部門主導で「自社の技術ありき」や「とにかく競合製品を上回るスペック」など、「モノ優先」の観点で作られがちだ。価格は調達部門や営業部門の主張で製造原価の制約や競合価格を意識して決められやすい。販路はチャネル営業部隊の理論で既存のしがらみが優先され、革新されることは少ない。広告・販促は広告宣伝部の意識がイメージ先行で、マス媒体での認知に偏ったりする。マーケターはそれらの利害を調整し、説得して4Pがバラバラに検討されるのではなく、「最適なミックス」となるよう全体プランを考え、提示しなければならない。

▼STPとの整合性も意識する

「4P相互の整合性」だけでなく、「STPとの整合性」も極めて重要だ。左図の「伊右衛門 特茶」は4Pの整合性構築で一世を風靡した「ヘルシア緑茶」に対し、さらにターゲットとポジショニングを明確にして特保飲料トップに躍り出ることに成功した事例である（45、47項参照）。

ヘルシア緑茶 vs. 伊右衛門 特茶

ヘルシア緑茶の4P

Product 製品
350mlペットボトル中540mgの高濃度茶カテキン含有（急須の茶の2倍）。味は濃く、苦い。「特定保健用食品（特保）」。体脂肪燃焼効果あり

Price 価格
350mlで189円（消費税5％当時）通常の緑茶ペットボトルは、500mlで148円（コンビニ価格）。プレミアム価格戦略

Place 販路
花王は自販機がないためコンビニに集中。優良な棚の位置とフェイス数確保に成功

Promotion 販売促進
マス広告（特にTV）の大量投下。認知・興味を持たせて店頭で手に取らせる消費者の態度変容を設計

整合性

伊右衛門 特茶のターゲット

効果に興味はあるものの「ヘルシアは苦くてダメ」「メタボ中高年向きのイメージ」「本当に効くのか効果に疑問」……等で購買をためらっていた層

伊右衛門 特茶のポジショニング

「伊右衛門ブランド」の資産である「おいしい味」「オシャレ感」を活用。特保・カテキンが効くのかという効果への疑問を払拭するため、「脂肪が燃える」というだけでなく、「分解・燃焼」という「効くメカニズム」を明確化

整合性

伊右衛門 特茶の4P

Product 製品
500mlペットボトル。「京都・福寿園」を掲げた伊右衛門ブランドで展開。「少し濃いめ」程度で苦くない味

Price 価格
500mlで170円なので、一般のお茶の自販機価格160円（消費税8％時点）と10円だけの差。割安感を訴求

Place 販路
コンビニに加え、サントリーの誇る全国50万台（発売当時）の自販機でも展開し、広い面展開を実現

Promotion 販売促進
登場時テレビCMは伊右衛門と同じキャスト。本木雅弘は「脂肪の分解→燃焼」という効くメカニズムを明確に訴求。宮沢りえは「苦いトクホの時代は、終わったようです」と味を訴求。ヘルシアの弱点を突く訴求内容

整合性

section 61

製品特性3層モデル

✓製品戦略はどこから考えればいいのか?

製品の3つの価値構造を把握する

2項で、「マーケティングとは価値の交換活動である」と述べた。製品戦略を考えるには、今一度、「価値」に注目する必要がある。「製品」は顧客に価値を認められて「商品」となるのだ。有形物ばかりではなく、10分間1000円のマッサージなどの無形のサービスも、顧客から対価を得て交換される提供物はすべて「製品」と考える。つまり、「製品とは価値の集合体」なのである。

▼製品の価値構造を明らかにする

その製品がどのような価値を持っているのかという、価値構造を明確にするのが製品特性分析である。

製品特性分析は「3層モデル」と「5層モデル」があるが、まずは簡単な3層から見ていこう。製品の持つ価値構造を3つに分解する。中心から〈中核〉〈実体〉〈付随機能〉だ。

〈中核〉とは、「顧客が対価を払って手に入れたい、製品やサービスの中核的な便益、もしくは価値」を意味する。つまり、何のためにその製品を購入するのか? ということだ。〈実体〉は「製品の中核的便益・価値を実現するために欠かせない構成要素」である。本来はその要素を外したら製品として成立しない要素を示している。〈付随機能〉は「製品の中核価値に直接的な影響は及ぼさないが、その存在によってより魅力が高まる要素」である。故に分析してみると、この部分が存在しない製品というものもあり得る。

▼価値構造は変化する

左図の自動車の例を見ると実体の部分で疑問が湧くかもしれない。中核が「移動する」や「輸送する」であれば、「移動」するには走行性能は欠かせない。人や物を「運搬」するには、居住空間も欠かせない。では、他の要素ははたして欠かせない実体なのか、あるとうれしい付随機能なのか。安全装置が付いていなければ道路交通法の定めによって公道は走れないので、それが実体なのは何となく理解できるかもしれない。では、内外装というデザイン

製品特性分析（3層モデル）　自動車の事例

中核＝移動&輸送	実体	付随機能
	●走行性能、居住性、燃費性能 ●内装・外装 ●エアバッグ、ABS……など	●1年点検無料・初回車検割引でお得 ●低金利ローン/残価設定ローンで手軽に手に入る……など

※フィリップ・コトラー『マーケティング原理　第9版』（ダイヤモンド社）に加筆修正

要素も欠かせないのか？　確かに20世紀初頭に登場したT型フォードは、30年近くモデルチェンジなしで1500万台も生産された。だが当時は移動・輸送という中核以外の概念は存在していなかった。だが、自動車が普及した今日では恥ずかしくない程度の外装（デザイン）や内装（インテリア）への配慮は欠かせない。燃費もハイブリッドから燃料電池車など電気自動車が主流になりつつある今日、T型フォードのようにリッター5・5〜9㎞という、「燃費」という概念がなかった時代のような高燃費は許されないので、燃費性能も必須な要素である実体だ。

つまり、製品の価値構造は常に不変であるわけではなく、環境や生活者のニーズ、競争環境に合わせて変化し続けるのである。そのため、環境分析・STPとの「整合性」にも留意が欠かせない。

section 62

製品特性5層モデル

✓さらに製品特性を細かく見るには?

外側の層に注目する

製品の価値を5層化することによって、勝負のしどころをより明確化したり、成熟期以降、もはや顧客に訴求すべき要素が見当たらなくなってきたりした時に5層モデルを用いる。

▼タブレットの価値構造

「中核」は3層分析と同じ意味だ。パソコンがドキュメントを作成することを主として、後にネットの普及によって閲覧することの重要性が増した。タブレットにおいては、ネットに加えて各種ドキュメントや画像・動画の閲覧が主となり中核化した。

2層目は「基本」。「中核を実現するために必要不可欠な要素」であり、3層の「実体」と同じだ。パソコンで一定レベル以上のスペックには慣れているので、小型軽量化されているとはいえ、低スペックは容認できない。また、持ち歩くという中核を実現するために軽さは欠かせない。

3層目は「期待」。「それがなくても中核に影響はないが、期待される要素」だ。中核を実現する要素ではないが、「あってしかるべき」と顧客から思われる要件であり、3層の「付随機能」と意味が異なり、「実体」に近い。タブレット用脱着式キーボードを愛用している人も多く、Microsoft のSurfaceはキーボード使用がほぼ前提だ。

4・5層目は3層分析の「付随機能」と意味合いが近い。4層目の「拡大」は、「付加価値として顧客からの評価が向上する対象となる要素」である。Appleが2016年に発売したiPad Proは「一枚のスーパーコンピュータ」というキャッチフレーズでパソコンを上回る性能を強調している。

5層目は「潜在」。「期待はされていないが、実現できれば価値を増大させる」という要素だ。ノートパソコンの場合はカラーバリエーションなどが該当したが、タブレットは正面が液晶のみで、背面に凝ってもあまり意味がないためか、デザイン・色は差別化要素にはなっていない。パソコンの例からすると、CPUのスペックやメモリ、

製品特性分析・5層モデル

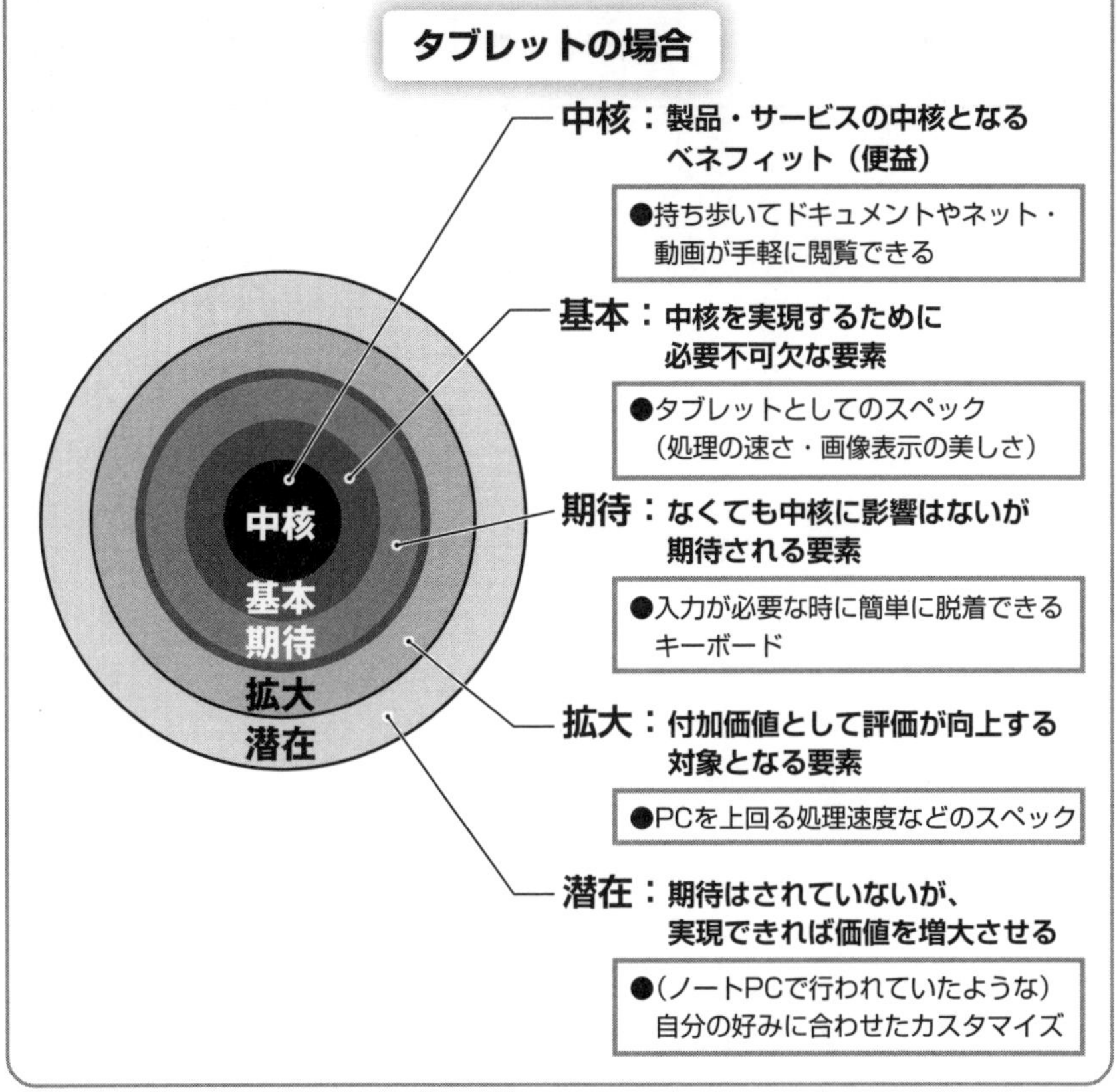

記憶媒体の容量などのハードウェアや、法人向けには指定のセキュリティ設定やアプリケーションの組み込みなどのカスタマイズが考えられる。

▼5層分析で見る価値構造の変化

5層分析では、64項で述べるPLCにおける変化がより明確になる。導入期は「中核」だけで売れるのは同じだが、成長期は前・後期に分け、前期に「基本」、後期に「期待」の要素が求められる。そのことからすれば、現在タブレット市場は成長期後期にあると思われる。また、成熟期は「拡大」が求められるが、Appleは一歩先に行ってiPad Proを超高性能化したが、まだ追随するメーカーは見当たらないので、来たるべき成熟期の勝負のポイントとなるだろう。「潜在」は衰退手前の完全なる成熟期に、製品本体や本来機能以外にも注目して、何とか顧客に評価される価値を見つけ出す要素である。

section 63

ターゲットの違いによる価値構造の変化

✓製品特性とターゲットとの整合性

ターゲットによって求められる価値構造は異なる

ある製品に対して感じる「価値」を誰もが同じように感じ取っていたら、それはまた、気持ちの悪い話だ。ニーズが違えば、別セグメントであるからだ。この「製品特性分析」もそれを考慮しなくてはならない。

▼トレッキングシューズの価値構造

トレッキングシューズ（登山靴）という物の価値を考えてみよう。「登山者」が山に行く時に使う靴である。「中核」としては、長距離を歩くので、「歩きやすさ」が何より重要だ。また、山という不整地を歩くので「足が保護できる」ということももちろんだ。では、それを実現するために欠かせない「実体」の要素はといえば、長距離足を保護して歩くので「丈夫に作られていること」と、不整地でぬかるんでいるところなどもあり得るし、天候が悪くなることもあるので、「滑りにくいこと」「防水機能が施されていること」などは欠かせないだろう。さらに、あると価値が高まる「付随機能」としては、やはり「デザイン性」はそれなりにあったほうがいいかもしれない。

これが、ターゲットを変えてみるとどうだろうか。2010年頃から急拡大し、今ではすっかり定着して、わざわざその呼称が使われなくなってきた感もある「山ガール」＝従来とは異なるファッショナブルなアウトドア衣料を身にまとって山に登るようになった女性のことだ。一般的な登山者、もっと古い表現の「山男」と比較して考えてみよう。

▼「山ガール」における価値構造

山ガールの入門者は高尾山などの低山ハイキングからスタートするが、上級者は日本アルプスなどかなり本格的な山にもチャレンジしているため、一般の登山者と変わらない「中核」が求められる。当然、それを実現する「実体」も同様だ。しかし、山ガールの場合、中核として実現したい状態は一般の登山者と比較して、何か特徴はないだろうか。彼女たちは、「ファッショナブルなアウトドア用衣料を身に着け

登山靴のユーザーと製品特性

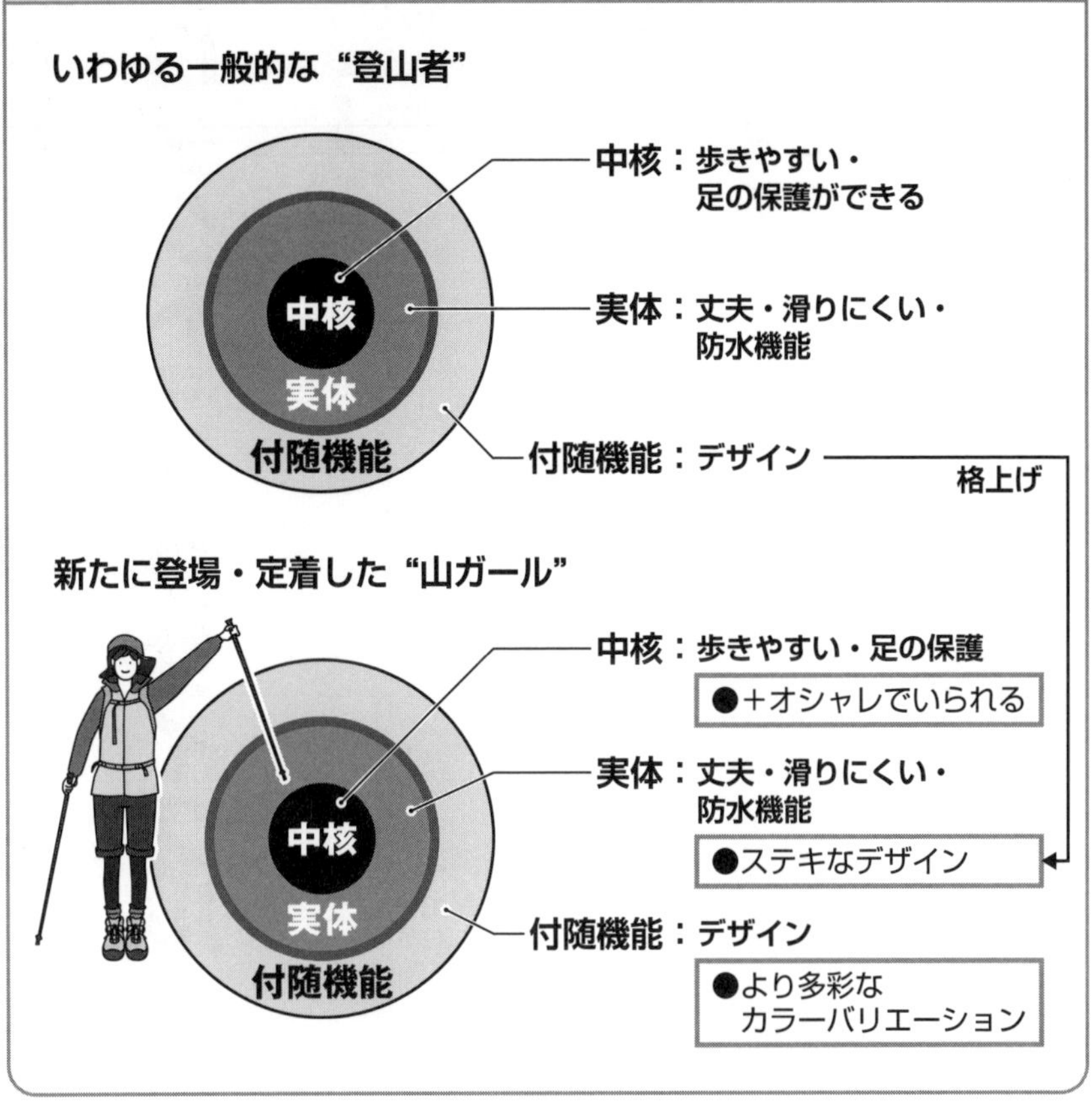

て山に登る」のが特徴だ。つまり、「ファッショナブルなアウトドア用衣料」が「ウォンツ」である。ではニーズから考えれば、中核として「山でもオシャレでいられる」ということが挙げられる。とすると、それを実現する「デザイン性」は一般の登山者にとって「付随機能」、価値が高まるおまけ的な要素だったものが、「欠かせない価値」である「実体」に格上げされる。つまり、ターゲットを「山ガール」にした場合、「デザイン性」は付随ではなく実体＝「欠かせない要素」であると認識しなければ絶対に売れないのである。「デザイン性」が実体に格上げされたので、付随機能が空いた。何か別の要素を入れれば、「価値を高める」ことができる。そこで10色展開して成功したのが、「メレル」というブランドのトレッキングシューズなのである。

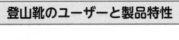

section 64

プロダクトライフサイクル

✓製品の普及段階でターゲット特性が変わる

市場の16％が採用すると普及に加速がつく！

プロダクトライフサイクル（PLC）とは、製品の市場投下から衰退までを大きく4つのステージに分けて考えるE・M・ロジャースの「普及論」の理論が元になっている。いわば、モノの一生を表すものだ。それを考えることで、当該製品の普及に従ってターゲット層の変化と、求められる製品の価値の変化、取るべき戦略の変化などを明らかにすることができる。

▼ステージ毎のターゲット層

4つのステージ毎に製品を導入するターゲット層が異なる点に注目だ。

「導入期」の初期では、「イノベーター」という、当該市場に2・5％存在するとされる層が動く。「イノベーター」は、当該製品カテゴリーのいわばマニア層であり、広告宣伝などのコミュニケーションをしなくとも、「新製品情報」などのPRだけで興味を持って飛びついてくる。しかし、マニアの仲間内だけで情報が閉じているため、他の層への波及効果は小さい。

導入期において次に動くのが13・5％存在する「アーリーアダプター」である。この層は「目利き」で、マニアのようにすぐ飛びつかず、その製品の価値を十分に見極めてから採用する。発信力が高いのも特徴で、この層の採用が進むと、次の層に飛び火する。「導入期」は、まだ競合となる存在はいないか、ごく少数で、とにかく市場を作ることから、それを拡大していくことが戦略目標となる。イノベーターとアーリーアダプターを合わせると16％になるが、それを「キャズム（溝）」と呼び、そこを超えると製品の普及に弾みがつくとされている。

「アーリーアダプター」の次は「アーリーマジョリティー」が動き出す。つまり、「目利き」から「気の早い大衆」に着火するわけだが、前述の普及に弾みがつくという理由は「大衆層」が動き出すからだ。ステージは一気に「成長期」に入る。アーリーマジョリティーを「気の早い大衆」と訳したが、その名の通り、目利きであるアー

プロダクトライフサイクル

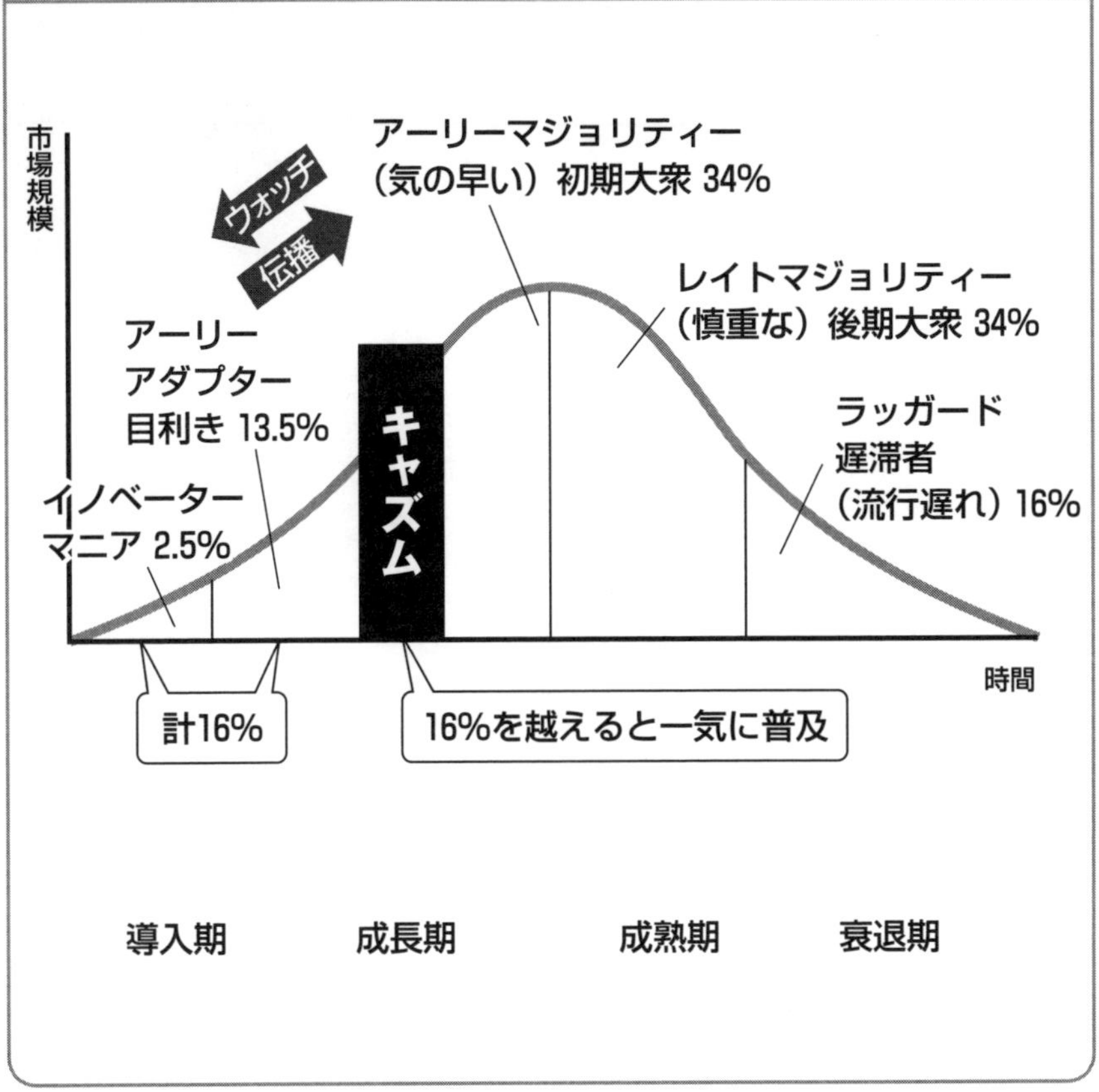

リーアダプターの様子を見て、「あの詳しい人が採用したなら間違いない」と比較的早く手を出す行動に出る層だ。当該市場に34％存在するとされており、ここまでで普及は50％。「成長期」は競合関係が激しくなってくるので、その中でいかにシェアを最大化するかということが戦略目標になる。

大衆の中でも、すぐには手を出さない層が、その次の「レイトマジョリティー＝慎重な大衆」である。この層が動き出す頃には、製品は「成熟期」を迎えている。この時期は競合も一定数で安定しており、そこでシェアをいかに守るかが戦略目標になる。

最後に動くのは「ラガード＝流行遅れ」の層。市場に16％存在すると言われ、この層が動く頃には市場は「衰退期」を迎え、競合は撤退するなどで減少していく。生産の効率化を図ることなどが戦略目標になる。

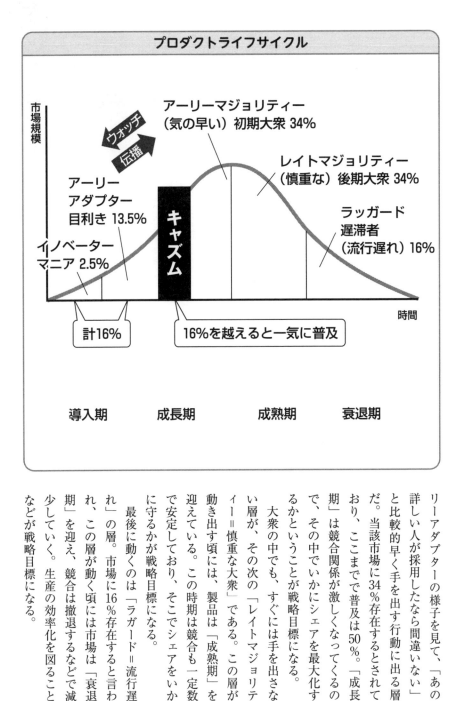

section 65

✓今、勝負のしどころはどこなのか?

プロダクトライフサイクルと価値構造

求められる価値は製品が存在する時期で変化する

プロダクトライフサイクルと製品特性分析の3層は左図のように密接に関係している。

▼各ステージのターゲットへの提供価値

導入期のイノベーターとアーリーアダプターは、とにかく「わかっている人」なので、製品の「中核的便益」だけを伝えれば採用する。スマートホンなら「音声だけでなく、テキスト・写真・動画などを使ったコミュニケーションや情報の受発信ができること」だ。

次の導入期のアーリーマジョリティーも、比較的情報感度の高い層なので、「中核的便益を実現するための欠かせない要素」をわかりやすく伝えれば採用する。「各種のアプリで自分の目的に合った機能を追加・利用できる」などがそれにあたる。

しかし、成熟期と衰退期のレイトマジョリティーとラガードは、「中核的な便益に直接関係ないが、あると価値が高まる要素」、つまり「おまけ」的な要素まで提示しないと採用行動をしない。コミュニケーションと直接は関係しない、AppleはiPhoneに（特に11ぐらいから）下手なPC以上の多様で高度な機能を搭載しているし、ソニーは自らの主戦場を写真や映像、ゲームなどにと定め（特にXperia 1 以降）その機能に特化している。実にXperia 1シリーズは、ゲーム機並の性能。また、写真・動画にさらに特化したXperia PRO-I は映像撮影に関しては正に一眼カメラ・ビデオカメラと遜色ないと言っていい。

▼PLC＋3層モデルの使い方

自分が何らかの製品を扱う担当者の立場だとしたら、担当製品のライフサイクルを正しく認識して、そのステージで動くターゲットはどのような層で、どんな特徴を持っているのか。また、それに対してどのような価値の提示の仕方をしなければならないかを、この図を使って認識しておくことが重要なのである。

プロダクトライフサイクルと提供価値

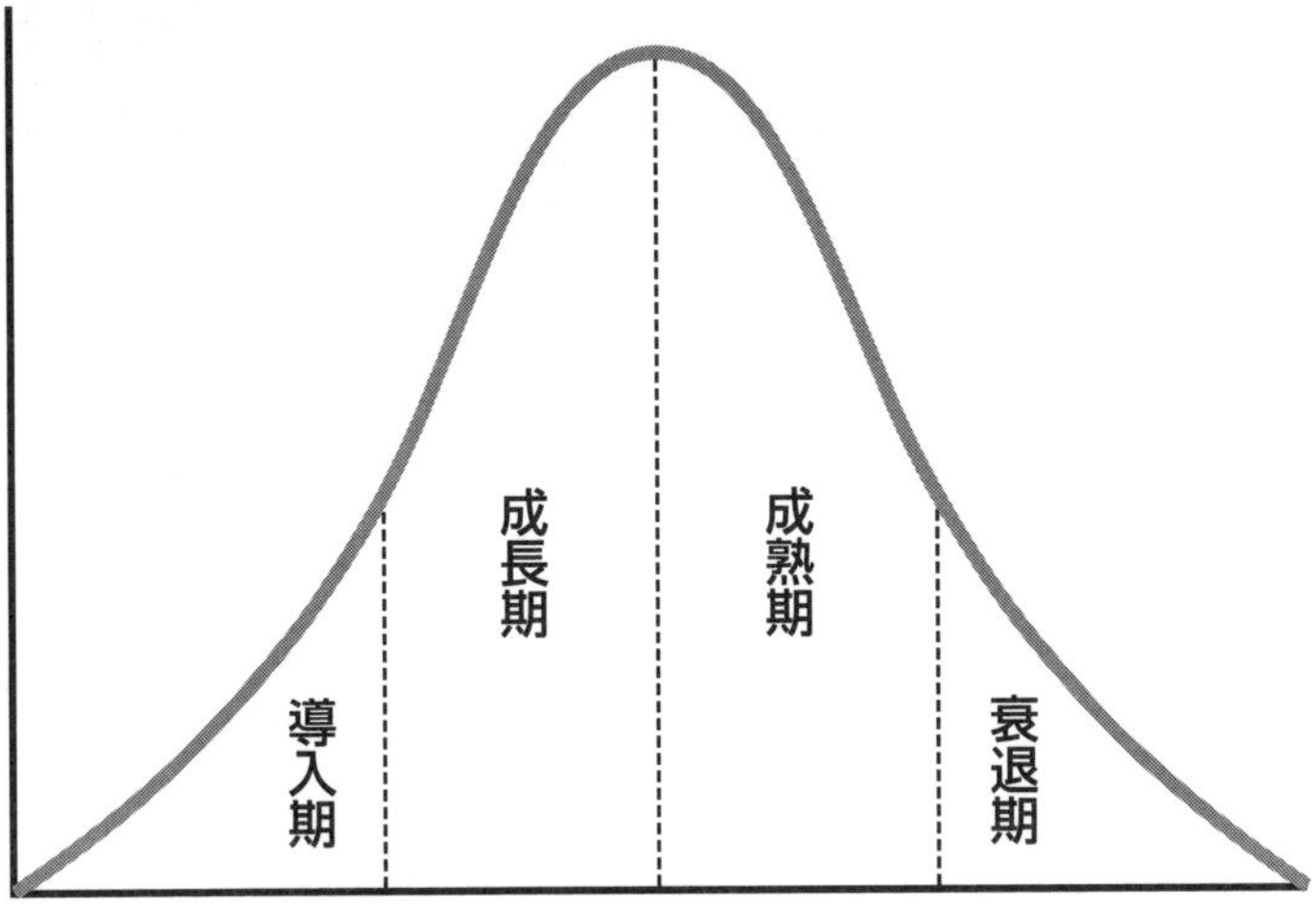

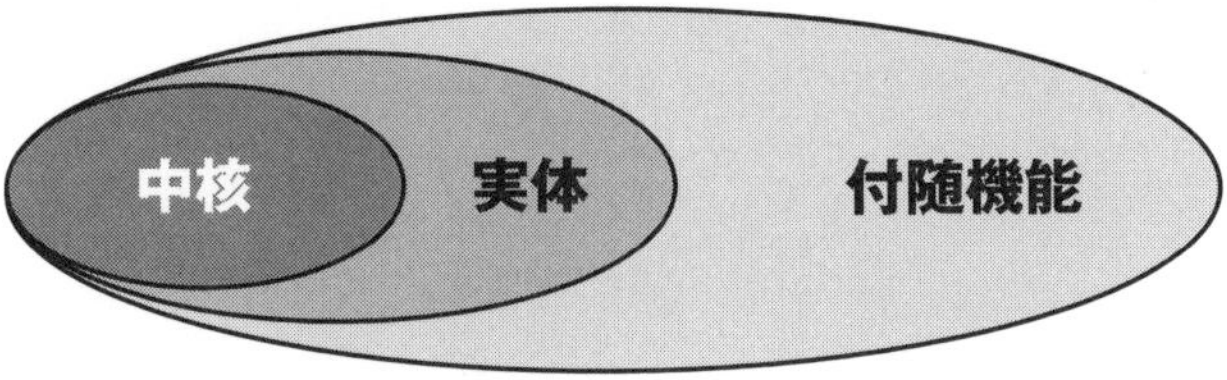

【中核】

音声だけでなく、テキスト・画像・動画などを使ったコミュニケーションや情報の受発信ができる

【実体】

各種のアプリで自分の目的に合った機能を追加・利用できる

【付随機能】

- PC以上の多様で高度な機能を搭載（iPhone）
- ゲームと写真・映像に特化したゲーム機、一眼カメラ並の機能（Xperia）

写真提供：ソニー

section 66

✓製品の価値は伝わるか?

製品コンセプトは「顧客の言葉」で

3層モデルから「5W1H」的にする

さて、トクホ飲料のサントリー「黒烏龍茶」を例に63項の復習から入ろう。

▼ターゲットによる価値構造の違い

一般的なユーザーにとっては、「中核」は、飲料なので「喉を潤す」だ。「実体」は、「食事によく合う味わい」。付随機能は、「食事の脂の吸収を防げる」となるだろう。しかし、ターゲットを「食事の際のメタボ解消に熱心な層」に置いた場合、実現したい中核的な便益である「中核」が「食事の脂の吸収を防げる」で、「実体」がその食事の時に欠かせない要素である「喉を潤す」となり、中核に直接影響を与えないが、食事の際に価値を高める「食事によく合う味わい」という要素が「付随機能」になる。――とフレームワークがわかっていれば話は簡単だが、顧客＝一般のお客様はフレームワークなど知らない。このままでは「売り手の言葉」になってしまう。そこで、「買い手の言葉」に変換するために、誰もがわかる内容でまとめ直す。

▼「買い手の言葉」に変える「製品コンセプト」

「売り手の言葉」から、「買い手の言葉」に変換するとは、簡単に言えば、その製品・サービスを用いると、どのようにいいことがあるのかを5W1H的にまとめていくことである。

その製品・サービスを……「When」＝いつ、「Who」＝誰が、「Where」＝どこで、「What」＝何のために、「How」＝どう用いるのか? そうすると、「Benefit」＝どのような便益があるのか?「Why」＝その便益が実現できる理由・根拠は何か? というようなまとめ方である。

この整理によって、その製品・サービスが用いられるシーンやその理由、また、なぜそれが実現できるのかという根拠までがストーリーをもって明らかにすることができるのである。そのためにも、「Who」＝ターゲットとの整合性と、「Benefit」＝ポジショニングとの整合性が重要であることは言うまでもない。

「製品コンセプト」

中核＜ 喉の渇きをいやせる
摂取した脂肪の吸収を抑える

実体＜ 食事によく合う味わい
喉の渇きをいやせる

付随機能＜ 摂取した脂肪の吸収を抑える
食事によく合う味わい

When	いつ使うのか？
Who	誰が使うのか？
Where	どこで使うのか？
What	何のために使うのか？
How	どう使うのか？
Benefit	便益は何か？
Why	なぜ、その便益が実現できるのか？

コンセプト		
	When（いつ使うのか？）	食事の時
	Who（誰が使うのか？）	スタイルや健康が気になるが脂っこい食事も楽しみたい人
	Where（どこで使うのか？）	食事の席
	What（何のために使うのか？）	スタイル維持・改善のため
	How（どう使うのか？）	食事と一緒に飲む
	Benefit（便益は何か？）	脂肪の吸収が抑えられて肥満化することが防げる
	Why（なぜ、その便益が実現できるのか？）	ウーロン茶重合ポリフェノールが効く・「特保」のお墨付き

写真提供：サントリー食品インターナショナル

section 67

✓新規カテゴリー商品普及のカギ

新製品が普及するための条件とは？「イノベーション普及要件」

売れるための絶対法則ではないが、検証してウィークポイントを見つけておく

新製品が売れる・売れないを確実に予測する方法は存在しない。特に市場に受け入れられるかどうか未知数な、まったく新しい製品はなおさらである。そこで、製品が普及するために必要な要件を、再びE・M・ロジャースのイノベーション論で考えてみよう。

▼製品普及に必要な5つの要件

ロジャースは今までにないイノベーションが世に受け入れられ、普及するための満たすべき要件を5つに分類した（下記で説明する要件の内容は、ロジャースの著書『イノベーション普及学入門』（1981年）と『イノベーションの普及』（2007年）において同一項目の定義が異なる部分があるため、双方の要素を加味して修正を加えてある）。この「普及要件」を、ロジャースは「イノベーション普及速度」とも称して、その充足度によって普及するスピードにも影響を与えるとしている。つまり、要件をより適切に満たしているほどスムーズに売れる可能性が高いと解釈できる。

▼①相対優位性

今まで使っていたものと比べ、いかに優れているかがわかりやすいこと。「優位点が明確化されており、伝わりやすくなっている」というチェックポイントと考えればよい。

▼②両立性

価値観や生活を大きく変えるような必要がなく、当面は今まで使っていたものと両立できること。人間は誰しも、慣れ親しんでいるものをスッパリと捨て去ることには抵抗感を覚える。また、生活スタイルや価値観の変革を伴うなら、それは大きな障壁となる。しかし、どうしても切り替えを前提としたものである場合は、「④試行可能性」が重要となってくる。

▼③複雑性

理解できないほどの複雑性を持っていないこと。有償・無償に限らず、新製品を使うには、金銭や時間など、何らかの対価を払ったり、またはリスクを負うことになる。自分自身で理解で

スマホの初期を普及要件で考えた場合

相対優位性	大画面で見やすい アプリがたくさん使えて便利	○
両立性	1回線に1枚SIMが必要なので、2個持ちは困難だが、「社用携帯オンリー派」の「プライベート用」としての購入が増えた	△
複雑性	アイコンによるインターフェースである程度直感的に操作可能。ただし、個別のアプリの使い勝手に依存する部分もあり	△
試行可能性	各通信キャリアのショップや量販店でお試し可能。NTTドコモが最初に始めて、各キャリアとも「スマホ教室」までショップでサポートするように	○
観察可能性	使ってみれば確かに便利、人からも（初期段階は）新しさに関心を持たれる	○

※イノベーター～アーリーアダプターへと順調に普及していく要件は整っていた

きないものに対して、その壁を越えさせることは当然困難だ。

▼④試行可能性

本格的な採用の前に試用・試行によって効果を認識・実感できること。これはデモンストレーション、発売前製品（プロトタイプ）の提供、試供品のサンプリング、本品のモニター提供、あるいは最低でも目の前でデモンストレーションを見せることなどの重要性を示している。

▼⑤観察可能性

目に見えない効果ではなく、明らかに効率が上がる、もしくは質が向上するなどの効果が観察・実感できること。加えて、周囲の人の目に触れて賛辞や共感されるなどして他の人に拡散されること。ＳＮＳなどの普及で特に他人にも見えて、それが拡散されるという要素は重要性を増している。

section 68

プロダクトエクステンション

✓ロングセラー商品の生き残りの秘密とは？

製品の幅を広げて生き残りを図る

プロダクトライフサイクルの成熟期から、なかなか衰退期に移行しない商品も市場に存在する。「定番商品」「ロングセラー商品」と呼ばれるものだ。その生き残りの秘密は何だろうか。

▼「プロダクトエクステンション」

「定番商品」というと何が思い浮かぶだろうか。例えばカップヌードル、ポッキー、コカ・コーラなどはその代表と言えるだろう。食品・飲料には定番商品が多いが、自動車のカローラ、辞書の広辞苑なども定番商品と言える。

日清食品の「カップヌードル」は、様々な味のバリエーションを展開している。江崎グリコの「ポッキー」も基本の「ポッキーチョコレート」以外のバリエーションに加え、「ご当地ポッキー」が人気だ。ネスレの「キットカット」はご当地ものに加え、様々な他メーカーの食品・飲料とのコラボレーション商品を展開し、なとりの「チーズ鱈」ともアソート（組み合わせ）パッケージを開発した。

以上の例のようにバリエーションやコラボ、顧客の意見を反映するなど、顧客を飽きさせない工夫は欠かせない。

▼中身は別のものでもブランドを残す

「コカ・コーラ」も「ペプシコーラ」も顧客の健康志向に対応し、カフェインやカロリーゼロの商品が昨今の主流である。

トヨタ自動車の「カローラ」は１９６６年の発売開始以来、日本の伝統的なセダンだったが、２００６年の９代目モデルを最後に40年の歴史の幕を閉じた。しかし、顧客のライフスタイルの変化に適応させ、現在も「カローラ×××」として多様なボディー形状の派生車種を発売している。

岩波書店の「広辞苑」は現在第7版となっているが、版を重ねるごとに新語を取り込み、刷新されている。

つまり、定番商品が長い歴史を生き残っているのは、時代や環境の変化、顧客の嗜好の変化やニーズの多様化に応じ、たゆまぬ努力を重ね、進化しているからなのだ。

プロダクトライフサイクルとターゲット・戦略目標

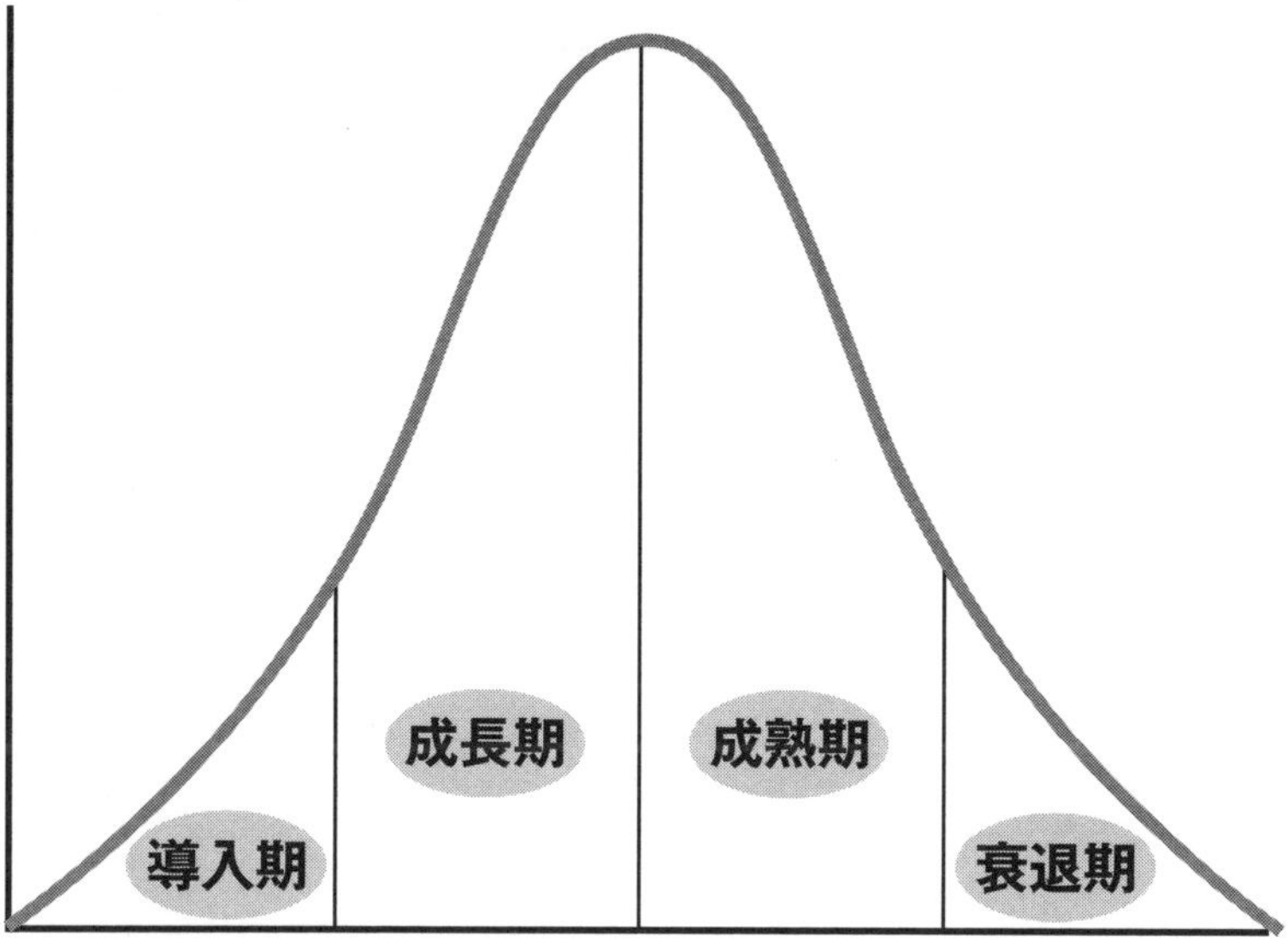

ターゲット (Customer)	イノベーター (2.5%)〜 アーリー アダプター (13.5%)	アーリー マジョリティー (34%)	レイト マジョリティー (34%)	ラガード (16%)
競合 (Competitor)	なし 〜極めて 少数	競合増加	競合数の 安定	競合の減少 (撤退)
戦略目標 (Company)	市場創造 〜拡大	市場シェア の最大化	シェアの 防衛	生産の 効率化

section 69

ポートフォリオマネジメント

✓新製品投入のタイミングを計る

「問題児」は厄介者ではない。実は、ここが成長のカギをにぎる

▼ポートフォリオマネジメント

強力な定番商品やロングセラー商品を抱え、それを維持するためにたゆまぬ努力をしていても、やがて終焉の時がやってくるかもしれない。それに備えて新製品を準備し、市場投入したら一気にスターダムに押し上げる準備をしておく必要がある。

それには、ボストンコンサルティンググループの「プロダクト・ポートフォリオ・マネジメント（PPM）」を転用するといい。本来は全社の事業戦略を考えるフレームワークであるが、個々の製品群・ブランド管理にも当てはめることができる。

「金のなる木」「花形」「問題児」「負け犬」といったポジションを表す言葉を聞いたことがあるだろう。フレームとしては、横軸に市場占有率、縦軸に市場成長率を取る。

市場占有率が高く、成長性が低い「金のなる木」は、成熟期にある安定した商品だ。市場占有率が高く、成長性も高い「花形」は、成長期にある商品。市場占有率が低く、成長性が高い「問題児」はまさに導入期にある商品である。市場占有率も成長性も低い「負け犬」は、衰退期にある商品か、導入期から成長期に移行することに失敗した商品である。

▼「金」と「夢」のバランス

よくある勘違いは、「問題児」を悪者・もしくは厄介者的な存在と誤解してしまうことだ。これは日本語訳がよくない。左図のように英語にすれば、「問題児」は「Question Mark」と言い、まだ投資はいるものの次世代スター候補、つまり、企業にとっては将来の「夢」である。その夢を育むために、金のなる木はできるだけ効率化し、投資を抑制して、問題児に投資するのが原則である。「花形」不在にならないようにするためにも、その候補である問題児をどんどん見つけることも欠かせない。そこが不在だと、その企業は「金はあるが、夢がない」という、不健全な状態になってしまう。

亀田製菓のPPM (Product Portfolio Management)

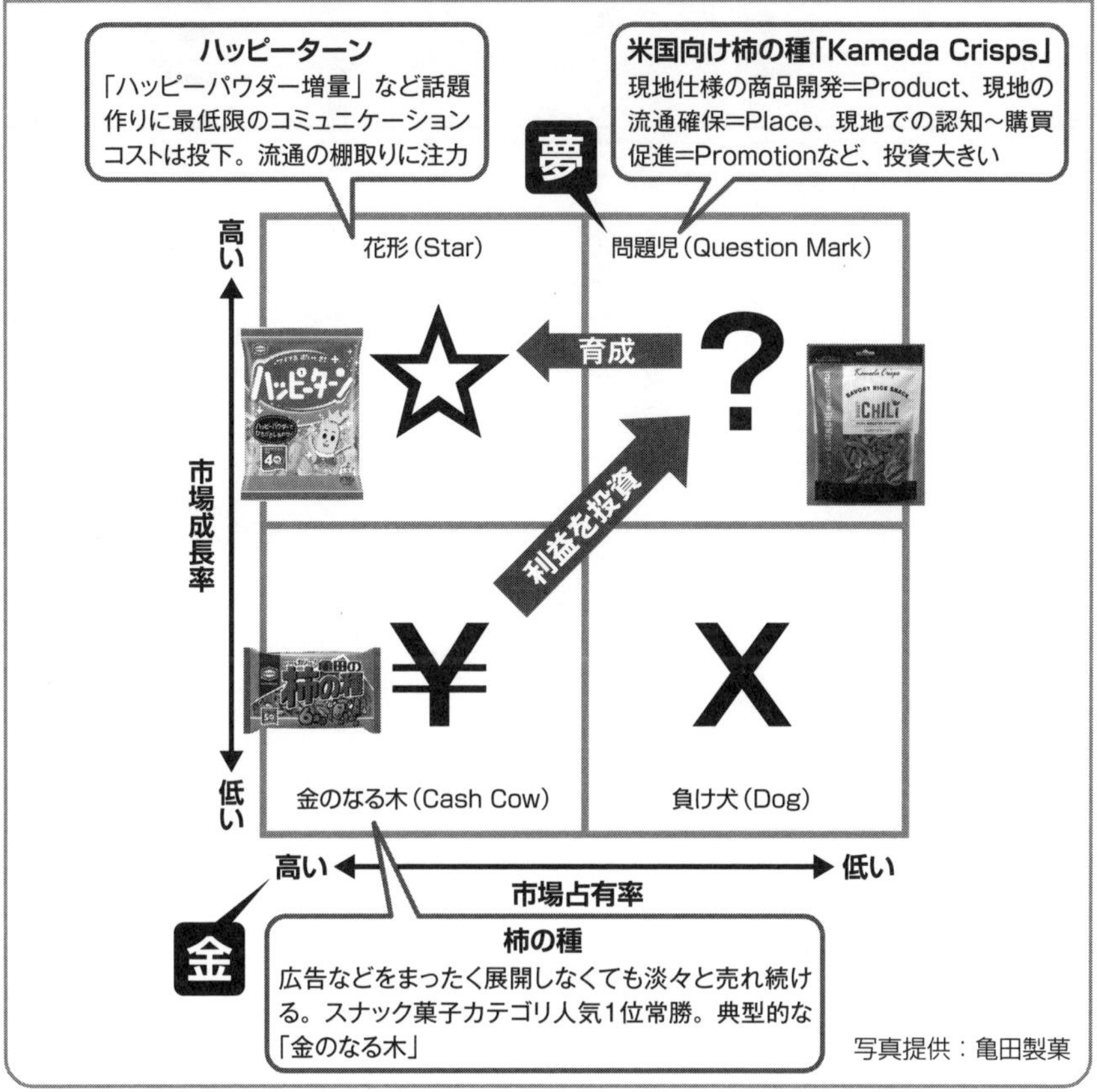

▼亀田製菓のＰＰＭの例

亀田製菓には２００以上の商品があり、主力８商品で売上の半数を占めていると言うが、特に上図の３商品に注目してみよう。「金のなる木」の柿の種を、２００８年４月に米国カリフォルニア州で「kakinotane」という名称で試験販売を開始した。日本の商品をそのまま輸出するのではなく、米国人の嗜好に合わせ、イリノイ州産の大粒ピーナッツを塩味にして、健康志向の高まりに合わせ、「スナック菓子だけどノンフライ」であることを訴求。名称も「Kameda Crisps」に変更した。その後、米国では「グルテンフリー（小麦・大麦・ライ麦などに含まれるたんぱく質が含まれていない）」ブームが高まり、米菓とピーナッツでできている「Kameda Crisps」が大ヒットすることとなった。まさに米国市場の花形になったのだ。

section 70

アンゾフのマトリックス①

✓新製品展開のヒントとしての使い方

手堅い「深掘り」、高リスクな「多角化」

前項のＰＰＭと同様、「製品」「市場」での「次の一手」を「既存」「新規」のどちらで展開するかで考えてみよう。

▼製品ラインナップの次の一手

経済学者のイゴール・アンゾフが考案したアンゾフのマトリックスを使い、64項のＰＬＣや69項のＰＰＭと合わせて考えると製品戦略をより明確にすることができる。

縦軸に既存市場で勝負するのか、新市場に展開するのかという市場の軸をとり、横軸に既存製品で勝負するのか、新製品を開発するのかという製品の軸をとる。次にその掛け合わせで、既存市場を既存の製品で深掘りする「市場深耕」、新市場に既存製品を展開する「新市場開拓」、既存市場に新製品を投入する「新製品開発」、新製品を新市場に展開する「多角化」の４象限を作る。

▼手堅く既存市場を深掘りする

既存の市場を深掘りする「市場深耕」を実現するためには、顧客の購入頻度を増やし、購買量を増やす必要がある。例えば宅配事業は、単に委託された荷物を運送するだけでなく、ゴルフやスキーの荷物を往復で運ぶことで利用回数を増やし、細かい日時の指定に対応して利便性を高め利用頻度を増やし、クール・冷凍といった今までになかった新しいサービスの提供によって需要を創造している。

▼多角化＝新規事業を展開する

まったく勝手がわからない市場に新製品を展開するのは当然高リスクだ。東京電力は１９８８年に自社の専用線を活用し、家庭向け市内通話「東京電話」のサービスを開始した。しかし、自社単独では既存事業とのシナジーが発揮できず、短期間で事業は他社との合併や売却という変転を経て、元のサービスの形はまったく残されていない。

多角化を成功させるには、左図のような4種類のシナジーのいずれかが必要である。自社にどれが適合するかしっかり考えておきたい。

アンゾフのマトリックス

	既存製品	新製品
既存市場・顧客	**市場深耕： 既存市場の深掘り** ・顧客の使用頻度増大 ・顧客の使用量拡大 ・既存企業の顧客奪取 ・非使用者の取り込み ・新用途開発	**新製品開発： 顧客へ新製品提供** ・既存製品の改良 ・製品バリエーション開発 ・新製品開発
新市場・（新規）顧客	**新市場開拓： 既存製品の新市場投下** ・地理的拡大（他地域・他国） ・顧客セグメントの拡大 ・新チャネルの構築	**多角化** ・新たな領域への参入 ・新規事業

生産シナジー

工場設備や原材料の共有
- ユニチャームの高分子吸収ポリマー＝生理用品→おむつ

経営シナジー

人材や経営ノウハウの共有
- オリックスの金融関連ノウハウ＝金融ビジネス全般への拡大

投資シナジー

特許技術やブランドの共有
- キヤノン＝カメラ→複写機→半導体露光装置

販売シナジー

流通チャネルや物流網の共有
- セブン銀行＝コンビニ店頭のATM展開

section 71

アンゾフのマトリックス②

✓新製品展開のヒントとしての使い方

成長戦略を新たなターゲット市場開拓で実現するのか、新製品を開発するのか

左図で亀田製菓の例をマトリックスに展開してみたが、「新市場開拓」「新製品開発」の象限も考えてみよう。

▼新市場を開拓する

現在の製品を根本的に変えるのではなく、改良して新しい市場に振り向けていく。その「新市場」とは、新しい地域や国に進出する「地域的拡張」と、新たな顧客セグメントに進出する「新たな属性獲得」の両方を意味する。

新市場開拓は、市場規模増大によって量産効果（規模の経済）が期待できる点もあるが、縮小市場となってしまった今日の日本においては、図の３つの方向性を元に拡大方法を考えなければならない。地域的拡張はスターバックスが１９９６年に東京・銀座に北米以外で初めて店舗を開いた。以降、日本国内での加速度的な出店、アジア各国・地域へも進出している。

国内の化粧品市場規模は２兆３００億円前後で頭打ちのようだが、新たな属性獲得として男性用化粧品が熱を帯びてきている。日本標準商品分類（５大分類）では、化粧品は「フレグランス」「メイクアップ化粧品」「スキンケア・基礎化粧品」「ヘアケア・ヘアメイク」「その他・特殊用途化粧（日焼け止め・ベビー用・シェービング関連等男性用・無添加化・ネイル等）」と分類されており、男性用は一律「特殊用途」になっている。髪型を整える「男性用ヘアメイク品」はマンダムと資生堂がトップシェアを巡って長く激しい戦いをしている一方、スキンケアの啓蒙をしつつ、男性専用商品を投入して男性客の取り込みを図っている。２０１４年の男性スキンケア化粧品市場規模は２００億円程度だが、韓国は同年２３００億と桁ひとつ違う。日本にもスキンケア用品などを持ち歩く「化粧ポーチ男子」も登場しているので、まだまだこの分野は伸びるだろう。

地域・属性の両面をうまく拡大している例がユニクロだろう。アジアや欧米での出店を加速して各国に旗艦店を置き、新興国にも果敢に進出してい

成長戦略の考え方：亀田製菓の例

大人気の「粉（ハッピーパウダー）」の段階的増量で購買量を増加させる

各種のフレーバーを続々開発（梅しそ味、アラビアータ味等々）

	既存製品	新製品
既存市場・顧客	**市場深耕：既存市場の深掘り** ・顧客の使用頻度増大 ・顧客の使用量拡大 ・既存企業の顧客奪取 ・非使用者の取り込み ・新用途開発	**新製品開発：顧客へ新製品提供** ・既存製品の改良 ・製品バリエーション開発 ・新製品開発
新市場・（新規）顧客	**新市場開拓：既存製品の新市場投下** ・地理的拡大（他地域・他国） ・顧客セグメントの拡大 ・新チャネルの構築	**多角化** ・新たな領域への参入 ・新規事業

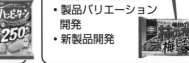

米国カリフォルニアに現地法人を設立。米国仕様に（ピーナッツをバターピーナッツにするなど）開発して、日本から輸出。米国の「グルテンフリーブーム」に乗って大ヒット

写真提供：亀田製菓

る。ユニクロは性別を問わないユニセックス商品を主としていたが、2006年頃から「ブラトップ」に代表されるような女性用商品の開発・改良を重ね、足が細く見える「スリムボトム」などファッション性を高める商品で女性客に弱かった点を改善した。

▼新製品を開発する

既存市場のシェアを維持・増大させるために新製品開発は欠かせない。競争が激しいビールや清涼飲料・日用雑貨・食品の市場ではその傾向は顕著だ。目的は、顧客に手に取ってもらって飽きることなく買い続けてもらうということだけではない。流通チャネルの購買力が高まっているため、「来店客の注目が集められる」として、新製品を大量のCM投下計画と共にチャネルの購買担当者に提示し、まず「棚に置いてもらう（確保する）」ことが欠かせなくなっているのだ。

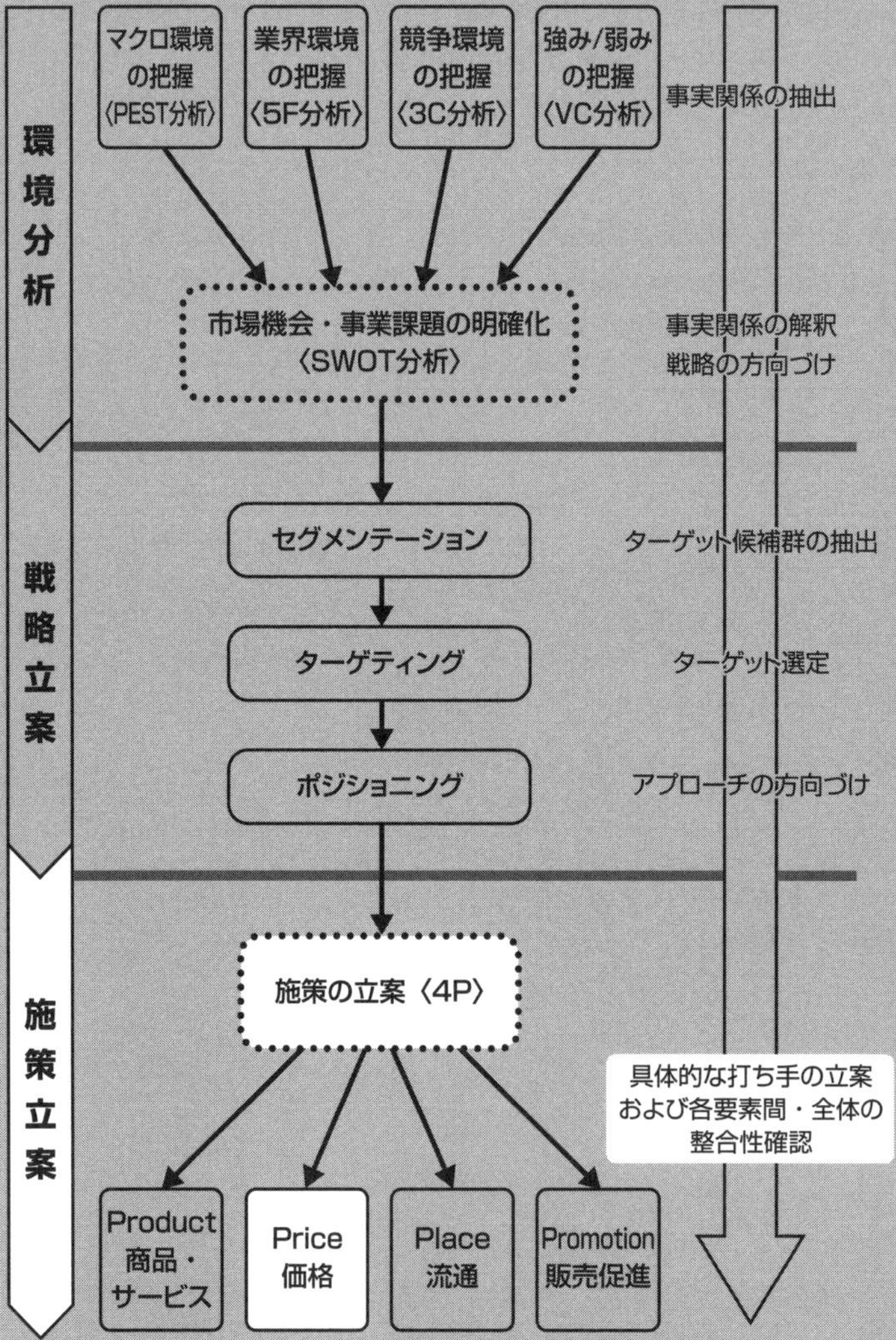

収益に直結する最も重要な「価格戦略」は自社の都合だけで決定できない。顧客や競合の視点の考慮が必要である。

第7章

価格戦略

section

72 価格戦略の基本
73 顧客の受容価格を引き上げるには？
74 損益分岐点の把握
75 価格弾力性
76 規模の経済・経験効果
77「顧客視点」での価格検証
78「バリューライン」での価格検証
79 バリューラインでの価格戦略の実際
80 スキミングとペネトレーション
81 サブスクリプションモデル

section 72

価格戦略の基本

✓価格を決定する際に必要な視点とは?

原価志向・需要志向・競争志向——3Cの視点で価格を設定する

Product＝製品製造、Place＝販路構築・維持、Promotion＝広告・販促の展開。それらにはすべてコストがかかる。故に価格戦略を失敗するとコストばかりで利益が出なくなるため、4Pの中でPriceは最重要なPだと言える。そのため左図の通り「3Cの視点」で多面的に検討することが不可欠だ。

▼コスト積み上げ方式の自社視点

自社視点＝「原価志向」の価格設定は、生産にかかったコスト（固定費の償却分＋変動費＝原価）に、利益をいくら上乗せするかを考えるため、コストマークアップ方式とも言われる。最も考えやすく赤字になりにくいが、その価格を顧客が妥当と受け取ってくれるかどうかは別の話だ。また価格を低く設定して儲け損なう可能性もある。故に顧客視点が重要になる。

▼Customer Value算出が重要

顧客視点を「需要志向」の価格設定と言う。「顧客がその製品にどれだけの価値を感じるか＝Customer Value」だ。BtoB（企業間取引）では、例えばあるシステムの導入で生産効率の向上、労働賃金削減、不良品発生率低下などの定量化できる顧客企業の受益分を製品価格に反映することが可能だ。

BtoC（消費者向け）の場合は、安心・満足感の向上など定量的に訴求しにくい要素も多いので、次の競合視点も加味することが必要となる。

▼製品を競合比較し価格設定する

「競争志向」の価格設定は、左図のように自社製品のスペックやブランド価値がどの程度、競合比較で優劣があるかを考慮することが基本だ。劣っているなら価格の安さを競争要因として競合より下げ、原価までの間で設定する。勝っているなら、顧客の受容価格上限までで設定することになる。

ただし上記3C視点の中でも、図示した通り、上限の上げ方や具体的なマークアップのしかたなどの詳細は、顧客をよく見て、STPと他4Pとの整合性を図って顧客へのアプローチ全体で考えることが欠かせない。

価格決定における３Ｃの視点

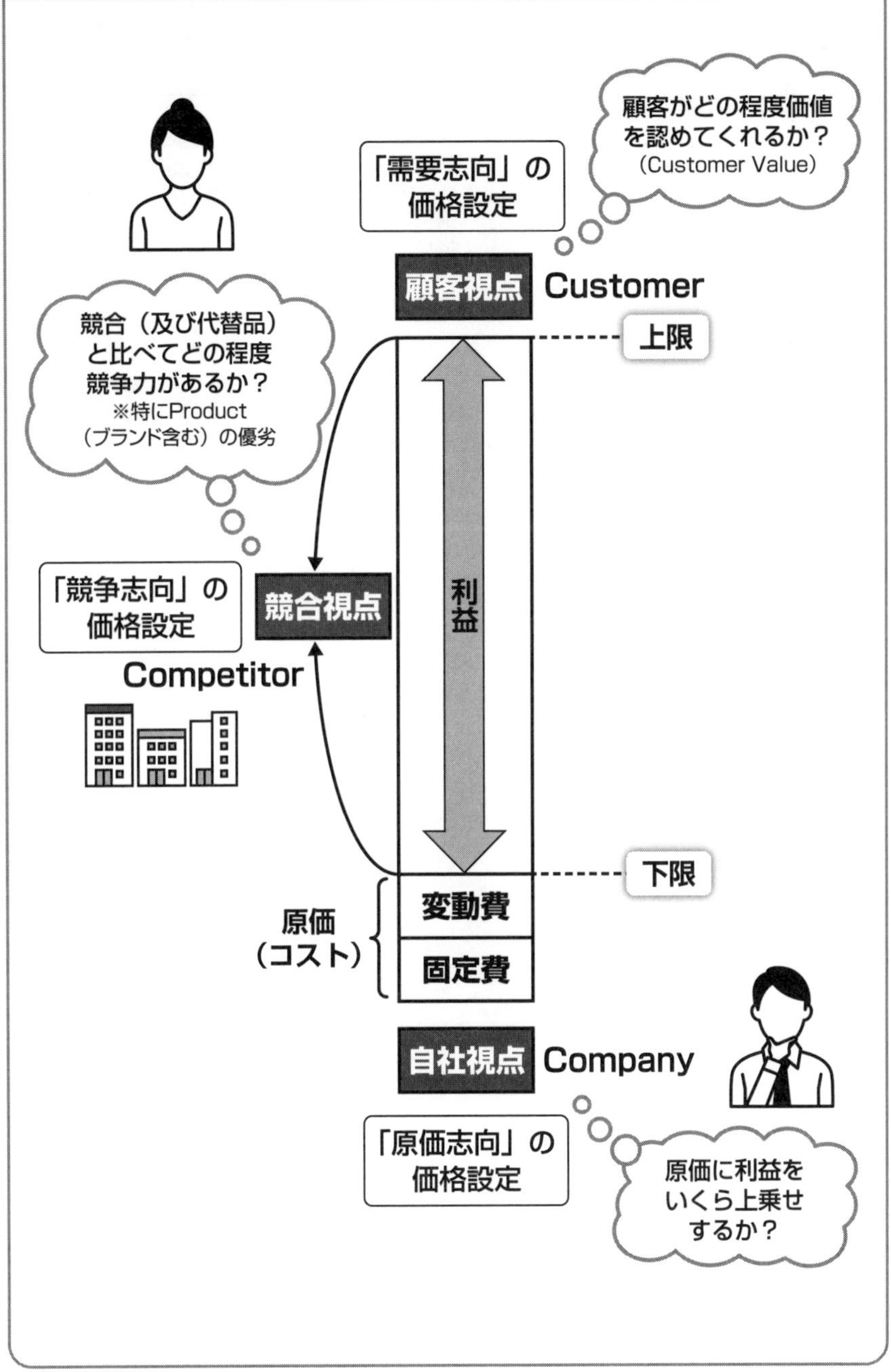

section 73

「安ければ売れる」というわけではない

顧客の受容価格を引き上げるには？

「整合性」で考えれば、高くとも売れる！

さて、ここで問題。「より高い値段で販売して売上を高める」にはどうしたらよいだろうか？　前提条件としては、「製品・サービスの仕様は変えられない」「同時に複数個購入するような製品ではない」ものとする。よって、「アフターサービスやサポートを強化する」という回答が思い浮かんだなら、6章61項の「製品特性分析」を見直して欲しい。それらは製品の「付随機能」であり、「製品仕様の変更」にあたる。価格戦略的にも「利益＝売上－コスト」なのでコストアップになる点に注意だ。

▼基本は「売上＝客数×客単価」

コストをかけずに売上・利益を高めるにはどうすべきか？　まずは、「売上＝客数×客単価」という大原則で考える。命題は、「客単価を上げつつ、売上も高めよ」だ。まずは客単価を上げることだが、前提条件からすれば、「買い上げ点数アップ」はＮＧだ。製品そのものの価格を上げねばならない。そうすると、「価格を高くしたら、買ってくれる顧客ターゲットが減ってしまうので、売上を高めるのは難しい！」という意見がよく出る。はたして本当にそうだろうか？

▼ターゲット精度を上げて「絞る」

勘違いしてはいけないのが、ターゲットとは「売り手」が勝手に「買ってくれそうだ」と見込んでいるだけで、「買いたい」と手を挙げているわけではないということだ。売上を高めるため、より多くのターゲットに買ってもらおうと、製品単価を安くする。しかし、安くても「ニーズ」がなければ買ってくれることはない。単純計算で、３０００円の値付けをした製品で、１万人のターゲットを設定し、購入率が10％（購入者１０００人）しかなければ売上は３００万円だ。しかし、ニーズが高いと思われる層１０００人に絞って、１万円の値付けをしたとする。購入率が40％（購入者４００人）あったとしたら、売上は４００万円でこちらのほうが高くなる。つまり、広く取

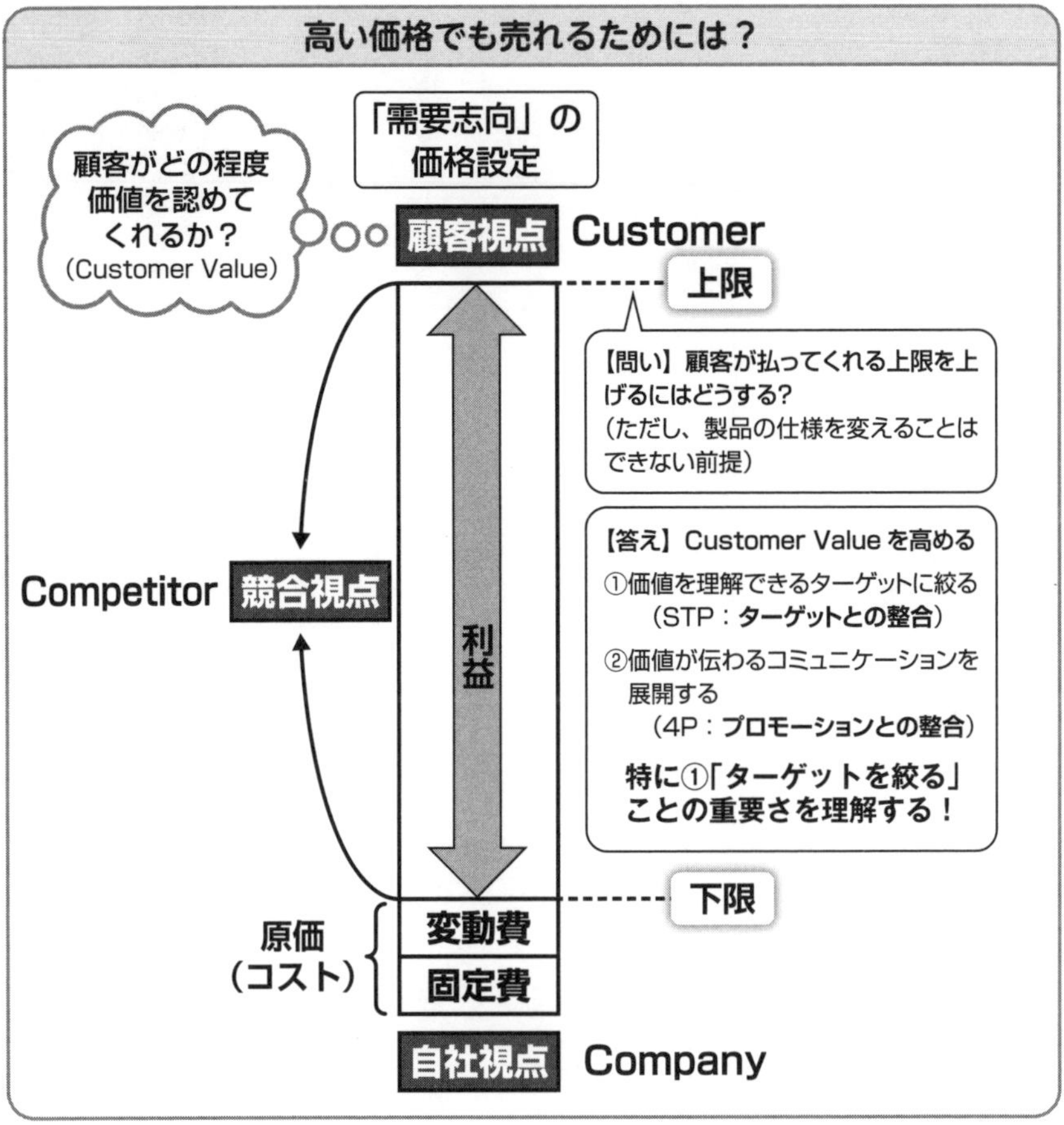

ったターゲットの購入者のうち4割は約3・3倍の値段を払ってもいい「価値」を認めていたというわけだ。もちろん、その価値を伝えるために、コミュニケーション（4PのPromotion）内容もしっかり「こんな方に、こんな価値があります！」と絞り込んだメッセージにする必要がある。

▼安易にぼやけたターゲット設定とメッセージを考えないこと！

実際にこの話をしても、ターゲットを「絞る」ことに抵抗を示す人は少なくない。しかし、世の中全体や、その業界・製品カテゴリーなどが右肩上がりの市場なら、それでもいいかもしれないが、昨今、世の中は不景気の時期のほうが長いし、市場は人口減少で縮小中。右肩下がりだ。そんな中、「絞る」という感覚はしっかり身につけて欲しい。

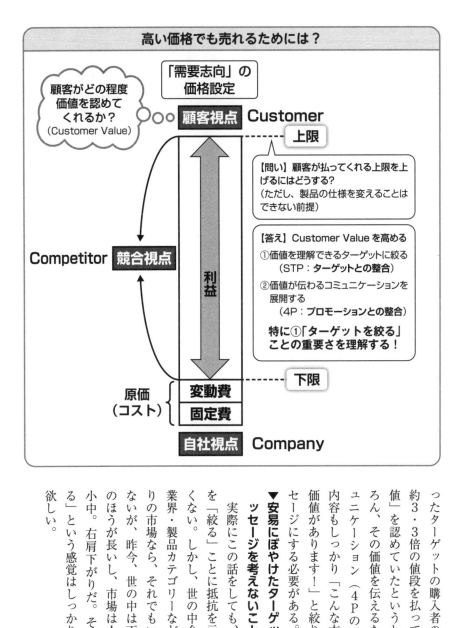

section 74

損益分岐点の把握

✓どうやったら利益は出るの？

価格設定や販売計画立案にも必要！

本書はフレームワークの理解と使いこなしに力点を置いているが、フレームワークは定性的なこと（ロジック）が中心だ。しかし実際のマーケティング現場の半分は数字の世界である。そこで本項では、最低限知っておくべき「損益分岐点」について述べる。これがわかれば、精度の高い価格設定（特に前項の原価志向）ができ、事業計画の立案などもできるようになる。

▼固定費と変動費って？

前項の自社視点＝原価志向の価格設定で、価格の下限＝原価となっていたが、それを構成するのが固定費と変動費だ。固定費とは商品が売れる、売れないにかかわらず、すでにかかってしまっている費用。つまり売上高が0円のときでも0円とならず、売上高の増減に関係しない費用である。具体的には設備費・研究開発費・広告販促費・固定給の従業員給料・地代家賃・リース料などだ。それに対し変動費は、売上に比例してかかる費用だ。つまり売上高が0円のときは0円となり、売上高が増えるほど変動費も増える。具体的には原材料費・仕入代金・販売手数料などだ。

▼損益分岐点図

左図のように縦軸は費用を表しているが、まずはすでにかかっている固定費を下、売上に比例する変動費を上に重ねる。両費用の合計を表す斜めの線を「総費用線」と言う。それに売上0の状態からどれだけ売れているかを「売上高」として示すと、「総費用線」との交点が「損益分岐点」となる。損益分岐点の左側の三角内は損失、右側の三角内は利益を示している。

▼損益分岐点計算

売上高と費用の額がちょうど等しくなる売上高である「損益分岐点売上高」は、固定費÷｛(売上高－変動費)÷売上高｝という数式で求められる。

その損益分岐点売上高を販売単価で割れば、損益分岐点販売量、つまりいくつ売れば利益が出るかがわかる。

損益分岐点図

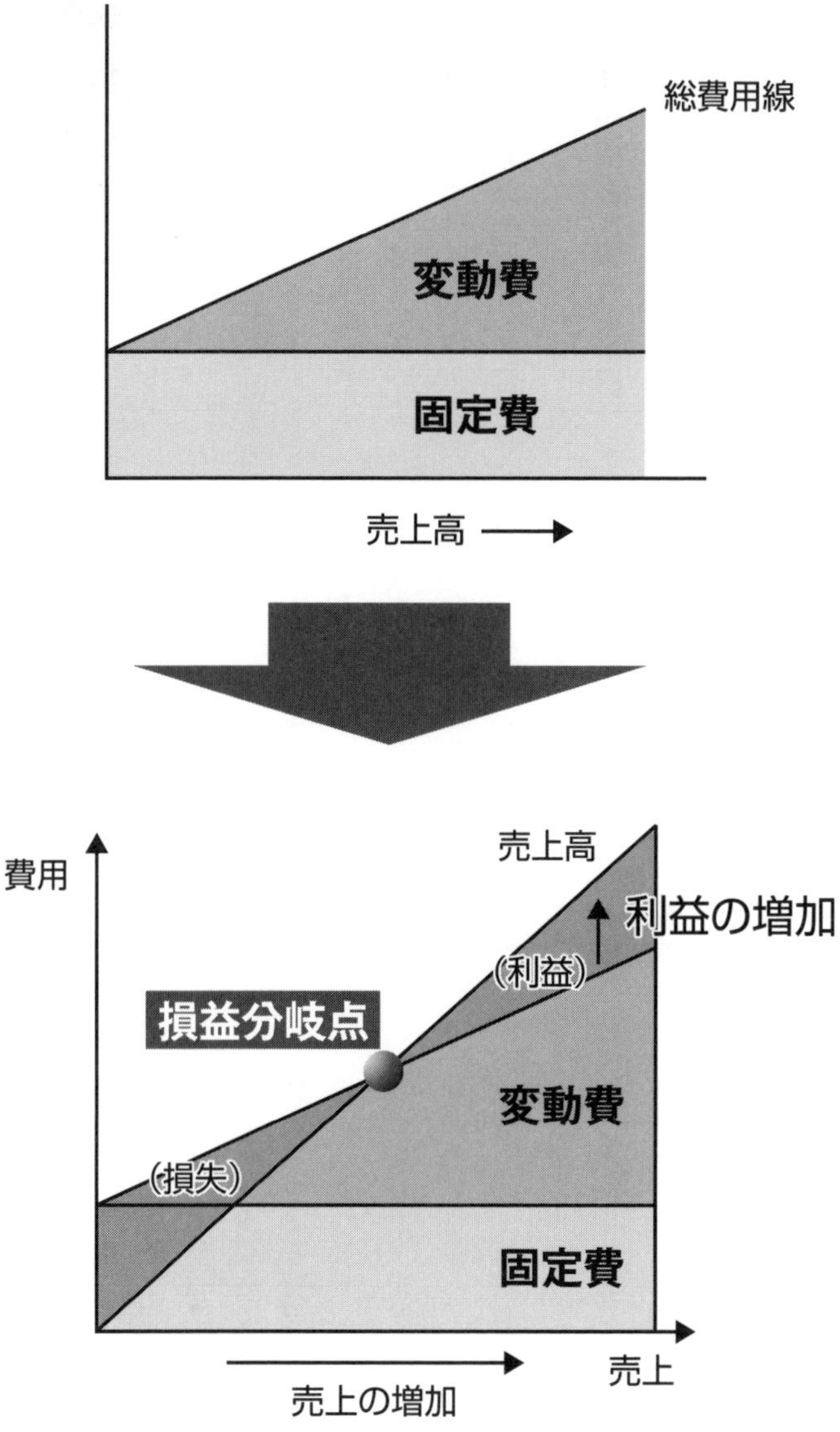

損益分岐点売上高
＝ 固定費 ÷｛(売上高－変動費) ÷ 売上高 ｝

section 75

価格弾力性

✓価格の変動に対してどの程度売れ行きが変動するのか？

価格が下がれば売上が急増する商品を「目玉商品」に設定し、採算度外視で集客を図る

72項の最後で、実際の価格設定では顧客をよく見てSTP・4P全体で考えると述べた。ここでは特に、その商品の用いられ方と価格の関係に注目してみよう。

▼価格弾力性の高低と代表的な商品

価格弾力性とは、商品価格の変動に対する需要変化の大小を示すものだ。価格が下がれば売上が急増し、上がれば激減する商品は「価格弾力性が高い」と言い、変化が少ないものは「価格弾力性が低い」と言う。通常、米などの生活必需品は価格弾力性が低く、贅沢品・嗜好品は価格弾力性が高くなるため、贅沢品的なスイーツや、米と同じ主食類でも嗜好性の強い手作りパンなどは弾力性が高い。生活必需品だが日々の消費量の多いボックスティッシュやトイレットペーパーなどは買いだめ心理で価格弾力性は高くなる。

▼ロスリーダーとマージンミックス

価格弾力性の高い商品は、スーパーやドラッグストアなどで「目玉商品」として設定されることが多い。採算度外視で集客し、他商品の購買を促進することで収益化を図る戦略である。

目玉商品を「ロスリーダー」、その価格設定を「ロスリーダープライシング」と言う。前出のボックスティッシュやトイレットペーパーはドラッグストアやホームセンターではロスリーダーの定番だ。また、食品スーパーでは夏場に嗜好品として価格弾力性の高い箱入り氷菓を特売して集客を図る例もある。

ロスリーダープライシングは、粗利率の高い商品と低い商品を組み合わせて販売し、目標利益を確保する「マージンミックス」が基本だ。大型玩具店では紙おむつをロスリーダーにしておもちゃの併売を狙うことは定石だ。

マージンミックスを実現するには、顧客を目玉商品だけを購入して帰る客、いわゆる「チェリーピッカー」にしないことが大きなポイントであり、併買させる商品の設定とその店内での設置場所などに工夫が求められる。

価格弾力性

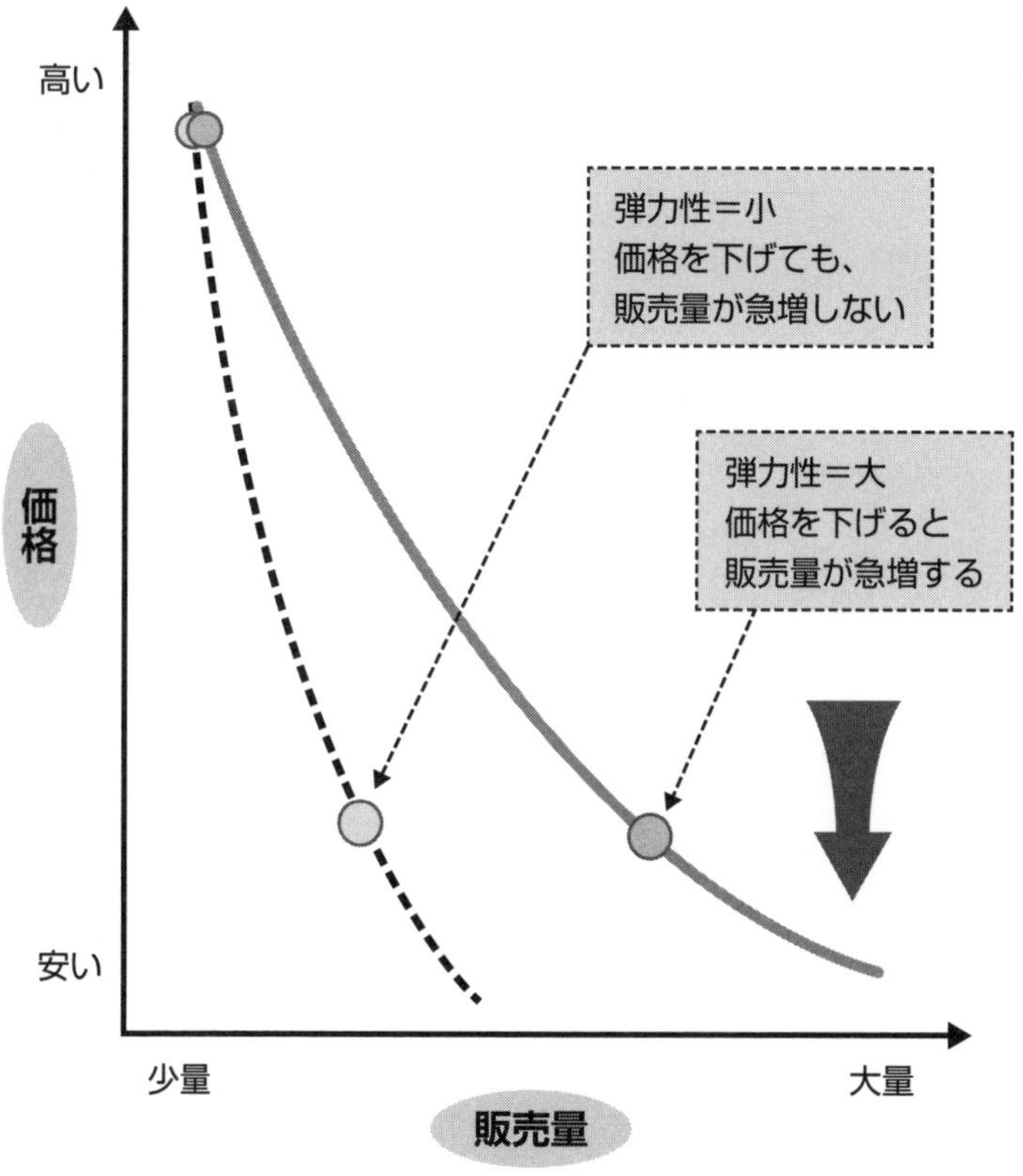

高い
安い
価格
弾力性＝小
価格を下げても、
販売量が急増しない
弾力性＝大
価格を下げると
販売量が急増する
少量
大量
販売量

section 76

規模の経済・経験効果

✓生産・販売量によってどの程度原価を低減できるのか?

大量生産・販売で、商品ひとつあたりの固定比率・変動費率を低減する

価格設定を考える際、生産・販売量によってどの程度原価を低減できるかという要素が極めて重要となる。

「規模の経済」と「経験効果」という要素を考えてみよう。

▼「固定費」に効く「規模の経済」

大量生産・販売すれば、商品ひとつあたりの固定費率が低減できることを「規模の経済」と言う。74項の損益分岐点計算で構造を明確にしたが、固定費は商品の売れ行きに関係なく投下することが必要となる。固定的な人件費以外に大きな固定費は「研究開発費」「設備費」「広告宣伝費」などがある。

製薬会社が世界的なM&Aを繰り返している理由のひとつは、研究開発費の上昇に対し、売上規模を高めることでその比率を低減しようとしているためだ。設備費負担の大きな携帯電話などの通信キャリアの熾烈なシェア争いも、サービス提供に欠かせない通信設備の固定比率低減のためである。広告宣伝費がかかるのは化粧品・自動車・ビールなどが代表的な業種だ。

▼「変動費」に効く「経験効果」

大規模化すると固定費だけでなく、変動比率も低減できる。ここで言う変動費とは「人件費」であるが、スタッフ部門の社員ではなく、現場のラインに付いている担当者を指す。製造業においては、生産量が増すと担当者の習熟度が上がって単位時間あたりの生産性が向上する。1日の生産数が倍になれば、人件費率は半分になったことになる。販売業でも同様に、熟練販売員となって客さばきがうまくなれば、時間あたりの販売量が増加し、担当者の人件費率が下がる。

▼規模化はどこまで効くのか

35項で、コスト・リーダーの力の源泉は「規模の経済」と「経験効果」と述べたが、生産数が多いため圧縮余地も大きいためだ。規模化によるメリットはリーダーでなくとも享受できる。

ただ、市場自体が縮小している日本において、規模以外のコスト低減策が欠かせないのも明らかである。

規模の経済

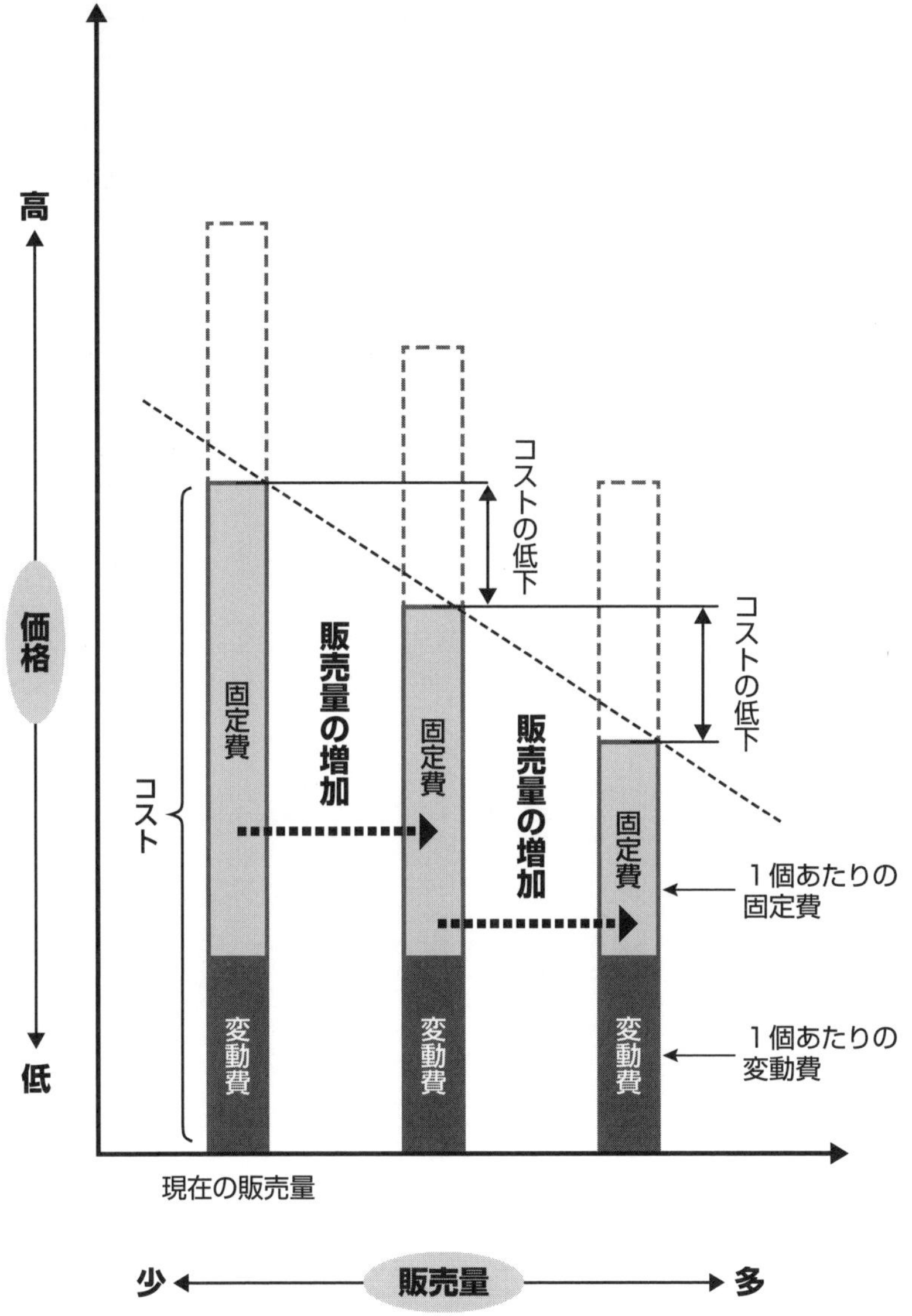
高
価格
低
コスト
固定費
変動費
販売量の増加
コストの低下
1個あたりの固定費
1個あたりの変動費
現在の販売量
少
販売量
多

section 77

「顧客視点」での価格検証

✓顧客視点での価格設定法とは？

顧客にもたらす利益を予想する

価格設定の3つの視点のうち、顧客視点である「需要志向」の価格設定には、顧客の商品に対する価値の感じ方や、それに応じた価格の受容度などを把握することが欠かせない。

▼知覚価値価格と需要価値価格

需要志向の価格設定には「知覚価値価格設定」と「需要価値価格設定」という手法がある。「知覚価値価格設定」は、あらかじめマーケティングリサーチなどで顧客が「買ってもいい」と思う価格帯を明らかにしておき、原価をそれ以下に抑える手法を言う。「需要価値価格設定」は市場セグメントごとに価格を変化させる手法だ。セグメント軸としては、学割や子供料金、シルバー割引といった顧客属性や、飛行機の早割などの販売時期、休日料金や深夜割増などの提供時間帯、S席・A席や自由席・予約席・グリーン席などの提供場所などがある。

提供場所では、街の自動販売機で1缶160円の缶ジュースは、映画館の中の自動販売機では250円、富士山頂の自動販売機では500円などの価格設定になっている。250円でも映画を見ながら飲みたい、500円でも喉の渇きを癒やしたいといったニーズがあれば、その価格は受容される。

つまり、「需要価値価格設定」では、顧客がどの程度の価値で評価するかを把握することによって、利益を最大化することが可能となる。

▼製品価値構造と価格の関係性

顧客がどの程度の価値で評価するかを把握するためには、61項で紹介した「製品特性分析」が応用できる。清涼飲料を手に入れて実現したい「中核的な便益」は「喉の渇きを癒す」ことである。それはミネラルウォーターでも十分実現できるため、130円（500㎖ペットボトル）がベースの価格となる。単に喉の渇きを癒すだけでなく、「どのように実現するか」という「実体」、つまり「おいしい」「スッキリ」という要素は、清涼飲料はミネラルウォーターと比べて50円分、付加価値と

飲料の価値と価格の関係

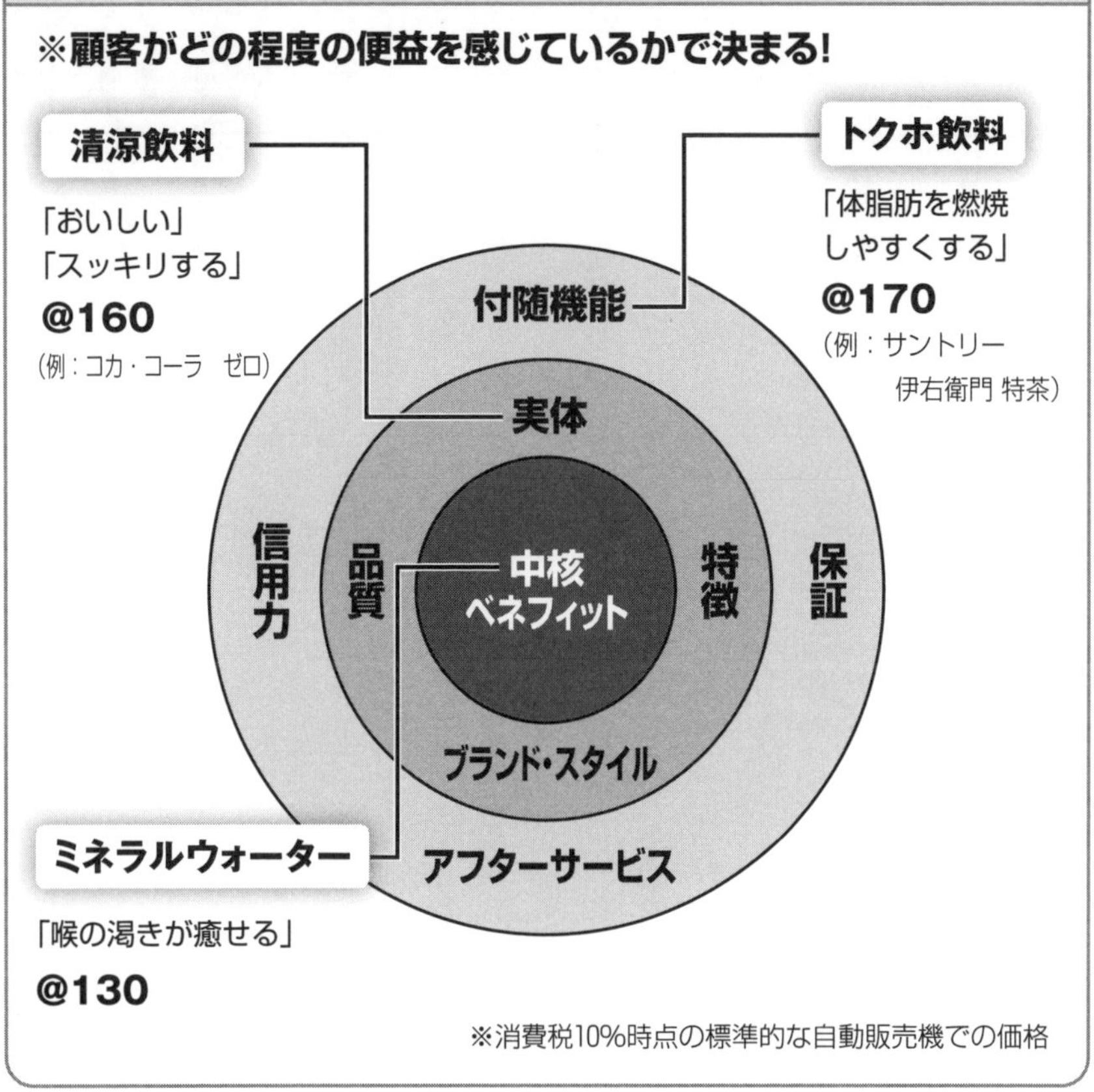

※消費税10%時点の標準的な自動販売機での価格

して顧客に受容されていることがわかる。さらに喉の渇きを癒すという中核とは直接関係のない、「体脂肪を燃焼しやすくする」などの効果は「付随機能」であり、「実体」以上の付加価値として顧客に受容される可能性が高い。そのため、トクホ飲料は清涼飲料を上回る価格が設定されている。このように当該商品がどの程度顧客に価値を認識され、どこまで払うべき対価として受容されるかを予測する。そうすると、「価格受容性調査」などの設計精度を高められる。

▼顧客の価値認識を高める

上記のように顧客の需要性を把握する一方で、72項の図に記したように、Customer Valueの上限は商品の価値を適切に伝えることで高めることも可能だ。そのためにはもうひとつのPであるPromotionとの整合性を図ることが欠かせない。

section 78

✓競合視点での価格設定法とは？

「バリューライン」での価格検証

「価格を超える価値」を実現する

競争志向の価格設定には、「バリューライン」で価格と価値の関係をどう調整するかが重要となる。

▼バリューライン上のポジション

商品の価値には品質、デザイン性など様々な要素があるが、価格との関係を表すと概ね正比例を示す。

スーパーマーケットの例で考えてみよう。結婚して家庭を持ち、子供が生まれた。商品の品質にもこだわりたいが、高い商品は買えない。西友やイトーヨーカドー、イオンなどの平均的なスーパーに行く。子供が成長し、元気にモリモリ食べるので家計に負担がかかる。そこで価格を優先してディスカウント系のスーパーに店を変える。子供が巣立ち夫婦2人になる。もう量は必要ないので、いいものを選ぼうと、買い物は成城石井や紀ノ国屋などの高級スーパーになる。

バリューライン上で、中価格・中価値は「中価値戦略」のポジションだ。概ね市場の相場はこのあたりに形成される。低価格・低価値は「エコノミー戦略」、高価格・高価値は「プレミアム戦略」と言う。

バリューラインを下回るポジションは、価格に対して価値が低く顧客の支持は得られない。一方、バリューラインを上回るポジションをとれれば、バリューライン上の価格戦略をとっている企業に競争優位を発揮できる。

低価格・中価値は「グッドバリュー戦略」、中価格・高価値は「高価値戦略」、低価格・高価値は「スーパーバリュー戦略」と言う。

▼バリューラインを超える戦い方

トヨタ自動車の高級車ブランド「レクサス」は1986年の米国市場でスタートした。

1985年以前、米国ではキャデラックやリンカーンといった伝統的な米国高級車が富裕層や成功者のシンボルとされていた。

それに対して、当時「ヤッピー(yuppie)」と呼ばれた新たな上昇志向の強い若い成功者を中心に、その古

競争志向の価格戦略の基本

- 標準的な価格はバリューライン上に存在する
- ライン上で自社の価格ポジションを決定する
- 価格勝負ならラインを飛び出すこと

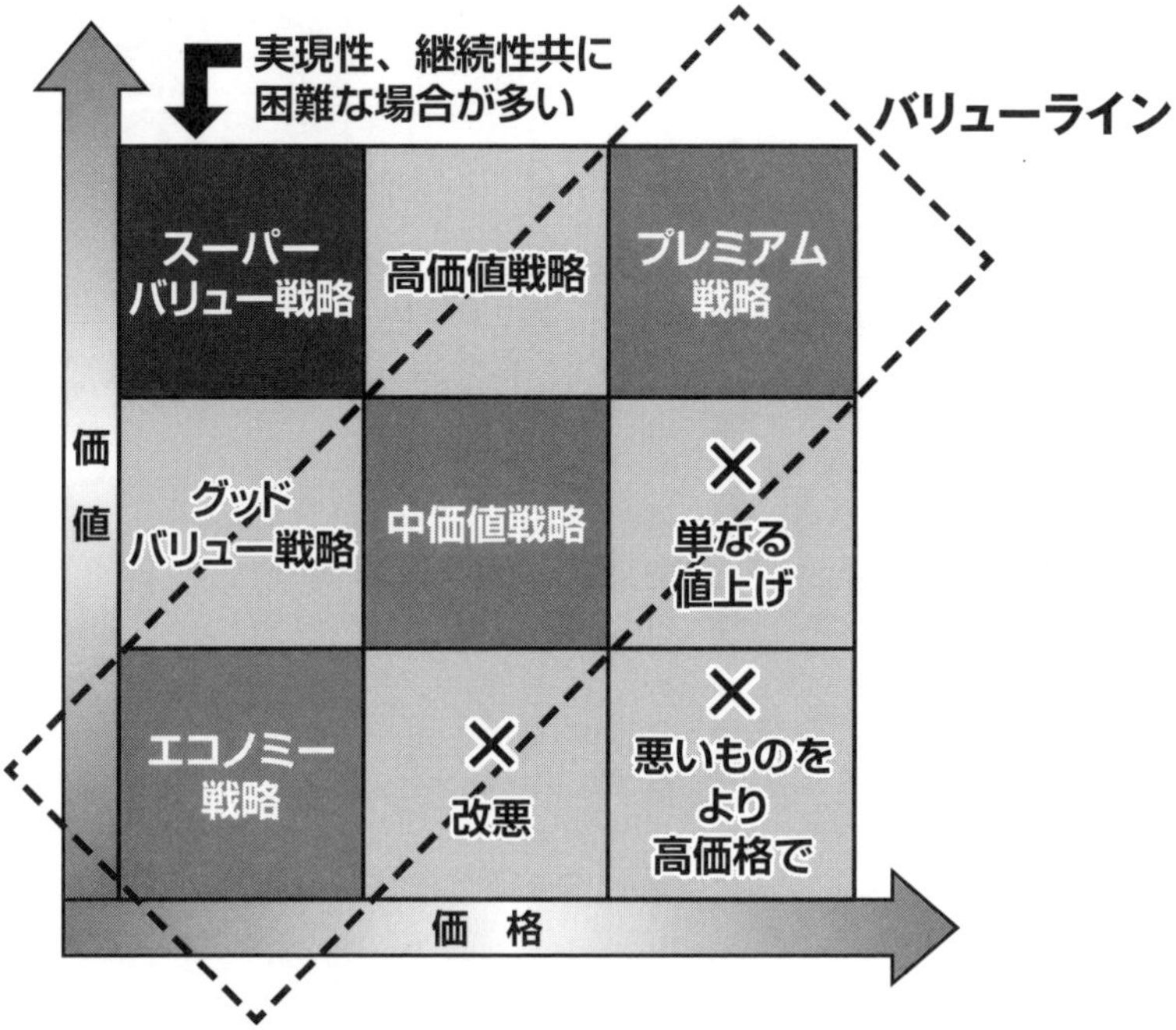

くささを忌避する傾向が高まり、メルセデスやＢＭＷといった欧州車勢が米国市場で高い人気を誇るようになった。

ところが、１９８６年10月のニューヨーク株式市場の暴落を発端とする、世界同時株安、いわゆる「ブラックマンデー」を境に生活者の価値観は一変。価格に対してより高い価値を求める機運が高まった。事前に綿密なマーケットリサーチを行っていたトヨタは日本車ならではの高い信頼性と、直営ディーラー網による手厚い接客とアフターフォローをもってレクサスを米国市場に参入させた。

バリューラインで考えれば、メルセデス、ＢＭＷなどの欧州勢が「プレミアム戦略」をとっていたところに、自動車本体の信頼性と顧客サービスの両面を高めて「高価値戦略」で挑んだのがレクサスである。

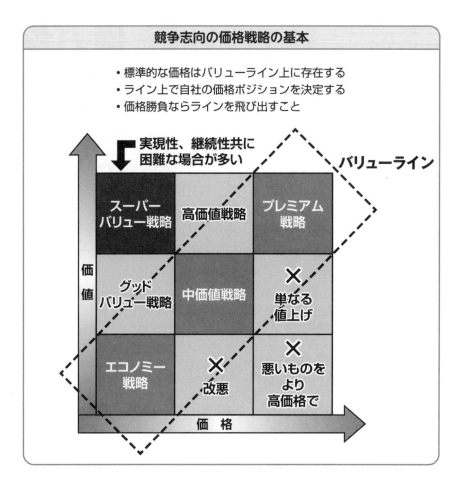

section 79

バリューラインでの価格戦略の実際

✓価格を上回る価値を実現する

ファーストリテイリンググループの事例

バリューラインに注目すると、企業の戦略がよく見えてくる。ファーストリテイリング社がどのような軌跡を辿ってきたかを検証してみよう。

▼ユニクロ第一次成長期

ファーストリテイリングの価格戦略を見ると、傘下のユニクロ及びGU（ジーユー）がバリューラインをきれいに上回るポジションで整理されていることがわかる。

ユニクロは1997年頃から米国の衣料品業者SPA（Specialty store retailer of Private label Apparel＝製造から小売までの垂直統合）事業モデルに転換した。それが奏功し、低価格・高品質商品の展開で、バブル崩壊以来30％もマーケットが縮小している衣料品業界で成長の軌道に乗ったのである。

▼品質と価格でバリューラインを大きく超えた

バリューラインで考えれば、「安かろう、悪かろう」の商品が多かった総合スーパーの衣料売り場の商品は「エコノミー戦略」であると考えられる。ジーンズメイト、ライトオンなどのカジュアルウェア販売の専業者は「中価値戦略」、百貨店などにテナントとして入っている有名ブランドは「高価値戦略」であると言える。

当時、ユニクロは「最低価格保証」という宣言も行っていたため、価格ポジションは低価格×高品質の「スーパーバリュー戦略」のポジションをとっていたと言える。しかし、「最安値宣言」の中、品質を飛躍的に高めたユニクロではあるが、1999年には正式に「最安値宣言撤回」をしている。一般にスーパーバリューのポジションは実現するより継続することが困難であると言われている。ユニクロはさらに「品質」を訴求するようになり、「高価値戦略」のポジションに移行したことがわかる。

▼ユニクロの「価値」の軸の強化

ユニクロのバリューラインにおける「価値」の軸は、「品質」に加えて、2006年頃から「機能性」も加わって

ファーストリテイリングの価格戦略

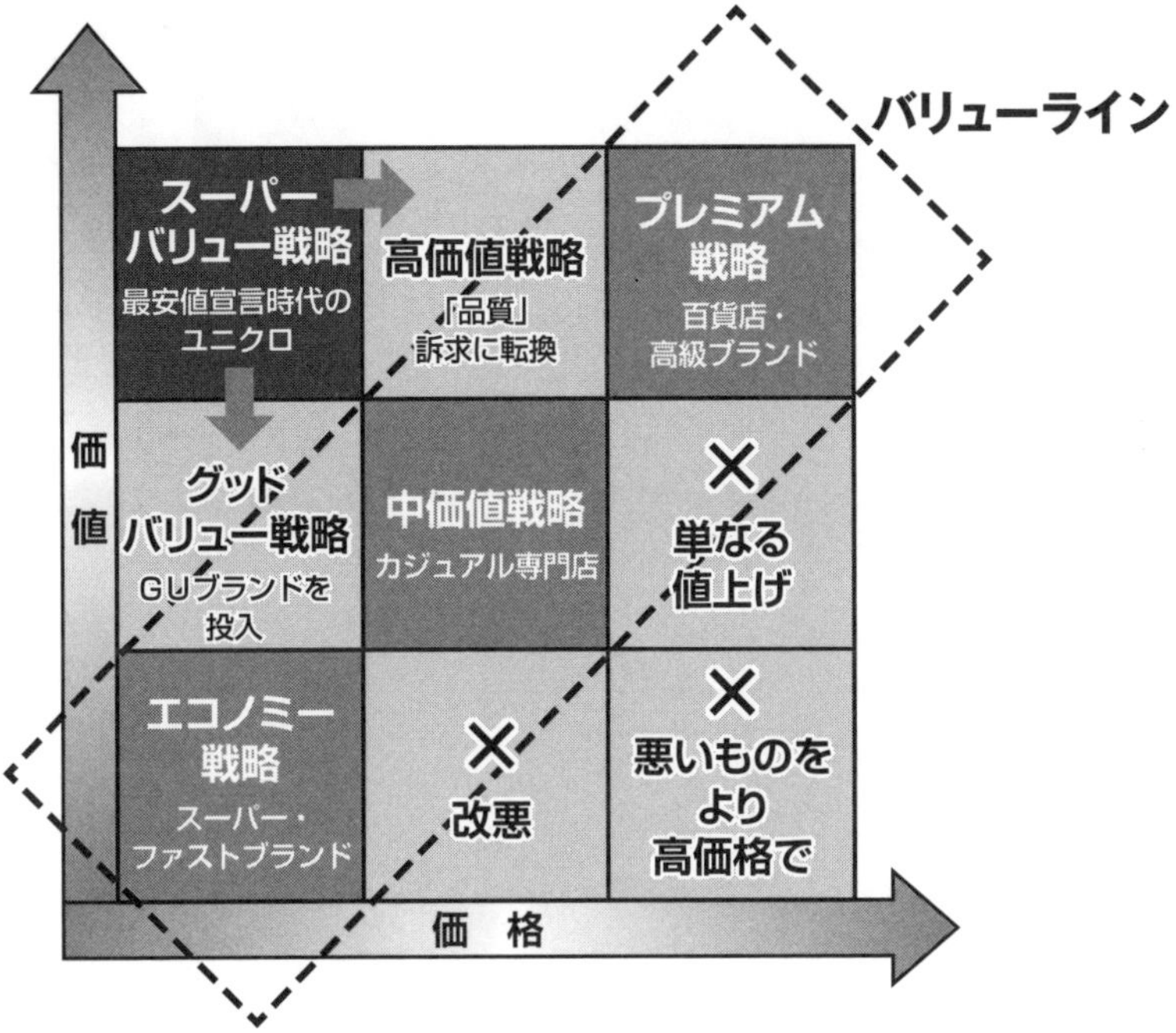

いた。保温機能を強化した薄型インナーウェア「ヒートテック」は2008年に2800万枚の販売を記録。女性向けの「ブラトップ」は毎年改良を重ねて着心地を高め、2009年に900万枚を売り上げた。一方、2009年に有名デザイナー、ジル・サンダーと契約。ユニクロ傘下に「+J（プラスジェイ）」という、ジル・サンダーが直接デザインするサブブランドを加え、さらに彼女が全商品のデザイン監修をする方針を打ち立てた。

▼グループ会社との棲み分け

ファーストリテイリングは、傘下のブランドGU（ジーユー）の価格戦略を見直した。旧価格帯がユニクロの3分の2程度だったのに対し、全商品の8割をユニクロの半額以下にすると宣言。目玉商品の990円ジーンズを発表するなどして、「グッドバリュー戦略」のポジションを明確にした。

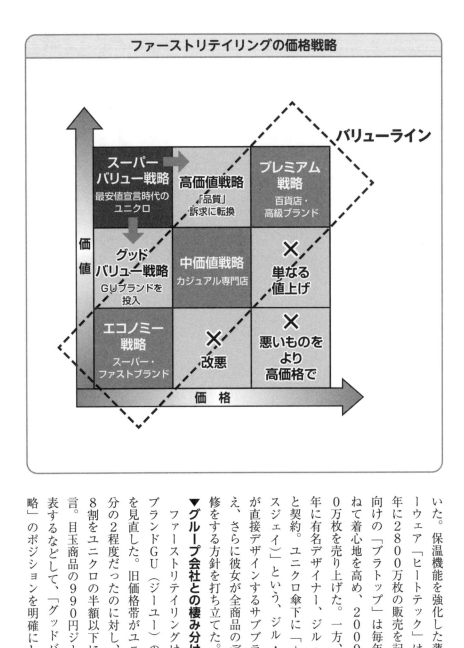

section 80

スキミングとペネトレーション

✓新製品市場投入における価格戦略の基本

早期投資回収を狙うか、早期のシェア奪取か

製品を新たに市場に投入する場合、価格戦略では重大な意思決定をしなくてはならない。それは2つの方向性のうち、どちらの目的を優先するのかということだ。その選択によって、販売戦略全体が大きく異なってくる。

そのひとつはスキミング(Skimming)戦略。意味は、「上澄みをすくい取る」こと。もうひとつがペネトレーション(Penetration)戦略。こちらは、「(市場への)浸透」を狙うことだ。

▼投資回収目的のスキミング

スキミング戦略の基本は、高付加価値・高価格設定である。それによって投資をさっさと回収することが目的である。スキミングが成立するにはいくつかの要件がある。ひとつはその製品を高価格でも欲しがるイノベーターやマニア、富裕層など顧客となる層が存在することだ。買ってくれる顧客がいなければ話にならないのでこれは当たり前だ。もうひとつは自社製品の模倣困難性。現状、競合となる存在があるなら、明確な優位性が必須だが、競合の有無にかかわらず、模倣困難性が確保されていなければ、あっという間に競合や後発に真似されて泥沼の価格競争になってしまう。

顧客が確かにいて、一定期間模倣されなければ、高価格で高利益率の設定によって製品の開発や生産設備などの投資も早期に回収が可能となる。高価格を受容できる市場のパイはあまり大きくないため、多くの場合、大きなシェアを獲得するのではなく、「市場の上澄みをすくい取る」ということになるのだ。幸いにしてターゲット層を刈り取っても競合が参入してこなかった場合は、価格を下げてターゲットの裾野を広げていくこともできる。

競合が参入してきた場合、スキミングの基本はさっさと撤退することだ。

▼早期に市場のシェアを確保する

ペネトレーションの目的は、何と言ってもすばやく市場シェアを確保することにある。製品内容にもよるが、基本的に顧客は低価格、もしくは割安な

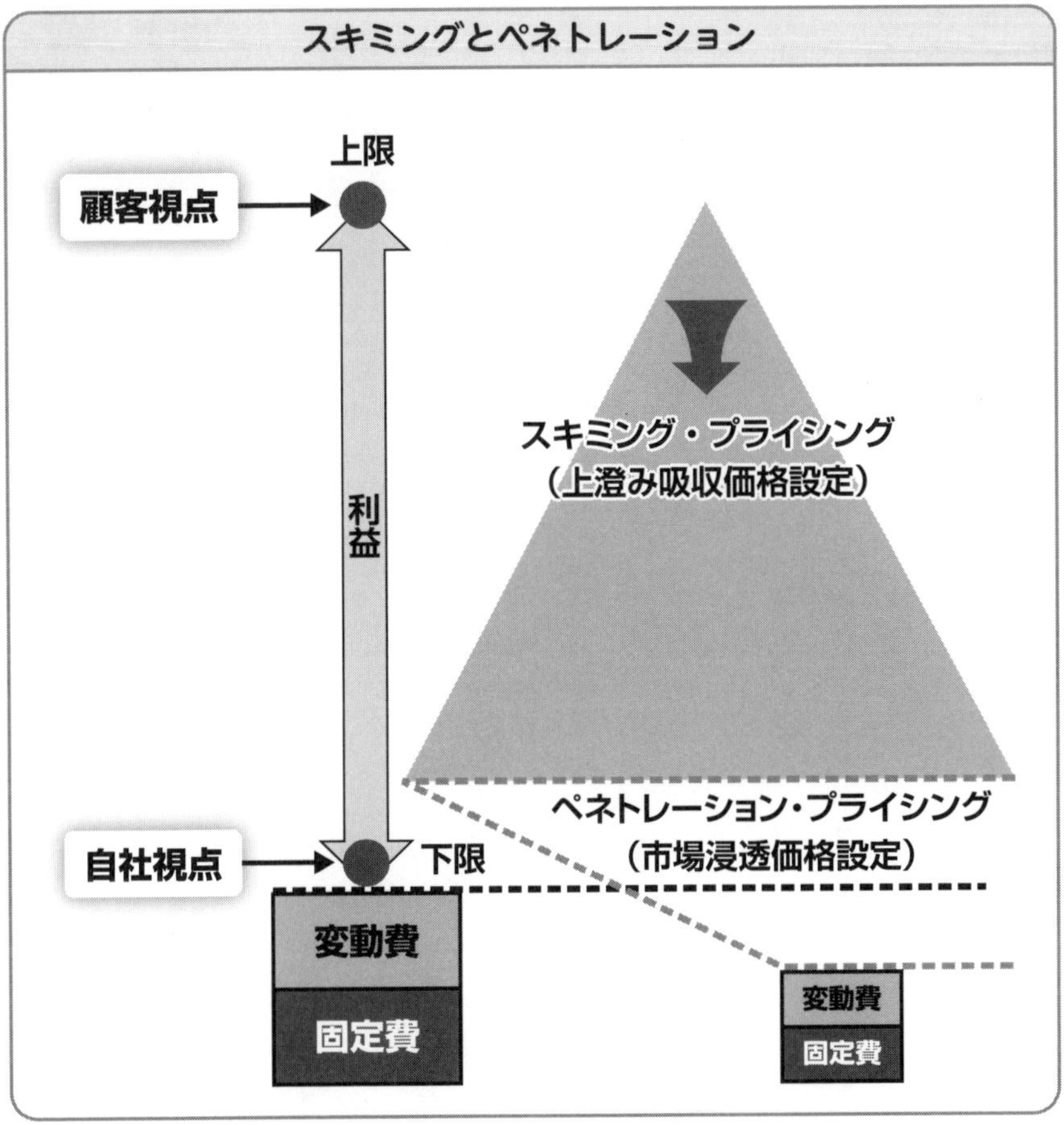

モノのほうが購買行動に踏み切りやすい。

そこで低価格、場合によっては初期的には採算割れも覚悟した極端な低価格設定も行う。それによって、「そんな価格では戦いの土俵に上がれない」と、コスト自体が競合の参入障壁にもなる。特に生産設備や広告などの投資が大きい場合は損益分岐点が高くなるため、収益化するにはかなりの量を販売しなければならないからなおさらだ。そしてシェアを確保して、累積生産・販売数を増して規模の経済・経験効果を発揮して利益率を増し、じっくりと投資回収を行うのが基本だ。

ただし、思ったより売れなかったからと言って、価格は値下げはできるが値上げは難しい。最初にシェアを取れなければ終わりというリスクがある。

section 81

サブスクリプションモデル

✓固定料金でもうけは出るのか？

利益を上げる5つのポイント

価格戦略の中で、かなり定着してきた感のある手法が、「サブスクリプションモデル」だ。

▼サブスクリプションモデルの事例

早くからサブスクが広がった例としては音楽や映像の分野だろう。月額料金を払えば音楽が聞き放題、映像が見放題というサービスである。

その他の例を見ると、広島に本社を置くメガネの田中チェーンは定額制メガネコーデ&かけかえサービス「NINAL（ニナル）」を月2310円（税込み）から展開している。約千種類あるメガネやサングラスから好きな1本を選び、契約期間3年の中でフレームを3本まで、レンズを3組までいつでも選べる。

東京・西新宿にある「coffee mafia（コーヒーマフィア）」は、月額4800円（税込み）の会員になると、ドリップコーヒー、クラフトティー、ラテが1日2杯飲める。

「YClean（ワイクリン）」（社名はNextR）は月額1万4080円（スタンダードプラン・税込み）で利用できるワイシャツの宅配サービスを展開している。会員の自宅に、毎月20着の個別識別番号付きのワイシャツが届く。自分専用のワイシャツで、他人が着たものはない。着用後はそのまま専用の回収袋に入れて保管。20着すべて着終わったら、回収袋を返送。ワイクリンから、間を空けずにクリーニング済みの新しいワイシャツが20着、回収袋と一緒に届く。落ちない汚れやすり切れがある物は、新品に取り替えられているという。

これらのサブスクの事例を左の5つのポイントに当てはめてみるとわかりやすい。「coffee mafia（コーヒーマフィア）」の会員制はドリンクだけで収益を得ているわけではない。おそらくドリンクだけでは収支はトントンだろう。その赤字を埋め収益を上げているのは、サンドイッチ等、フードのついで買いだ。つまり、「クロスセリング」で収益を上げているのだ。「メガネの

「収益を上げる5つのポイント」

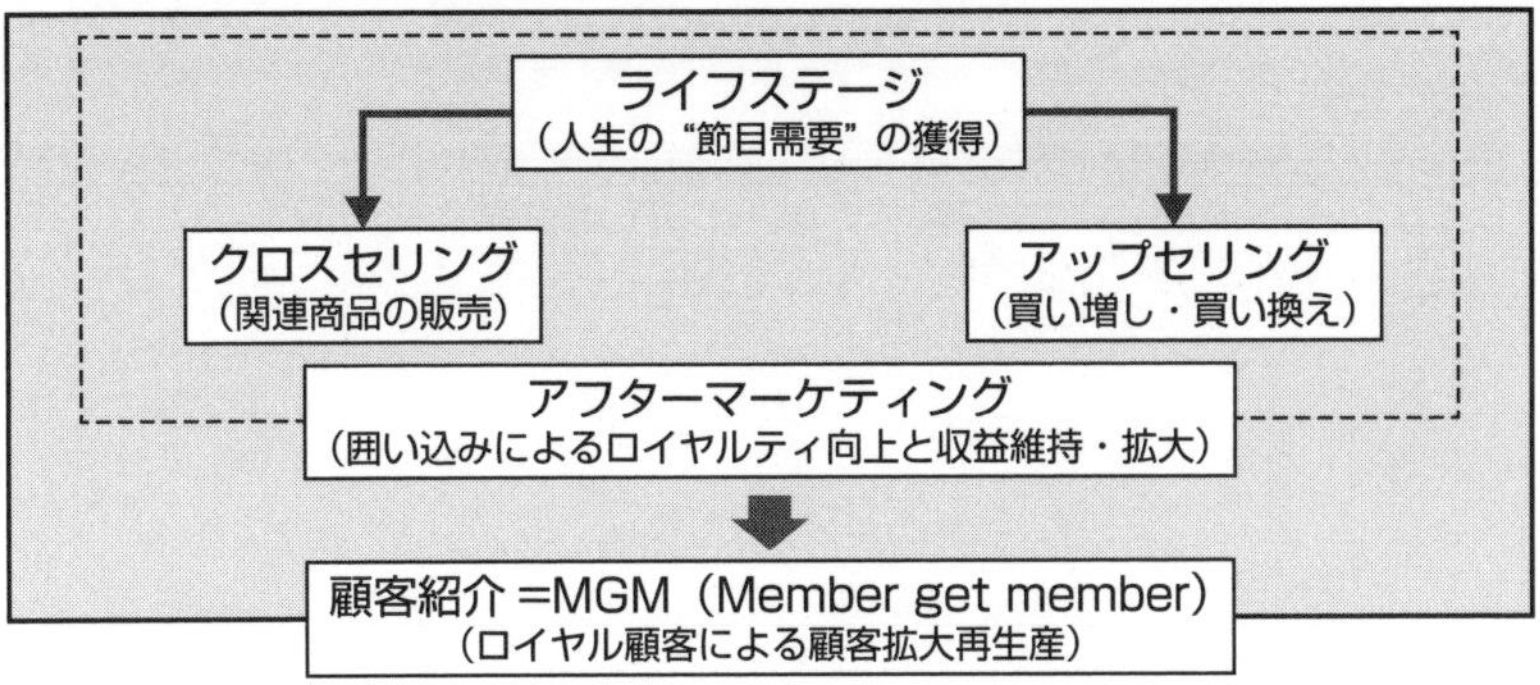

https://yclean.co.jp

田中チェーン」の月額2310円で3年間3回メガネを掛け替えられるサブスクは「アップセリング」である。放っておけばメガネはかけっぱなしにしてしまう人がほとんどだろう。そこに「3年で3回」という枠組みを設けることで、買い換えの機会を作っている。メガネ1組あたり2万7720円になるので、悪い商売ではない。

「YClean（ワイクリン）」のワイシャツの宅配サービスは、古くなったワイシャツの買い換えという「アップセリング」と、日常のワイシャツのクリーニングという「アフターマーケティング」の合わせ技で収益を上げるモデルを作っていることがわかる。

何らかの「節目需要」でサブスクの顧客化した後に、どのポイントで収益を上げるかという設計がキモなのだ。

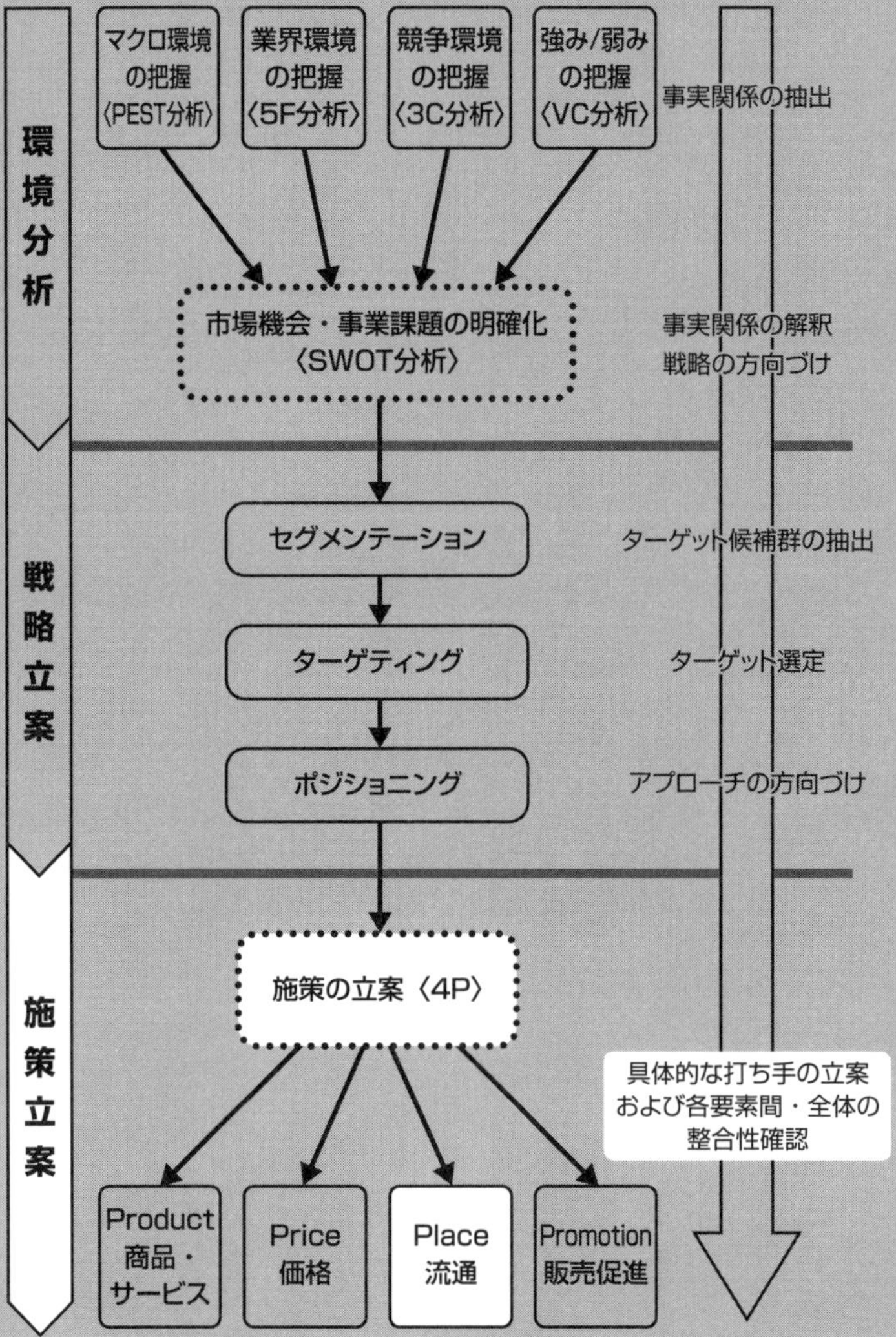

社外の人の関与が大きい「チャネル戦略」は、構築にも変更にも時間や大きなコストがかかるため、最も慎重を期すべき要素である。

第8章

チャネル戦略

section

82 チャネルの役割＝物流・商流・情報流
83 「チャネルのニーズ」も考慮する
84 チャネルの「長さ」と「幅」
85 チャネル段階設計の基本パターン
86 チャネル形態への顧客ニーズ反映

section 82

✓チャネルにはどんな役割があるのか?

チャネルの役割＝物流・商流・情報流

チャネルの機能は「モノを届ける」だけではない

チャネルは消費者に商品を届け、価値の交換を実現するが、その機能はモノを届けるだけではない。

▼チャネルが担う大きな3つの流れ

メーカーと消費者が直接、取引関係を結ぼうとすると煩雑になり過ぎる。そのため、チャネルが間に入り3つの流れをコントロールする機能を果たす。まずメーカーから消費者までモノ(商品とサービス)を届ける役割、「物流」という機能である。商品の輸送とその保管を担う。消費者とメーカー間のカネの流れを「商流」と言う。モノを届ける機能の遂行において必要な資金の調達とチャネルに関わる関係者(84項に登場するチャネルの各段階の関与者)への利益配分・代金回収を担う。加えて近年、重要視されている機能が情報の流れ＝「情報流」だ。

▼情報の流れの詳細

今日、メーカー・チャネル・消費者間でどのような情報がやり取りされているか詳しく見てみよう。

①**調査**：コンビニで買い物をしたとき、店員はPOSレジで商品のバーコードをスキャンし、その後2つほどボタンを押している。買い物客の性別と年代を入力しているのだ。メーカーは出荷量ベースで、どの商品がどれくらい売れているかを把握することはできる。しかし、どんな消費者が、いつ購入したかといったことはわからない。その情報をチャネルが収集し、無償・有償で提供する。チャネルの持つ「調査機能」だ。

②**プロモーション**：メーカーは消費者に空中戦とも言えるマス広告や最近ではネット・SNSを用いたプロモーションを行う。しかし消費者が販売の現場で買うかどうか、自社商品にするか競合商品にするかという選択の場面にはからめない。それに対しチャネルは、売りの現場で、仕入れた商品の魅力を高めて確実に販売する工夫を行う。商品の説明や価格の安さをアピールするために描かれた表示、商品を目立たせるために施された装飾をPOP

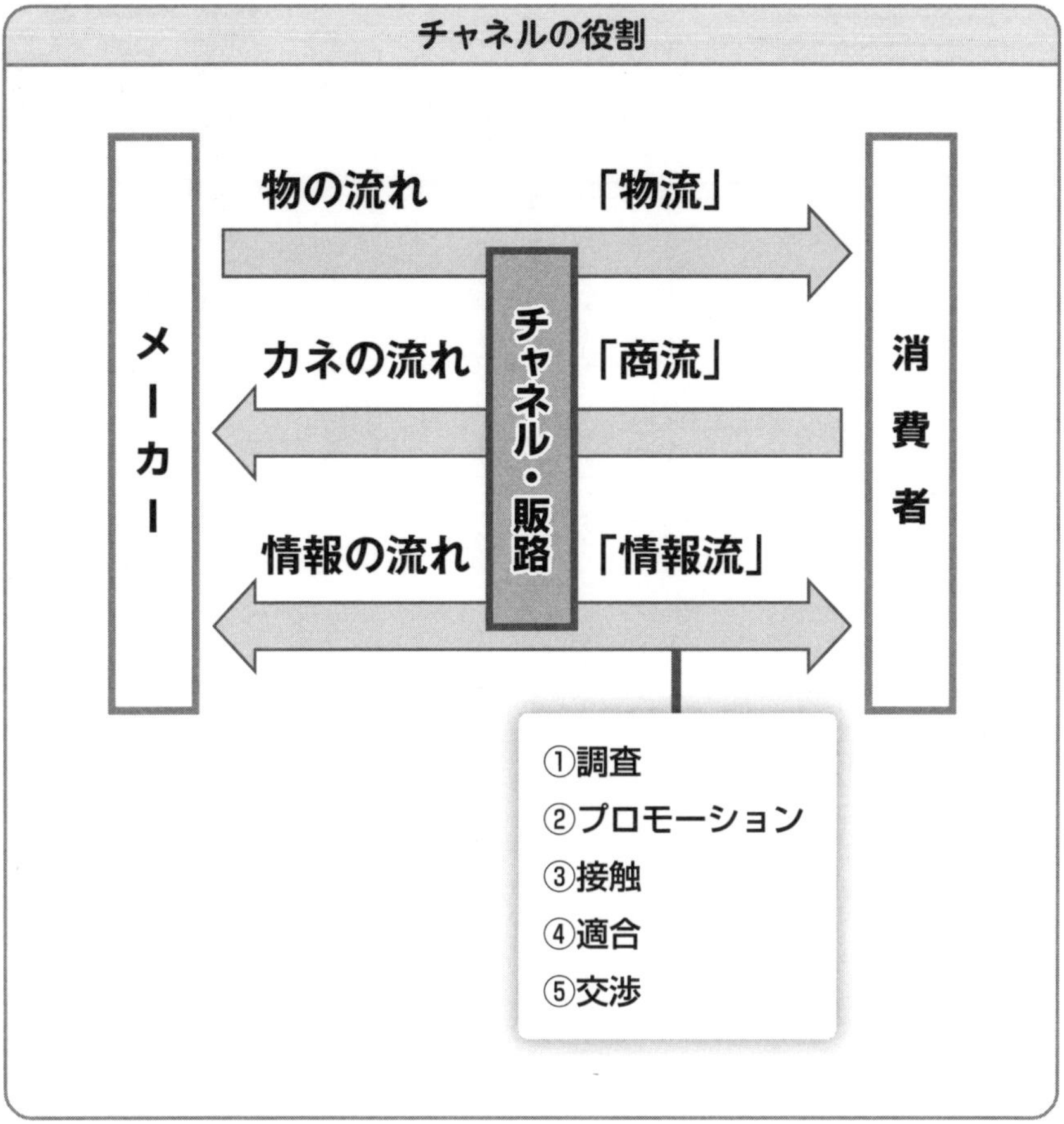

（Point of purchase advertising：販売時点での広告）と言う。メーカーからの情報をより消費者に受け入れやすくチャネルが解釈して伝える情報機能だ。

③接触：メーカー直販以外では、メーカーは消費者に接触することはない。市場に散在する潜在的購入者を顕在化させ、アプローチするプロセスはチャネルが担う。販売代理店の顧客開拓などが典型的な「接触」の機能である。

④適合：消費者が購入時に自らの要望に商品をより適合させることを求める場合、チャネルがそれを実現する。自動車のオプション部品は、ディーラーが自社やメーカーに指示して、「適合」したオプション品が車にセットされて納車される。

⑤交渉：受注確定前に製品の仕様や価格、納期などの取引条件交渉をチャネルが担って取引を成立させる。

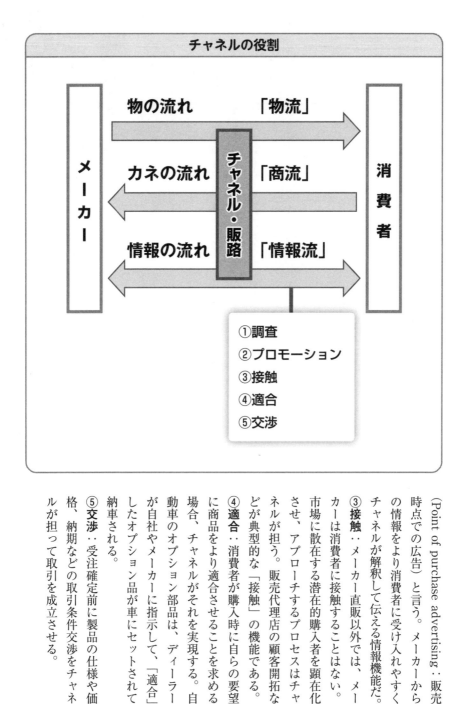

section 83

✓チャネルに扱ってもらうには？

「チャネルのニーズ」も考慮する

メーカーにとってはチャネルも「顧客」

メーカーにとってチャネルはどのような存在なのか、事例で確認しよう。

▼マウントレーニア圧勝

0〜10℃の冷蔵状態で販売される加工飲料の中で、コーヒーカテゴリーを「チルドカップコーヒー」と呼ぶ。缶コーヒーよりフレッシュな香り・味が実現できると言う。森永乳業の「マウントレーニア」は1993年から商品展開をしている草分けだが、2005年にはサントリー食品が「スターバックス」と提携し参入した。2006年には伊藤園が傘下の「タリーズ」を、他にも多数のメーカーが様々なブランドを掲げ挑んできた。スターバックスブランドは単価が5割ほど高く、単品の売上金額ではトップを奪取することもあったが、マウントレーニアは多数棚のフェースをおさえて多くのフレーバーを展開しており、全体の売上額と本数ではトップを維持していた。

▼チャネルのDMUとKBFとは？

マウントレーニア無敵の理由は何だろう。割安で消費者が買いやすかったのは確かだ。では、コンビニは単価の安い同商品に多数の棚のフェースを与えたのか。コンビニは狭小なので、高額でよく売れる商品を好む。理由は、棚に並べることを誰が決定するのかを考えると見えてくる。107項で述べる「DMU＝Decision Making Unit：購買決定関与者」は、コンビニのオーナーだ。そのKBFはよく売れること、儲かることだが、最も気にすることのひとつは「廃棄リスク」だ。賞味期限切れ商品を処分すれば、仕入れコストは回収不能。利益を直撃する。その点、マウントレーニアは当時、競合商品の賞味期限が3〜5日程度であったのに対し、2週間というロングライフ。オーナーは安心して棚に並べた。

▼チャネルという顧客をまず動かす

最終的にエンドユーザー＝消費者に買ってもらうことは重要だ。しかし、商品が棚になければ買うことはできない。チャネルを「売る気にさせる」しかけ・工夫は欠かせない。

チルドカップコーヒー業界の5F

■新規参入の脅威

商品開発力・生産設備への投資と維持・流通チャネルの開発/維持力・ブランド化/認知促進のための広告投資…参入障壁高い

小

■買い手の交渉力（消費者）

まずは棚にあるものを買う（ブランドスイッチは多い）

中

■売り手の交渉力

原材料は基本的にはコモディティー（汎用品）。スイッチは難しくない

小

■業界内の競争

各メーカーが製品開発にしのぎを削り、流通の棚をひとつでも獲得することに血道を上げる激しい戦い

大

小

■買い手の交渉力（流通）

賞味期限が長い!（廃棄ロス少）

通常は何を棚に並べるかは流通の裁量次第。交渉力は「大」……オーナーが棚に並べたくなるようにすることがキモだった！

大

■代替品の脅威

ペットボトル、缶入り等店舗内の他形状の飲料・カフェ等他業態の提供物等、代替品多い

「顧客は誰か?」を考える際、
メーカーから考えればチャネルも重要な顧客。
最終消費者のKBFと同時に、
チャネルのKBFを満たすことも考えることが必要

写真提供：森永乳業

section 84

チャネルの「長さ」と「幅」

✓チャネルの段階は何を意味する?

「カバー率」と「コントロール」のトレードオフ

メーカーと消費者の間には、チャネルが多段階存在するパターンもある。

▼チャネルの階層による整理

左図の通り、チャネルの形態はメーカーと消費者の間に何段階存在しているかで分類できる。間にチャネルが介在していないのはゼロ段階チャネルと呼ばれ、メーカーが直販体制（通信販売・直販営業部隊等）を構築している場合だ。以下、1段階、2段階、3段階チャネルと呼ばれる。

▼多段階化のメリット

段階が増えるメリットは唯一、「市場のカバー率が増すこと」だ。段階が増えれば、より多くのチャネル、その中の人々が関わってくれて、顧客接点が増え、販売機会が増加する。

▼多段階化のデメリット

デメリットは82項で解説した「チャネルの担う大きな3つの流れ」で各々、「コントロールがしにくくなる」要素が出てくることである。

▼モノの流れにおける問題点

チャネルが多段階化するほど流通在庫が増える可能性が高まる。チャネルの買取制ではなく委託販売であれば、メーカーは返品リスクを負う。買取制であれば、チャネルは売れ残りリスクを抱える。最終的にはそれが何らかの形で小売価格に転嫁されることになる。

▼カネの流れにおける問題点

多段階化するほど、回収が遅くなり金利負担が増す。利益配分する対象が多ければチャネルマージンも増す。それらが転嫁されれば価格も上がる。

▼情報の流れの問題点

間に挟まる人が多くなれば、伝言ゲームと同じ問題が起きる。POS情報など電子的・数的情報はともかく、いわゆる「消費者の生の声」は吸い上げにくくなる。一方、本来伝えたいことも正確に末端＝顧客まで伝わらなくなる。そのため複雑なシステム（ソリューション）は直販で営業担当者が説明・説得してセールスし、単純なソフトはパッケージとして多段階を経て店頭に並べられセルフ販売される。

チャネルの段階パターン

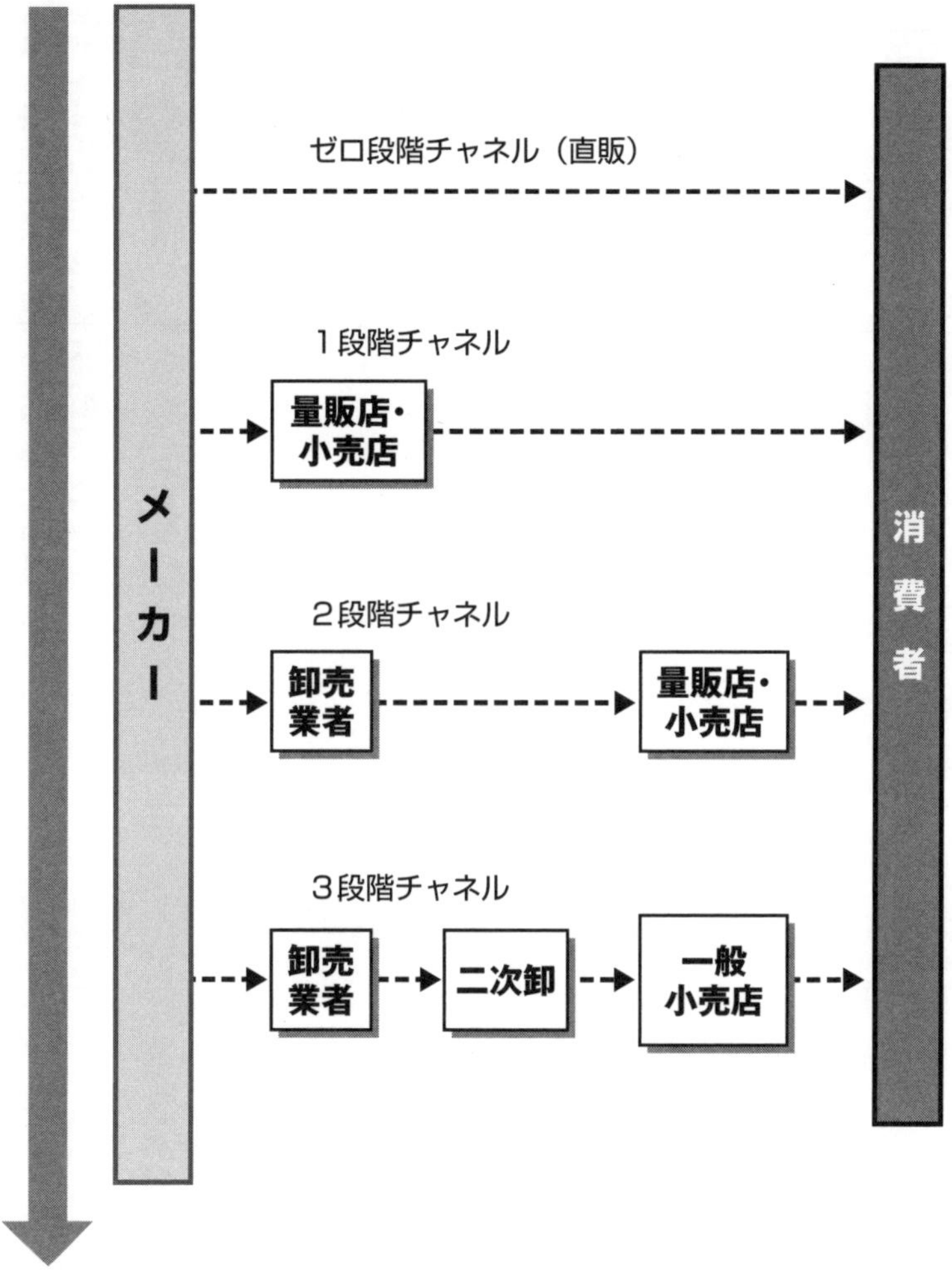

段階が増えるほど……
○市場のカバー率（取り込み範囲）が向上する
×「モノ・カネ・情報」のコントロールが困難になる

section 85

何を基準にチャネルの形態を決める?

チャネル段階設計の基本パターン

他社との役割分担のしかたがカギ

前項を見ると多段階化はメリットよりもデメリットのほうが多く列挙されており、「それでは直販が一番よいのではないか」と思うかもしれない。だが、もう少し詳細に考えてみよう。

▼「カバー率向上」を具体的に

直販では、メーカーが一から顧客を獲得していかなくてはならない。そのためには大量の広告を投下して自社商品を広くあまねく知らせて見込み客からレスポンスを得るか、自社で津々浦々まで営業拠点を張り巡らすことになる。コスト（イニシャルコスト＋ランニングコスト）と時間をかければそれなりの顧客ベースの確保も可能かもしれない。だが、チャネルが元々確保している顧客に売ってくれたほうが時間もコストもかからず、より多く売ることができる可能性が高い。その際、自社展開するコストとチャネルマージンを比較し、後者のほうが安く、かつチャネルが持っている顧客ベースやセールスパワーで販売総数が多くなり規模の経済が効くなら、自社の収益も高くなる。また価格をより安くして販売量をさらに高めるなどの好循環形成が期待できることになる。

▼チャネルは組み合わせて構築する

チャネルの段階がコントロールとカバレッジでトレードオフの関係になっているのは前記の通りであるが、最も効率的なチャネル設計のためには、メリット・デメリットを考慮し、組み合わせてチャネルを構築することだ。これを「ハイブリッドチャネル」と言う。

集中的に直販体制で販売を強化する地域を決めたり、商品知識が豊富なターゲットセグメント向けに通販チャネルを展開したりする一方で、自社から距離があって、拠点展開が困難な地域は販売代理店に委託する、などという組み合わせ方である。

左図は企業向けのシステムソリューションや通信サービスを提供している企業の例で、ターゲット数と適合する商品の価格で組み合わせを最適化しようとしている。

ハイブリッドチャネルの例

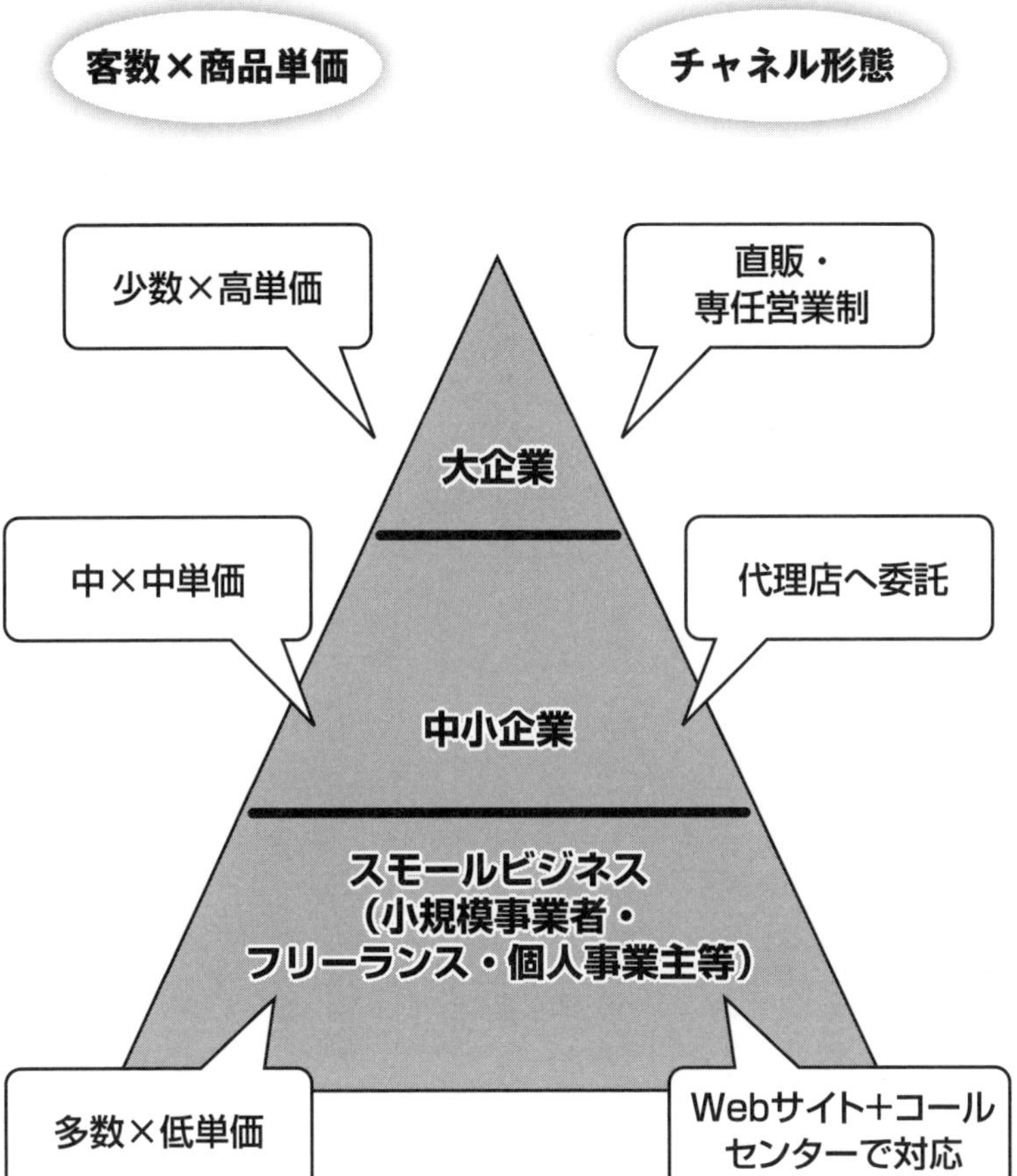

section 86

✓チャネルは誰の都合で決めるのか？

チャネル形態への顧客ニーズ反映

チャネル設計も顧客ニーズが重要

チャネル構築はチャネルとメーカーの関係だけではなく、顧客のニーズを考慮することが肝要だ。

▼チャネルに対する顧客ニーズとは？

チャネル戦略とは自社の商品を、どのようなルートを経て顧客まで到達させるかを設計することである。その設計基準は企業ごとに異なるが、根底には「顧客のニーズを実現する」という思想が欠かせない。

「飲料」という商品で「すぐに喉の渇きを癒やしたい」と思っている顧客がいたら、そのニーズをいかにすばやく充足することができるかがチャネルに求められる価値だ。

例えばある飲料がスーパーマーケットでしか売られていなかったとしたら、レジの長い列に並んで買うしかなくなり、ニーズに対応できないことになる。故に、買い置きを前提とした2リットルの大型ペットボトル入りならともかく、すぐ飲むことを前提とした５００㎖以下の容量の飲料は「いつでも開いているコンビニ」や、「どこにでもある自販機」がメインのチャネルとなっているのである。

「注文住宅」という商品の場合、建て売り住宅ではなく、注文住宅であるからには、施主には「自分の思い通りにこだわって家を建てたい」という顕在的なニーズがあるはずだ。

例えば土地は持っているが、非常に狭小で、しかも変形地であれば、専用の設計をしなければ家は建たない。そんなケースでチャネルに求めるのは、高度なカスタマイズ性、「適合」である。多くの注文住宅メーカーがメーカー直販・ゼロ段階チャネルなのは、「情報流」の妨げにならないよう、顧客とメーカーの間にチャネルを介在させず、柔軟・正確な対応を可能にしているためなのである。

▼「価値」を流通させるのがチャネル

顧客ニーズに従ったチャネルの設計という考え方をもう少し深めてみよう。

「マーケティングとは、売り手と買い手の〝価値の交換活動〟である」と2

チャネルの設計と提供価値

清涼飲料

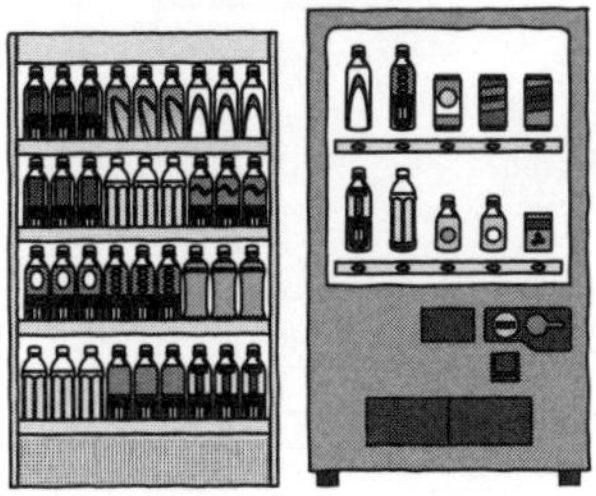

顧客のニーズ
||
喉の渇きをすぐに癒やしたい

チャネルの提供価値
||
商品との高い接触頻度

チャネル形態
||
いつでも開いているコンビニ・
どこにでもある自動販売機

注文住宅

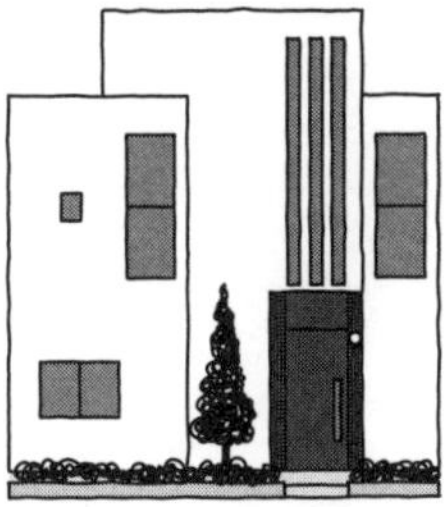

顧客のニーズ
||
自分の希望通りの家を建てたい

チャネルの提供価値
||
要望・条件に合わせた
高いカスタマイズ性

チャネル形態
||
要望をきちんと聞き取って
調整できるメーカー直販体制

項で述べた。その意味からすると、チャネルは売り手と買い手の価値を結びつける重要な機能を担っていると言える。そして、商品・サービスの提供者（メーカー）から買い手（消費者）まで流れるしくみを最適化するのが本来のチャネルの姿なのである。

近年はインターネットの普及によってメーカーと消費者を容易に結びつけることができ、チャネルを「中抜き」することも可能になっている。多くのメーカーはチャネルの反発を恐れて今のところ積極的に乗り出してはいないが、この流れは加速こそすれ、止められない。すでに健康食品などはメーカー直販がさかんだ。そこでチャネルは単にモノとカネの通り道としてのみ存在するのではなく、情報なり、独自の付加価値をメーカーと消費者に提供することが求められている。

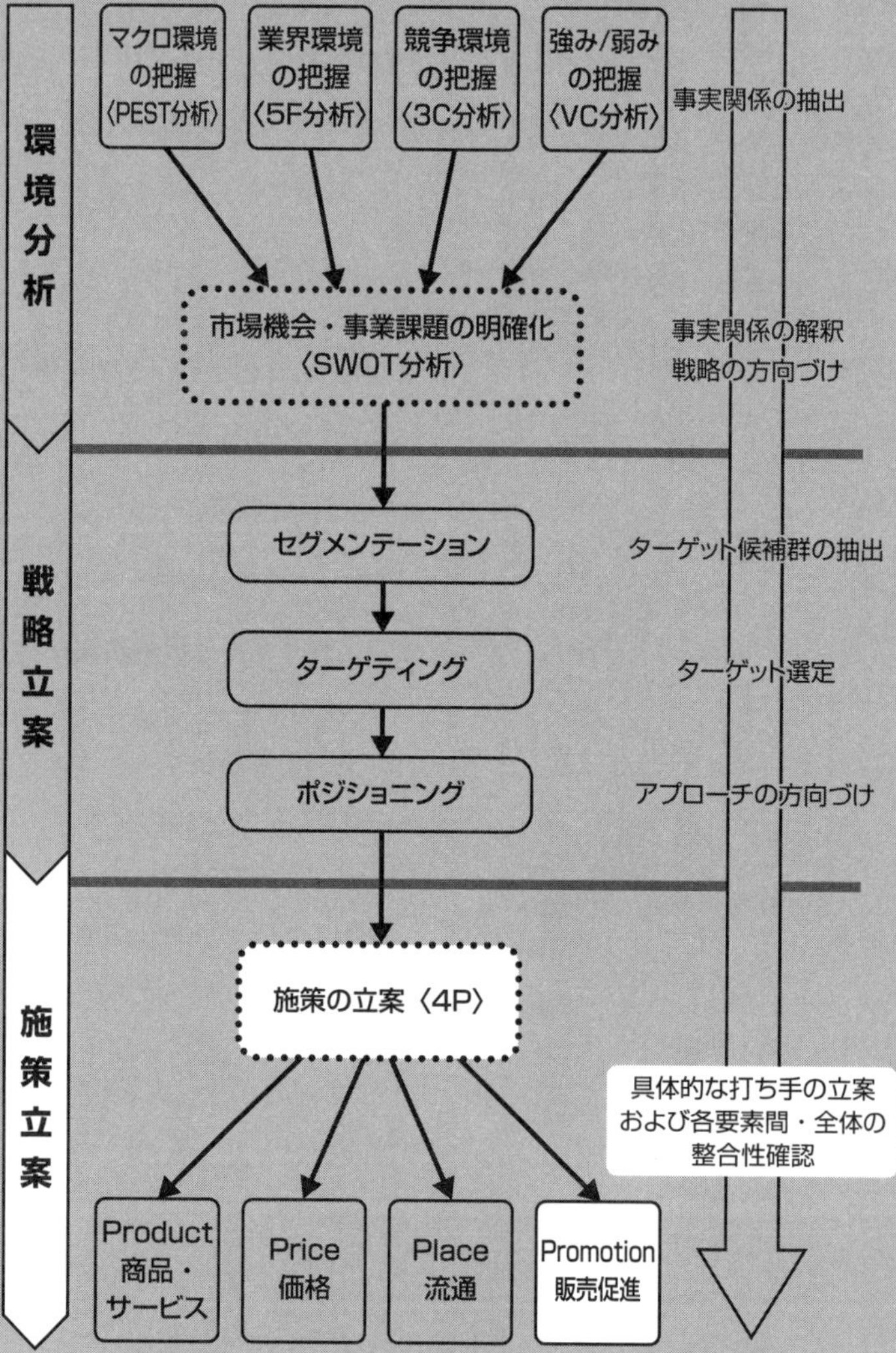

コミュニケーションは「知らせる」だけではなく、購入に向けて行動させることが必要。各種フレームワークで戦略を練る。

第9章

コミュニケーション戦略

section

87 バタフライチャートで全体観をつかむ
88 広告の目的とメディア特性の最適化
89 販促施策の種類と期待効果
90 広報の役割と期待効果
91 人的販売の役割と期待効果
92 「態度変容モデル」の概論
93 AIDMAモデル
94 AMTULモデル
95 AISASモデル
96 SNSの普及で提唱された態度変容モデル「VISAS」「URSSAS」
97 MOTから派生したZMOT
98 ZMOT以前の考え方と最新のTMOT
99 カスタマージャーニーマップと作成の留意点

コミュニケーション戦略の全体像

section 87

バタフライチャートで全体観をつかむ

目的に応じたプロセスとメディア選択。データ活用がキモ

まず、左図を見ていただきたい。中央に蝶が羽を広げたような形があることから「バタフライチャート」と呼ばれる、特にダイレクトマーケティングに携わるマーケターにはおなじみのチャートである。これをアタマに入れておくとコミュニケーション全体の設計がしやすくなる。

▼新規顧客獲得と顧客維持

コミュニケーションの目的は新規顧客の獲得と顧客維持に分けられる。不動産や自動車など購入頻度が低い商材は顧客獲得に重きが置かれ、後述する「態度変容モデル」でもＡＩＤＭＡなどが基本となる。一方、通信販売や継続利用、反復購入をしてもらわねば利益が出ない多くのビジネスにおいて、顧客維持は極めて重要だ。ダイレクトマーケティングのセオリーとして「新規顧客獲得費用は、既存顧客維持の5倍必要となる」と言われる。顧客を維持し、優良顧客化することを視野に入れねば、穴の空いたバケツで水をすくおうとするようなものだ。

▼メディアミックスで新規獲得

「売上＝客数×客単価」であるので、まずは客数を増やさねばならない。そのために、次項から解説する各種のメディア・手法を用いアプローチして初回購入を促し、新規顧客を獲得する。

▼顧客データの活用

デジタルの時代になり、特に顧客データの重要性が増した。顧客データを取得・フォローして再購入を促すにはコストがかかるため、低価格商品は新規獲得の繰り返しに終始していたが、インターネットの普及でアプローチが低廉化した。顧客データだけでなく、Ｗｅｂ上の行動履歴の取得活用も可能になった。それを分析し、効率的な展開ノウハウの蓄積も可能になる。

▼優良顧客化を考える

いわゆる「顧客生涯価値」を高めるため、顧客データを用いたアプローチも欠かすことはできない。「パレートの法則」では、2割の優良顧客が8割の利益をもたらしているとされている。

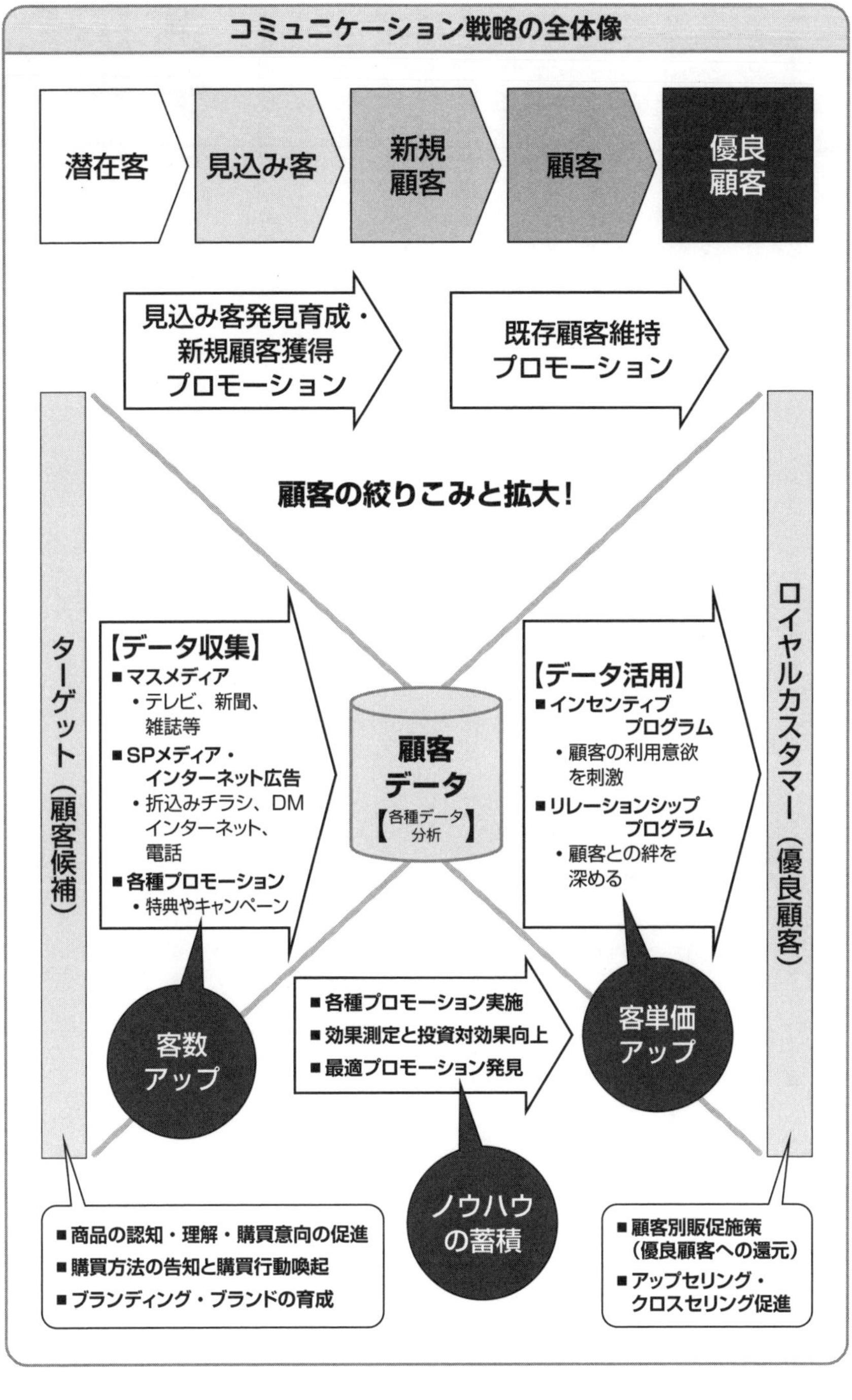

コミュニケーション戦略の全体像
潜在客
見込み客
新規顧客
顧客
優良顧客
見込み客発見育成・新規顧客獲得プロモーション
既存顧客維持プロモーション
顧客の絞りこみと拡大！
ターゲット（顧客候補）
ロイヤルカスタマー（優良顧客）
【データ収集】
■マスメディア
・テレビ、新聞、雑誌等
■SPメディア・インターネット広告
・折込みチラシ、DM インターネット、電話
■各種プロモーション
・特典やキャンペーン
顧客データ
【各種データ分析】
【データ活用】
■インセンティブプログラム
・顧客の利用意欲を刺激
■リレーションシッププログラム
・顧客との絆を深める
客数アップ
客単価アップ
■各種プロモーション実施
■効果測定と投資対効果向上
■最適プロモーション発見
ノウハウの蓄積
■商品の認知・理解・購買意向の促進
■購買方法の告知と購買行動喚起
■ブランディング・ブランドの育成
■顧客別販促施策（優良顧客への還元）
■アップセリング・クロスセリング促進

section 88

広告の目的とメディア特性の最適化

✓広告媒体はどうやって選ぶのか？

認知度／理解度、幅広いリーチ／ターゲットへの到達――目的でメディアを選択する

広告には様々な手法があるが、広告本来の意味は読んで字のごとく、広く世間に告げ知らせることである。

▼広告の特徴と目的

広告とは、企業が制作費を払ってCMや新聞などの広告を制作、媒体掲載料を支払って展開するものだ。企業が自らの費用で行うため、メッセージ内容や表現は自由に設定できるし、費用の許す限り、何度でも繰り返すことができる。そうして消費者にイメージ形成、商品を認知・理解させ、購入を喚起することを目的としている。

▼認知か理解かの役割分担

テレビCM、ラジオ広告などの電波媒体は特に、世間の人に幅広くリーチ（到達）し、認知を獲得することが目的だ。テレビCMなら15秒、30秒と非常に短時間でメッセージを発信し、消費者の手元には何も残らない。それ故、AIDMAならAttentionが限界である。活字媒体である新聞・雑誌は、電波媒体の後を引き継ぎ、理解を深めさせる役割を担う。じっくり読ませることができるだけでなく、手元に残るため必要があれば何回も見直せる。Interest～Desireまでを目標にする。

屋外広告の一種である交通広告も、電車やバスに乗っている間という比較的長い接触時間を確保できるため、ひと目見られるだけの認知目的の屋外看板よりも、メッセージ量を増やして、理解を深めさせる機能を担う。

▼ターゲットを広くとるか、絞るのか

上記の認知・理解とは別の観点として、ターゲットを幅広くとるのか、絞るのかも媒体の選択基準となる。テレビCMには特定の番組をスポンサーが提供する「タイム広告」と、主に前番組と次番組の間にある切り替え時間や、番組内容と関わりなく特定時間に広告を流す「スポット広告」がある。

前者は、その番組の視聴者を明確にターゲットとして絞り込んだ展開で、後者は条件に該当した広告枠に、ターゲットを厳密に設定することなく、大量に広告を流して広くあまねく認知を

広告の目的とメディア特性

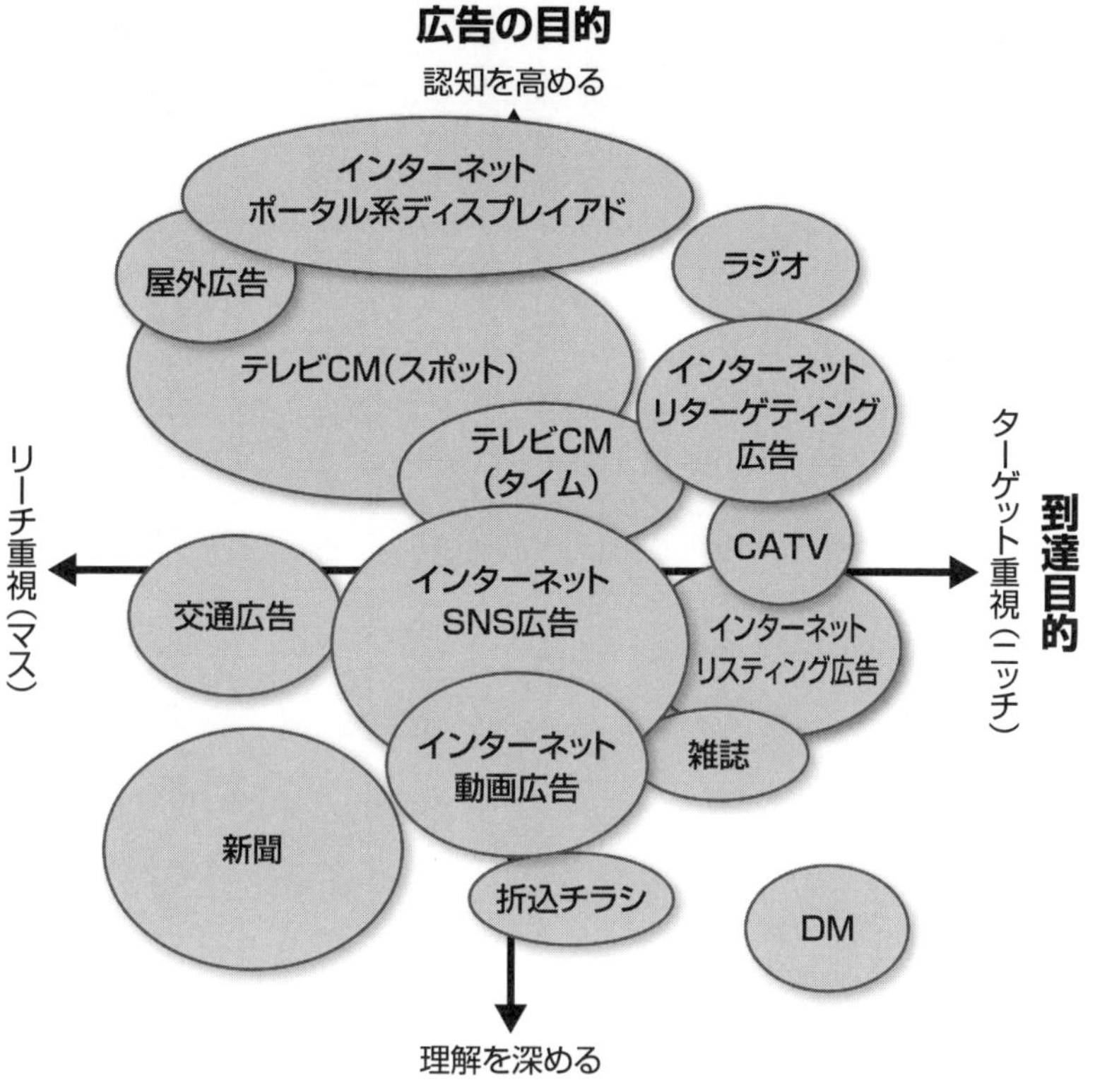

広める目的で行われる。

ラジオは局ごとにリスナー層に特徴がありターゲットが絞れる。活字媒体でも雑誌は読者層が明確なので絞り込んだターゲティングが可能。両メディアはある意味ではニッチメディアだとも言える。

▼ダイレクトメディア冬の時代の展開

特定個人に絞り込んだメッセージを送り届けるには、かつてはＤＭ（ダイレクトメール）が多用されていたが、自社顧客へのアプローチはともかく、いわゆるリスト業者から名簿を買って送付することは個人情報保護法施行以来、もはやタブーだ。展開方法としては、カード会社や通販会社とタイアップして、その顧客中から購買傾向や属性でターゲットに近い層に向けて発送代行をしてもらうなどの手段がある。

section 89

販促施策の種類と期待効果

✓販売促進は誰から誰に向けてやればいいのか？

コミュニケーションプロセスを明確に設計する

販売促進は、主にコミュニケーション手段の補完と促進のために用いられる手法だ。その目的と方法は広範にわたるが、誰が誰に向けて、どのような効果を期待して展開しているのかを分類すると理解しやすい。

▼コンシューマープロモーション

ひとつ目は、メーカーが消費者に向けて行うパターン。目的は商品の認知や興味喚起、試用や購買の動機づけとＡＩＤＭＡのAttention～Actionにまで広がる。例えば、誰でも応募できる「オープンキャンペーン」で商品を認知させ、興味を喚起する。デモンストレーションや製品モニターやサンプリングなどで商品に接触させ、購買欲求を喚起する。商品購入者だけが応募できる「マストバイキャンペーン」や、商品に景品がモレなくついている「ベタつけ」、商品が割安で購入できるクーポンや、商品そのものが増量されているプレミアムパックなどは具体的な購買行動を引き出すものである。

▼インストアプロモーション

２つ目は、流通業者（チャネル）が店頭で消費者に向けて展開するパターン。目的は店頭での購入を喚起するものに限られる。デモンストレーションによる推奨販売、商品を目立たせるＰＯＰ、めの表示や展示台を設置するための表示や展示台を設置する店頭商品を大量に陳列して目立たせる店頭大量陳列、複数の商品を組み合わせて展示するクロスマーチャンダイジングなどがある。

▼チャネルプロモーション

３つ目は、メーカーが卸や小売りなどの流通関係者（チャネル）に対して行うパターン。目的は流通関係者の商品認知・理解促進と、より多く店頭に置いてもらう（配荷率向上）、より売る気になってもらう（士気高揚）などである。具体的な展開方法は、新製品発表会（トレードショー）の開催、商品の販売資料（セールスブローシャ）配布、店頭ディスプレー提案、販売実績に応じた報奨金や報奨旅行への招待などがある。

販売促進（セールスプロモーション）のメリット・デメリット

	メリット	デメリット
値引き	すぐに売上増加効果が現れる	ブランドイメージの低下を招く 常態化すると効果が低減する 利益低下による収益の圧迫
クーポン	ターゲットの絞り込みができる	多用すると効果が低減
サンプル（試供品）	商品の特徴を実感してもらえる	試供品の製作コストがかかる
プレミアム（景品）	景品に魅力を感じる消費者の購買を誘う	景品の製作コストがかかる
POP広告	消費者の目を引くことができる 見ただけではわからない商品のよさやこだわりなどの情報を伝達できる	作成の手間がかかる
特別陳列・大量陳列	インパクトやボリュームで消費者の目を引くことができる	陳列、商品補充に手間がかかる
実演販売	消費者の目の前で実演することで商品の機能や性能をアピールできる	専門スタッフの配置が必要
懸賞	クローズド懸賞の場合には、商品の継続購入が期待できる オープン懸賞の場合には、商品や企業名の認知度の向上につながる	インパクトが小さいとよい反応が得られないこともある

section 90

広報の基本とは?

広報の役割と期待効果

広報をおろそかにしないことがコミュニケーション戦略の効果を高める

広報は字義としては「広く知らせること」であり、広告と似た意味を持つが、その本質は大きく異なる。

▼**広報の特徴と目的**

広報の基本はプレスリリースや記者発表、トレードショーへの出展などを通じてメディアに取り上げさせ、記事として発信してもらうことにある。

広告は自社がコストをかけ、何度でも自由に好きなメッセージを発信することができる反面、メッセージを受け取る消費者はあくまでも「メーカーの主張」と捉える。しかし広報は第三者、特に公共性のあるメディアを通じてそのメディアの言葉で発信されるため、広告を補完して説得力が高まる。

昨今、企業側の発信である広告や、企業側の売り手としての販売員からの説明・推奨を忌避する消費者も少なからず存在するため、そうした層へのアプローチ方法としては有効である。

残念ながら日本では広報が重視されておらず、予算も低く設定されているが、欧米では広告と双璧をなすものとして重視されている。だが日本でもインターネット、SNSの普及で重要性は増している。

▼**広報の種類と期待効果**

広報の対象は、商品を購入してほしい消費者だけではない。企業を取り巻くステークホルダー（利害関係者）全般が対象となる。金銭的な利害関係のある顧客・取引先・株主だけでなく、地域住民や自社の社員までが含まれ、良好な関係維持が大きな使命だ。

①マスコミへのパブリシティ

前述の通り、広報の最も基本的な展開は、企業が商品や取り組みについての情報をマスコミに取り上げて記事にしてもらうために発信することである。そのために、プレスリリース原稿の配信や記者会見などの活動を行う。

②PRイベントの開催

イベントの開催には2つの側面がある。ひとつは話題性のあるイベントを開催してマスメディアに取り上げてもらうことで、上記のパブリシティ効果

広告とパブリシティの違い

	広告	パブリシティ
掲載料金	有料	無料
掲載可否の基準	広告料金を払えば、誰でも可能	掲載可否を判断するのは、マスコミ媒体
原稿の事前確認	可能	原則、不可

を生み出す。

もうひとつはイベントによって企業姿勢を示し、参加者と優良な関係を構築しようとするものである。

③スポンサード

イベントの主催ではなく、協賛という形でスポンサードをすることも広報の一環である。企業内に運動部を持って選手育成をするのもその一環であると言える。スポンサードは継続的で地道な貢献が求められ、一過性のものとして簡単にスポンサーを離れれば逆効果だ。

例えば「ミキハウス」は柔道、アーティスティックスイミング、卓球、アーチェリー、テニス、バトントワリングなど、比較的マイナーなスポーツにスポットを当て、選手を育成してきた。それが結実し、選手が日本代表として世界の舞台で活躍するようになり、同社の貢献も認知されるようになった。

section 91

✓人的販売の基本とは？

人的販売の役割と期待効果

いつ、どのように動けば効果的かを設計する

人的販売とは、販売員や営業担当者が顧客と相対して商品を説明・説得し、販売することを言う。販売を目的として行われるデモンストレーション（実演販売）なども含まれる。

▼人的販売の特徴

マス広告の媒体費は1媒体当たりの単価が総じて高いので、それと比べると営業担当者の人件費は安く見える。しかし、担当者1人が応対できる数には限界があるため、1人の担当者が何人の顧客に接客できるかというコスト＝到達コストで比較すると、ターゲット1人当たりにかかるコストはマスとは比較にならないくらい高くつくはずだ（これは、自社の固定給の社員が動いている、見えないコスト＝sunk cost：埋没費用なので注意が必要だ）。

そのため、AIDMAの後半、購入の欲求を高めるあたりからが人的販売の主要な領域になる。ターゲットに購買欲求が芽生えていなければ説明・説得の効果が低く、足を止めさせることも難しい。故にAIDMAの前半で人的販売を投入することは得策ではない。

▼求められる機能と効果

消費者と対面でコミュニケーションをとる人的販売なら、商品の特徴や使用方法を、相手の理解に応じて詳細に説明することができる。それだけでなく、購買に対する何らかのネガティブな要素、「購買棄却理由」を把握して、それに対する説得もできる。

また、売ることだけが人的販売に求められる機能ではない。商品に対する意見や要望、または疑問といった「生の声」を顧客から引き出し、社内にフィードバックするのも重要な役割である。顧客の生の声はVOC（Voice Of Customer）と呼ばれ、新製品開発や商品・サービス改良、顧客に対する次の提案立案に欠かせない情報だ。

昨今のインターネットの普及によって、VOCを収集できる顧客コンタクトポイントは数多くなったが、販売時点が顧客の声を収集する最も重要なポ

人的販売の役割

商品説明、問題解決・提案、重点商品の販売、条件の交渉、企業イメージの構築、顧客の声の収集、リレーションシップの構築

イントのひとつであることに変わりはない。そのため、営業担当者には一方的な売込みのトークだけでなく、顧客から意見や反応を引き出すコミュニケーションスキルも求められる。

また、販売現場に競合商品がある場合や競合が顧客にアプローチをしている場合、競合の動きを把握することも重要だ。

▼適切なターゲットの見極めが重要

人的販売を担う担当者には、見込み客判定機能も求められる。なぜなら、一人ひとりの担当者が対応し得る数には限りがあり、効率的に行わなくては、いくら予算があっても足りなくなってしまうため、どこまで応対・接客を掘り下げるかを考えなくてはならない。それ故、マーケティングの基本でもある「ニーズの把握と掘り下げ」がキッチリできるスキルは欠かせない。

section 92

「態度変容モデル」の概論

✓刺激を与え続けて途中で止まらせない！

顧客の心と行動を考える

顧客候補に商品・サービスを購入してもらうには、どのような心理的な変容と行動の変化を経て購入に至るのかというプロセスを理解しておくことが欠かせない。また、一度購入したきりではなく、反復購入させロイヤル顧客に育成し、商品・サービスの情報を「拡散」してくれるという行動にも期待したい。

そこで、以降98項まで、「態度変容モデル」について解説する。

▼態度変容モデルとは

態度変容モデル（または、購買行動モデル、消費者行動モデルとも呼ばれる）とは、顧客候補が商品・サービスをまったく知らない段階から、知った後どのような段階を経て行動するのかをモデル化したものである。見込み客・顧客を合わせ、顧客候補の行動モデルを理解することができれば、どのような心理的な状態や行動を起こす段階で、どのように働きかければいいかを考えることができる。自社にとって望ましい行動を促進することが可能になる。逆にそれがわかっていなければ、「打ち手」が逆効果になり得る。

▼態度変容モデルの効用

例えば、まず、ＢtoＣの食品や日用品などの商材をイメージしていただきたい。消費者が新商品をまったく知らない段階において、流通の店頭で「特別値引きキャンペーン」などを展開すると、「これは格安商品なんだな」というブランドイメージが形成され、ブランド価値の毀損になってしまう。同じ「値引き」という手段を使うなら、消費者がその商品を認知し、その特性を理解して、「よさそうだから、今度試してみよう」と購買欲求が発生し、記憶に残っている段階で展開すべきである。実際には消費者が「よさそうだから、今度試してみよう」と思っていても、店頭に足を運びその商品を目にした時には、隣に競合商品も置いてある。また、店頭で価格を確認すると、「よさそうだけど、ちょっと割高かな？」と思うかもしれない。そんな

顧客の認知状況による反応の例

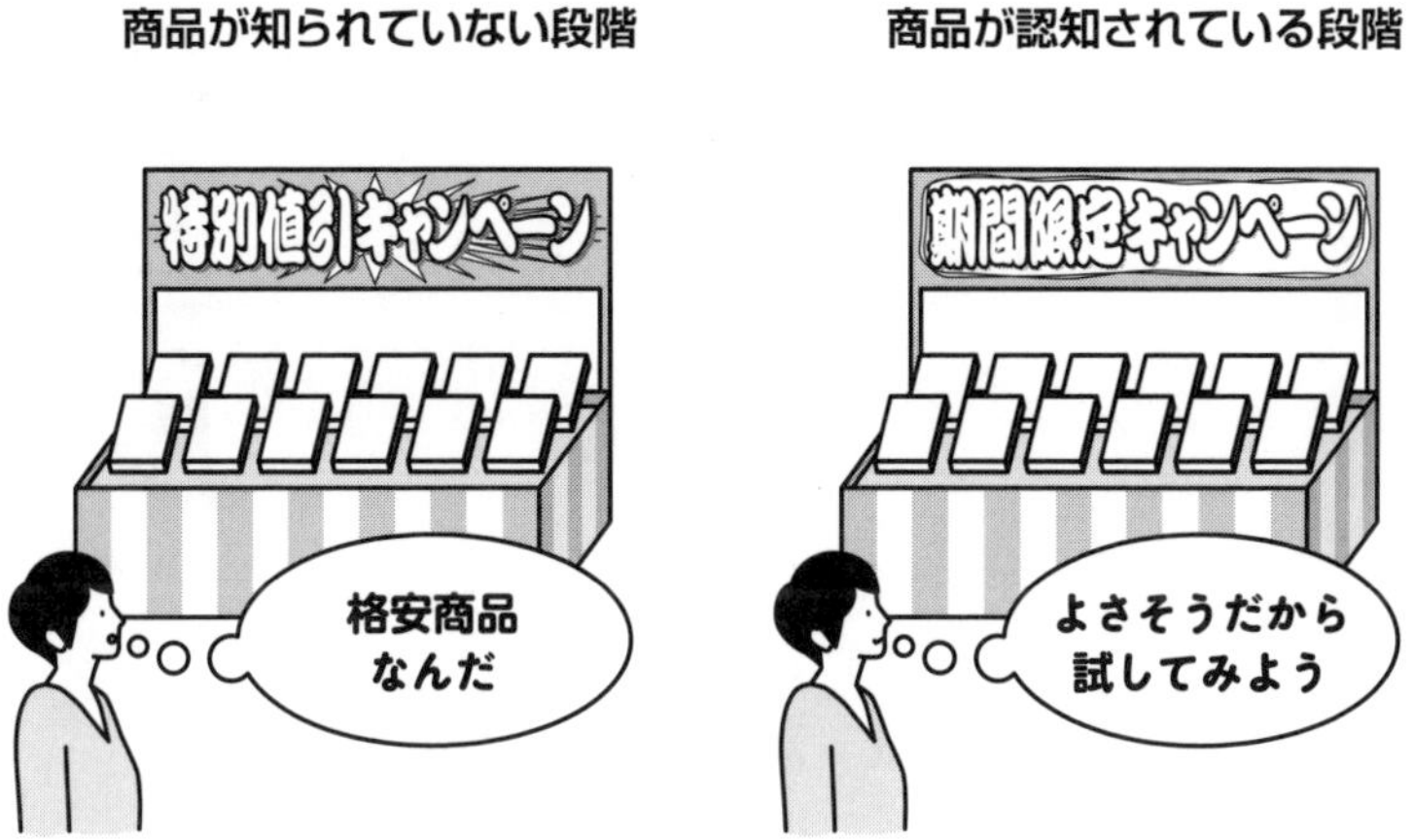

時、「いつものでいいや！」とか、「やっぱりやめた！」とならないよう、購買に踏み切らせる背中の最後の一押しとして「新登場・期間（または数量）限定特別価格」としておけば、最後のハードルを越えさせ、「試し買い」させることも可能だ。「新登場」という特別価格の理由や、数量や期間の限定とすれば、通常売価に影響もない。

▼時代とメディアの変化にも注意

態度変容モデルは、時代背景や顧客候補に働きかけるメディアの変化に影響を受ける。特にインターネットの発展とＳＮＳの普及によって消費者の行動が多様化しているため、モデルも様々なものが登場している。そこで、以降、古典的な購買行動モデルからＳＮＳを反映した最新のものまでを網羅し、特徴や活用法について解説する。共通する要諦は、「いかに途中で止まらずに先に進ませるか」である。

section 93

AIDMAモデル

✓顧客はどのように購入に至るのか？

最もスタンダードな態度変容モデルの基本

▼最初の態度変容モデル・AIDA

ＡＩＤＡは、マーケティングの入門書に必ず載っている「スタンダード中のスタンダード」だ。実は消費者行動モデルの原点は、１８９８年にエルモ・ルイスが提唱したＡＩＤだと言われている。そして、彼自身が１９００年にさらに改良し、ＡＩＤＡ（アイダ）を発表した。ＡＩＤＡとは、Attention・Interest・Desire・Actionの頭文字で、広告を見ることで商品を知り（Attention：注意）、広告を見て興味を引かれ（Interest：興味）、欲しいと思い（Desire：欲求）、実際に商品を買おうと行動を起こす（Action：行動）というモデルである。

▼AIDMAモデルの誕生

しかし、「欲しい」と思っても、「今度の休みの日に買いに行こう」とか、「今度給料が出たら」などと、すぐに行動を起こさない場合も多い。それを考慮して「その時が来るまで忘れないでいてもらう（Memory：記憶）」を加えて、１９２４年にサミュエル・ローランド・ホールが発表したのがＡＩＤＭＡ（アイドマ＝Attention・Interest・Desire・Memory・Action）である。

ＡＩＤＭＡのAttention・Interestは「認知・興味」の段階で、「いかに消費者の注意を引きつけて、興味を喚起するか」という、マス広告が得意な部分である。Desire・Memoryは「広告で商品を見て興味を示したモノ・サービスに対し、さらに理解させ欲求を喚起し、欲しいと思った感情を記憶にとどめておく」という理性・感情に働きかけることが必要になる。同じマス広告でも、Ａ・Ｉはテレビ・ラジオなどの電波媒体、Ｄ・Ｍはじっくり手元で見て読ませる新聞・雑誌などの紙媒体の役割だとされている。そして、最後のＡは、確実に購買行動（Action）を取らせるために、先にチラシや店頭販促などで、購買させるための背中の最後の一押しをするということだ。

新型車発売におけるAIDMAの設計例

	A	I	D	M	A
広告	・TV-CM ・ポータルサイトトップページバナー	・SNS広告 ・検索キーワード連動広告	・自社サイトキャンペーンページのコンテンツ	・Eメールによるフォロー	
広報	・ニュースリリース（新製品情報）				
販売促進			・来店プレゼント ・試乗プレゼント	・DMによるフォロー	・オプション装備クーポン ・低金利ローンの提供
人的販売			・販売店での試乗	・電話フォロー	・商談 ・値引き交渉

▼今日でも使えるスタンダード

マス広告を前提としているあたりが古典的ではあるが、消費者の「認知・興味」を引きつけ、「理性・感情」に訴えかけ、最終的に「行動」を引き出すという流れは合理的であり、頭の中を整理しやすいため、今日でもメディアをマス媒体だけで考えないようにして、このＡＩＤＭＡを用いる場合が多い。実務における具体的な活用方法としては、一度、ＡＩＤＭＡで消費者行動を整理してみて、より自社の商材や課題、ターゲットに合ったモデルに置き換えていくという使い方が最も有効であると言えよう。その意味で、古典と言うよりもスタンダードとして実は大事なのだ。

AMTULモデル

✓連続購入の態度変容モデルとは?

試用と反復購入がポイント

ＡＩＤＭＡはオーソドックスな態度変容モデルで、コミュニケーション戦略の基本だ。

しかし、３つの弱点があることに留意する必要があり、それを補えるＡＭＴＵＬ（アムトゥール＝Awareness・Memory・Trial・Usage・Loyal）というモデルも覚えておきたい。

▼試さなければわからない！

景気が悪いと、消費者は購買に慎重になる。商品が多様化すると、自分にピッタリのものが見つけられなくなる。今はそんな環境下にあるため、購買決定には「試して・納得する」という要素が欠かせなくなっている。

そのため昨今は、商品の無償配布（サンプリング）がよく行われるようになっている。Trialは「試す」ことで、ＡＩＤＭＡのInterest（興味を持つ）、Desire（欲しくなる）の役割も担っている。

サプリメントや健康食品、化粧品通販などでは、一定期間のお試し用の商品を割安で販売するケースが多い。その場合、お試し購買（Action）をしているのでＡＩＤＭＡが完結しているようだが、低価格に設定されたトライアルキットでは、５回程度の反復購入がなければトライアルユーザー獲得コストが回収できない。つまりＡＩＤＭＡはフィットしないのだ。

▼囲い込みまで設計できない

ＡＩＤＭＡは主に初回購入までを目的としており、後は消費者が習慣的に継続購入してくれる食品や日用雑貨のような商品か、クルマに代表される購買サイクルが長い商品は、買い換え時期に再度ＡＩＤＭＡでアプローチを行うことを前提としている。

故に、継続購入によってポイントが貯まったり、注文頻度が低下したら、ＤＭ・Ｅメールなどで購入を促進する。注文額や継続期間に応じたインセンティブを与えることが必要なのだ。

▼プロセス達成度の把握が難しい！

ＡＩＤＭＡは、消費者がこのような態度変容を辿るであろうと想定して設

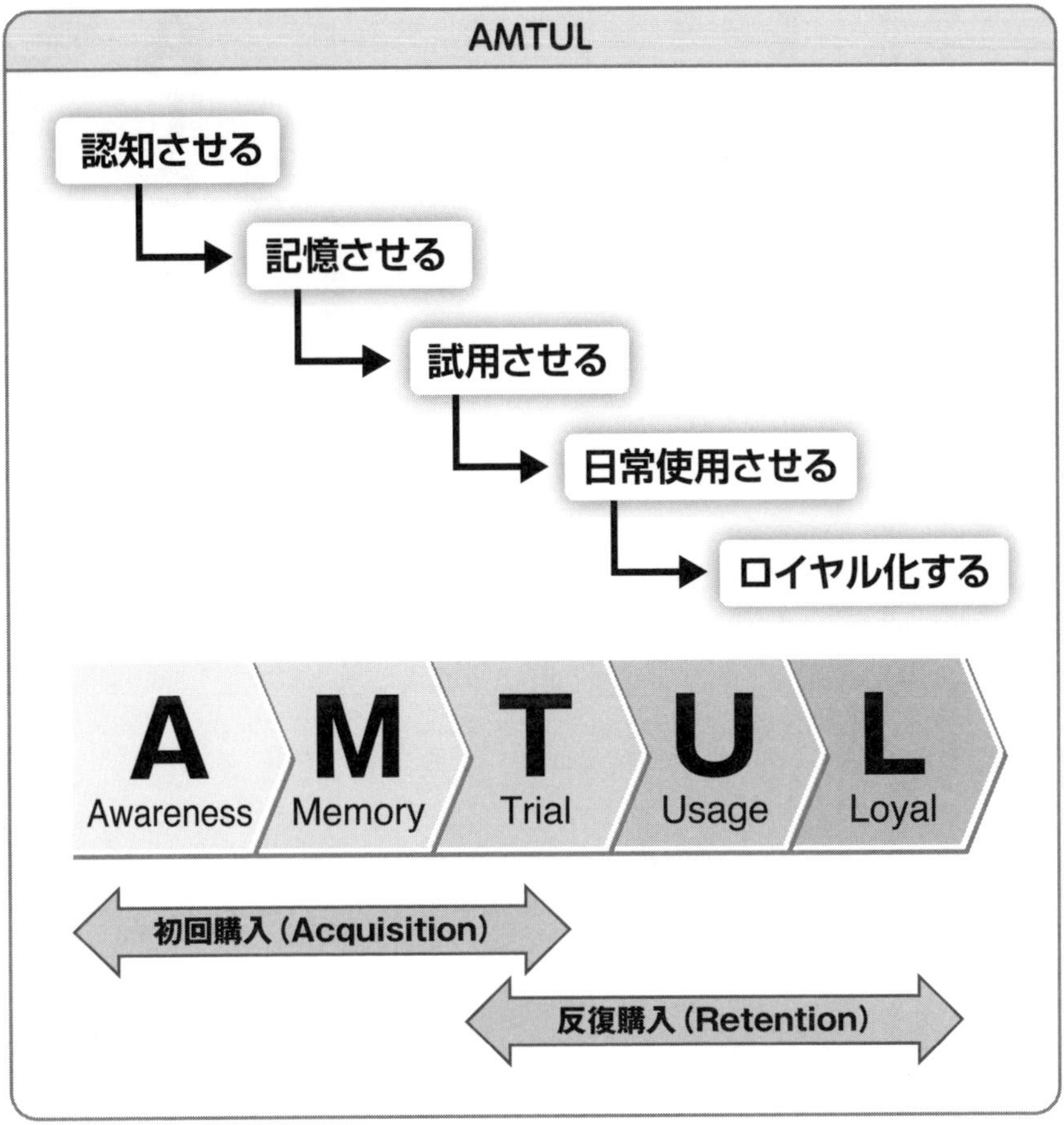

計する。しかし、消費者がどのステップで留まったのかを把握するのは難しい。必要に応じてプランを修正・変更するためには、コミュニケーション戦略の達成度合を把握し、その都度評価を行うことが重要だ。

その問題解消のためには、AMTULの項目で調査を行う。A（助成想起率）→M（純粋想起率）→T（使用経験率）→U（現在使用率）→L（継続意向率）である。

section 95

AISASモデル

✓インターネットの普及と態度変容モデルの変化①

インターネット時代の最初のモデル

「インターネット元年」は諸説あるが、2000年頃だと言われている。それから20年以上が経過して、ネットは世の中、そして生活者の行動を大きく変えてきた。当然、それに従って、新たな消費者行動モデルも求められることになった。

▼AISASモデルの誕生

インターネット時代の新しい消費者行動モデルとして広告会社最大手の電通が2004年に提唱したのが、AISAS（アイサス＝Attention：注意→Interest：興味→Search：検索→Action：購買行動→Share：共有）である。ベースとなっているのはやはり、AIDMAだ。

しかし、インターネットの普及によって、消費者は商品に興味を持ったらまずは手元のスマホで検索（Search）をするようになった。ECの普及によって、そのまま「ポチッ」と購買行動・購入（Action）し、その商品を使用したら、ECサイトのレビュー欄や、（当時は）ブログ、SNSで使用感などを共有（Share）する。そして、そのShareした内容が再び検索エンジンのSearchにヒットし、新たな見込み客を呼び込むという構造ができた。では、企業はShare→Searchの循環で広告費がかからなくなって楽になったかというと、別の課題を生むことになった。

▼AISASモデルがもたらした影

いかに検索エンジンにヒットしやすくするかというSEO（Search Engine Optimization：検索エンジン最適化）の施策を自社サイトに常に施さねばならず、また、Shareされる内容が悪評、最悪炎上など起こさないように、常にネットに目を光らせておく必要がある。製品作りや接客などでも、悪評の書き込みの元にならないように気を遣う……という苦労が発生するようになった。

しかし、悪いことばかりではない。要するに、AISASの各層の行動を意識した商品・サービス作り、マーケ

インターネットの普及と態度変容モデルの変化①

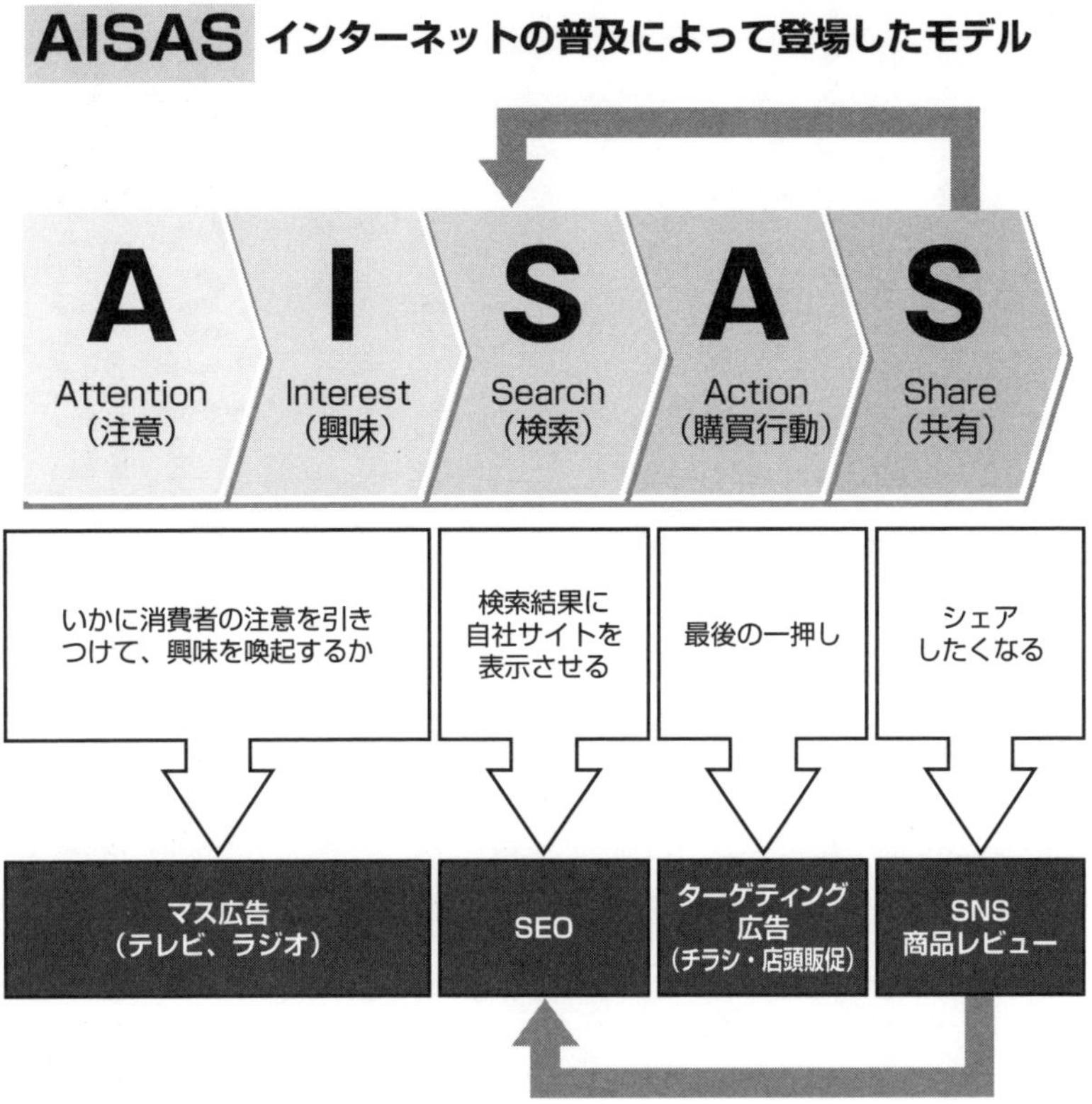

ティング、プロモーションを実施し、ターゲットとなる消費者に刺されば、企業がコストをかけて発信する広告より信頼される「よい口コミが加速度的に広がる」ことになって、ビジネスの成功にもつながる。マス的な多額の広告費がかけられない企業でも勝ち目が出てくるということなのだ。

section 96

✓インターネットの普及と態度変容モデルの変化②

SNSの普及に対応したモデル「VISAS」「URSSAS」

SNSで変わる情報取得方法

本稿執筆時点で56歳の筆者には24歳の娘がいる。ネットの使い方で決定的に違うのは、「検索」だろう。Googleにお任せな筆者に対し、娘はまず、SNSのハッシュタグを検索する。前出のAISASでも、Searchは重要な要素だが、その方法がまったく変わった。

▼VISAS（ヴィサス）

2010年にクラウドセキュリティアナリストの大元隆志氏が提唱した、おそらく初のSNSベースの態度変容モデルだ。Viral：口コミ→Influence：影響される→Sympathy：共感→Action：購買→Share：共有……である。注目すべきは、前項のAISASは、入り口はAttentionであり、注意喚起する手法は、媒体がアナログかデジタルかの違いはあれど、「広告」であった。しかし、SNS時代における入り口は「Viral：口コミ」なのだ。その口コミに影響され、共感して購買し、結果を共有するというモデルだ。また、AISASと異なり、「Search」がない。Search＝検索するということは、自発的に何かを調べたいということだ。何かを買いたいと思った時ならば、「顕在ニーズを持っている」ということに他ならない。しかし、VISASは、あくまでも「口コミ」に「影響されて」、「共感」の発生によって、顕在ニーズのなかった消費者を購買に至らしめているのである。いくら企業が広告で例えば「おいしいです！」と言っても、あまり刺さらない。しかし、SNSで友人や、フォローしている憧れの有名人が「これおいしいよ！」と言っていたら、共感→購買という行動を取るSNSユーザーは多い。それがSNSに再びアップされ、拡大再生産される。

▼ULSSAS（ウルサス）

最近ホットリンク社によって提唱され、注目されているモデルで、U＝UGC（User Generated Contents）：ユーザーによるSNS投稿→Like：いいね→Search1：検索1→Search2：検索2→Action：購買行動→Spread：

SNSの普及で提唱された態度変容モデル・「VISAS」「URSSAS」

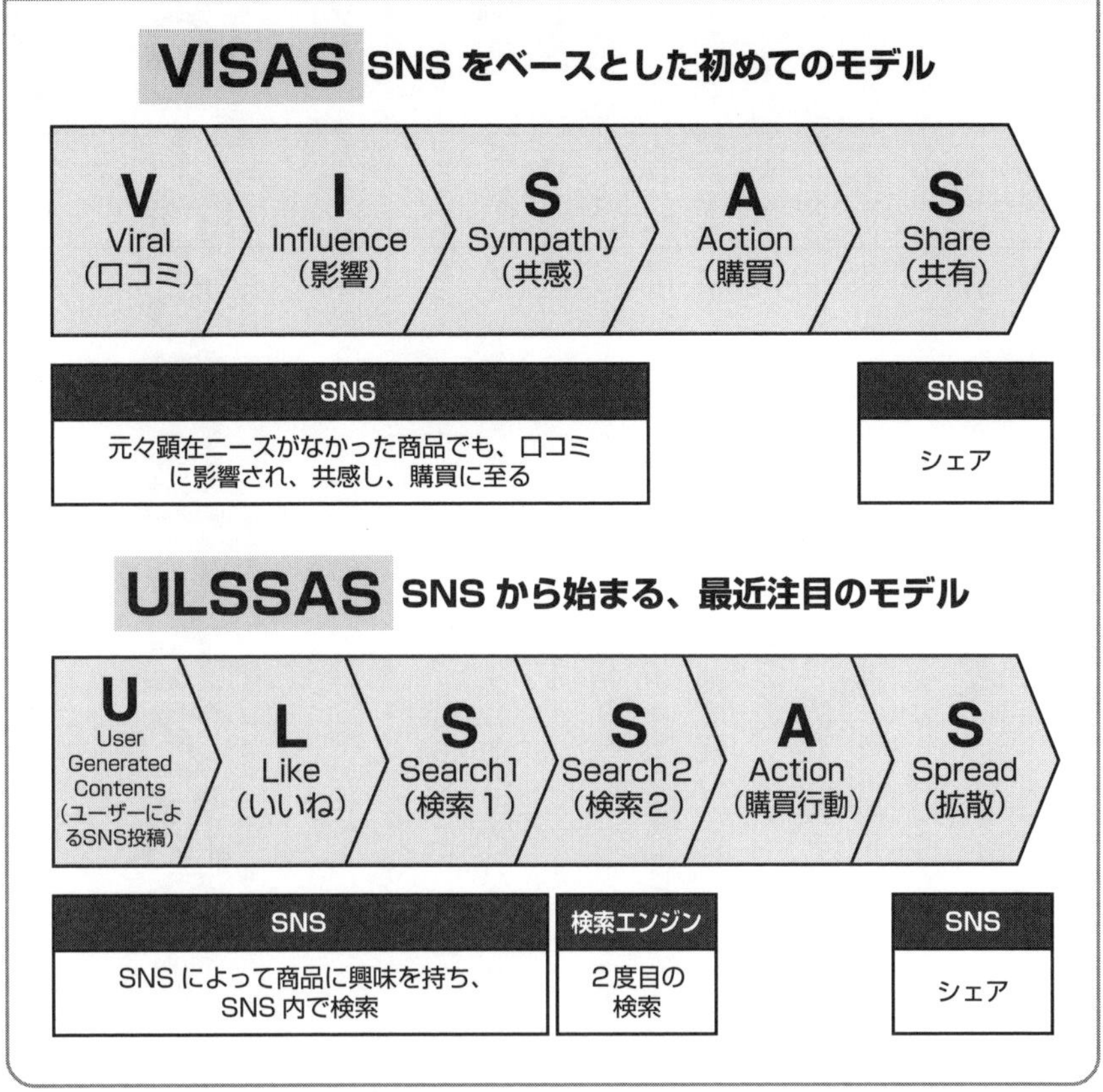

拡散である。ポイントのひとつ目は、ＶＩＳＡＳ同様、入り口が広告ではなく、「ユーザーによるＳＮＳ投稿」である点だ。投稿に対して、「いいね！」が付く。２つ目のポイントは、Search（検索）が２つあることだ。これは、筆者と娘の例と同じく、まず、ＳＮＳのハッシュタグ検索などを行う。それが、「検索１」で、その後、必要に応じてGoogleなどの検索エンジンでも「検索２」を行って、購買の意思決定をする。これは、ＶＩＳＡＳが顕在的な購買意思がない人をＳＮＳで巻き込んでいるのと同じで、「検索１」で、「買うつもりはなかったけどちょっと気になったモノ・サービス」をハッシュタグ検索し、購買意思が顕在化したら、本格的に検索エンジンで「検索２」を行って、「比較検討」の上、「購買する」ということだ。そして最後に「拡散」するのは、今時のお約束だ。

section 97

MOTから派生したZMOT

✓インターネットの普及と態度変容モデルの変化③

コロナ禍とニューノーマルを考える①

ここまで歴史的に消費者行動モデルを見てきた。結論として、「SNSの時代になって、広告より口コミやSNSの投稿に取り上げられることが大事で、それがいかに拡散されていくかが、消費者行動のカギなんだな」と思われるかもしれない。そして「広告より口コミ、SNS投稿が重要なら、広告費を大規模にかけられなくても勝ち目があるかもしれない!」とか、「いやいや、〝インフルエンサー〟とかいう、フォロアーの多い有名人やネット上の人気者にお金を払って、そのSNSに投稿してもらうという話も多いから、結局はお金の勝負だ」とか考えたりするかもしれない。しかし、そういう結論を出す前に、もっと重要な世の中の変化を考えなくてはならない。

▼コロナ禍で変わったこと

株式会社ワン・コンパスのレポートによれば、消費者の店舗での購買行動は「低頻度・短時間化」が顕著で、その傾向が定着しつつあるという。それがいわゆる、「アフターコロナ」における「ニューノーマル」になると予想できる。「予定していたものだけを購入する」という「計画購買」の傾向も顕著だ。そう考えると、もうひとつの態度変容モデルの変遷を見ていく必要がある。少し年代を遡ることになる。

▼ZMOT(ズィーモット)

ZMOTは2011年にGoogleが提唱したモデルだ。今まで紹介してきた消費者行動モデルが、消費者が経るプロセスの頭文字を取っていたのに対し、これは〝Zero Moment Of Truth〟の略称なので、若干違和感があるかもしれない。また、その言葉を直訳するのはちょっと難しいのだが、Googleは「顧客は事前に商品に関する情報収集を行っており、来店時にはすでに何を買うか決定している」という考え方だ。もちろん、「情報収集」のために、「検索して」。Googleらしい考え方だし、インターネットの普及で消費者は膨大な情報にさらされることになり、その中で「買い物で失敗したく

2011年にGoogleが提唱した「ZMOT」

MOT（Moment Of Truth：真実の瞬間）

スカンジナビア航空が顧客に提供した、15 秒間の「最高の体験」

↓

ZMOT（Zero Moment Of Truth）

2011 年に Google が提唱したモデル

顧客は事前に商品に関する情報収集を行っており、
来店時にはすでに何を買うか決定している

ない」と感じて「検索」が消費者行動の中で欠かせなくなった。「検索」は、2004年に電通が提唱したAISASにすでに取り入れられている。

▼「真実の瞬間」

しかし、このZMOTのルーツはAISASではない。もっと以前、1990年のベストセラー『真実の瞬間―SAS（スカンジナビア航空）のサービス戦略はなぜ成功したか』（ダイヤモンド社）によれば、当時のスカンジナビア航空は年間約1000人が利用しており、1人の顧客は、1回あたり平均5人の乗務員と約15秒の接点を持っていたことがわかったとある。そして同社は「15秒」という、極めて限られた時間に、競合の他の航空会社とは異なる「最高の体験」を顧客に提供できれば、明確な差別化優位が築けると考え、その15秒を「真実の瞬間（MOT：Moment-Of-Truth）」と呼んだ。

section 98

ZMOT以前の考え方と最新のTMOT

✓インターネットの普及と態度変容モデルの変化④

コロナ禍とニューノーマルを考える②

実は前項のZMOTは、直接MOTから派生したわけではない。

▼P&Gによる応用とGoogleの反論

15秒間の「最高の体験」であるMOTに対して、P&Gが2004年に自社の調査結果から「消費者は2回評価をする」という理論を発表した。「真実の瞬間」は2回存在するというのだ。ひとつ目が「顧客は店頭の棚の前に立った瞬間の3~7秒の間で製品の購入を決定する」とし、「店頭での顧客接点＝〝First Moment of Truth〟＝FMOT（エフモット）」と名付けた。

2つ目は、「顧客が家で製品を使用する瞬間、その製品を再び購入するかどうかを決めているとして、「製品を使ってもらう瞬間＝〝Second Moment of Truth〟＝SMOT（エスモット）」と名付けた。FMOTに関しては、店舗ビジネスに関わる方なら、「なんとなくそうだろうな」と思われるだろうし、SMOTはメーカーの製品開発の方が「まあ、そうだろうな」と思うだろう。それに対して、Googleが自社の立場から「顧客は店頭の3~7秒ではなく、事前に決めている」と、ZMOTをぶつけてきたわけだ。そして、「コロナ禍による買い物時間の短時間化とその定着」という事実は、一層それを促進するはずだ。

▼もうひとつのニューノーマル・SNS

ただし、「事前に決める」のは、Googleの思惑とは異なり、検索エンジンではなく、SNSが主流になってきている点は、先に紹介した通りだ。SNSが主流になると、「インフルエンサー」にお金を払ってSNSに投稿してもらうという、形を変えた広告合戦になるようにも思える。だが、主に海外で話題になってきている、「MOT」の流れをくむ理論がある。消費者がSNSに投稿する内容を企業がコントロールすることは極めて困難だ。計画性、再現性がなければマーケティングとは言えない。一方、前述の通り、いわゆる「インフルエンサー」にお金を払って投稿してもらうことは、予算次

P&Gの理論を発展させた「TMOT」

FMOT（First Moment Of Truth）

SMOT（Second Moment Of Truth）

P＆Gの「消費者は２回評価する」という理論

↓

TMOT（Third Moment Of Truth）

インフルエンサー広告を視野に入れたモデル

商品に対する顧客の熱狂度が高まり、その商品を自分の生活に欠かせないものと感じている状態

第だが計画性も再現性もある。そのインフルエンサーが自社の本当の顧客で、何度も投稿するほどのファンなら問題はないし、多額のお金を払う必要もない。しかし、お金目当ての投稿が続けば、ＳＮＳユーザーも内容の薄っぺらさに気付く。悪くすればＳＮＳ上で悪評が立つ。そうならないための答えが、“Third Moment of Truth”＝ＴＭＯＴ（ティーモット）という考え方だ。ＴＭＯＴは、「顧客がロイヤルティを高め、商品・ブランドに対する熱狂度が高まる瞬間」のこと。顧客が「自社の商品・ブランドに満足するだけでなく、それを自らの生活の中でなくてはならない存在と感じてくれる状態」であり、「共感性」を持っていることにある。「共感」というキーワードは、ＳＮＳ時代と親和性が高く、多くの顧客が自社のことをＳＮＳに拡散してくれることが期待できる。

section 99

カスタマージャーニーマップと作成の留意点

✓具体的な顧客へのアプローチを設計する

ペルソナの設定と態度変容がキモ

顧客の日常生活から、購入にいたるまでの一連の行動変容を「旅」に例えて「カスタマージャーニー」と称することが多くなっている。そして、その中での様々な出来事（各種接点での行動や心理変容）と、取るべき施策などを俯瞰的にまとめたものを「カスタマージャーニーマップ」と呼ぶ。見たほうが早いので、左図を参照されたい。

▼やはり「整合性」が重要

マーケティングの全体像における「心臓部」は、「誰に・どんな価値を示すのか？　＝ターゲティング・ポジショニング」だと述べてきた。故に、「ターゲットの明確化」は第一のキモである。そのため、マップを作る前に、48項の「ペルソナ」を作成する。そして、ポジショニングを元に4Pが設計されるが、カスタマージャーニーマップはその中のPromotionの実施計画書のようなものだ。故に、Promotion戦略全体との整合性も重要だ。「プロセス」と「顧客の行動」は、何らかのきっかけで商品・サービスを顧客が認知した時点から、購入後までの動きを、前出の各種の「態度変容モデル」を元に想定する。そこで、前出の「各種メディア」の特性を踏まえ、どのような「施策」を展開すれば、「顧客の心理変容」が起きて、望ましいゴールへ誘導できるかを考えていく。

▼作成上の留意点

カスタマージャーニーマップは、様々な顧客接点でのアプローチを設計するため、タッチポイントとなる各部門の担当者を巻き込むなり、十分なヒアリングをして作ることが肝要だ。そこまでは社内での話。もっと重要なのは「顧客視点」で、現実の顧客の行動と心理を反映して落とし込むことである。ペルソナに従って作成すると前述したが、そもそも、そのペルソナを自分の想像や妄想だけで作るのは絶対のNGであり、最低でも自分の周囲「半径5メートルのリサーチ」を実施するようにと、48項で述べた。このマップ作成時にも再び同じことをやるべきだ。

カスタマージャーニー・マップと態度変容モデル・コミュニケーション戦略

プロセス	きっかけ	調べる	実物確認	購入・拡散
顧客の行動	▶テレビで見た ▶スマホで見た	▶銘柄、価格、スペックを比較して目星をつける	▶実物を確認して最終判断	▶実物もイメージ通りだったので購入
顧客との接点	▶マスメディア ▶インターネット	▶マスメディア ▶インターネット	▶店舗	▶店舗 ▶ECサイト
顧客の心理	▶へ～！すごいのが出たんだ	▶どんなのがある? ▶いくらぐらい?	▶イメージ通りかな? ▶違ったら再検討かな?	▶いい買い物ができた ▶さっそくインスタ投稿しよ
施策	▶テレビCM ▶テレビ番組 ▶SNS	▶雑誌記事 ▶口コミサイト ▶オウンドメディア ▶カタログ	▶店員説明	▶口コミサイト ▶SNS

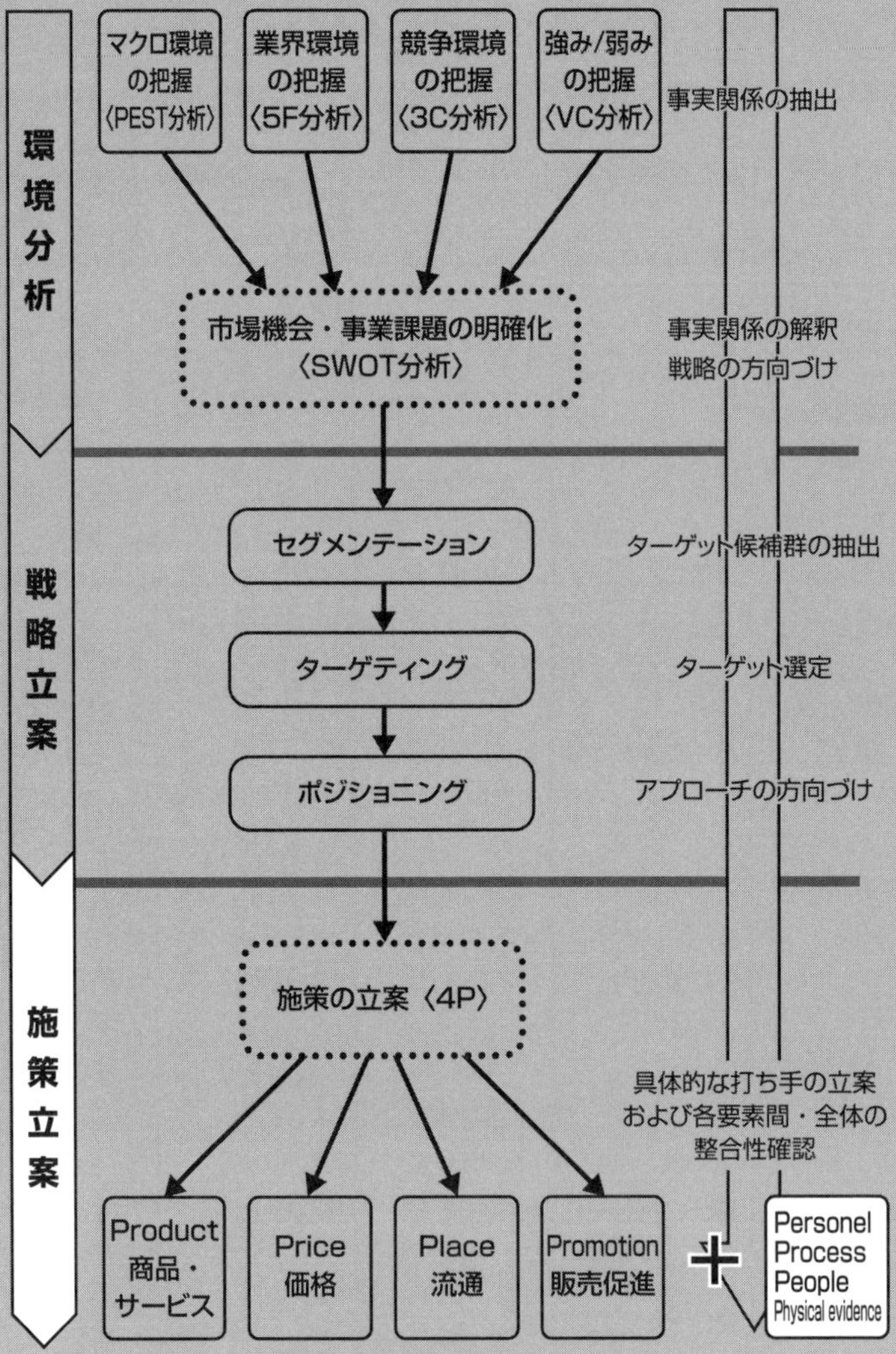

4Pを設計しただけでは、実際にはマーケティングプランを実行することはできない。その他の欠かせない要素が実在する。

第10章

社内マーケティングとサービスマネジメント

section

100 4P＋社内のP＝Personnel
101 4P＋プロセス
102 人（People）なきプロセスの弊害
103 4Pに加えて「3つのP」が必要
104 人を動かすミッションステートメントを構築する

4P＋社内のP＝Personnel

✓マーケティングの実行に欠かせないものは？①

人が動かなければマーケプランはただの絵に描いた餅

マーケティングは新製品などの「モノ」を作るための手法ではない。「売れ続けるしくみ」であり、価格決定や損益分岐の意識など「カネ」意識は欠かせない。

一方、「ヒト」の要素は忘れがちだ。流通戦略では「利害関係が絡む社外の人」への考慮が要点であるが、マーケティングプランの成否を左右する要素としては、「社内の人」も重要だ。もう一度6項の「顧客は誰か？」を読み返して欲しい。社外の人＝チャネルとの調整は厄介で、利害関係が絡む。だが、社内の人＝Personnel（社員）も、利害関係に加え感情的要素も絡んでくるので厄介さが増す。

▼社内抵抗勢力とその理由

モメる理由は一律ではないし、マーケティングに限ったことではないが、新しい製品・サービスの開発・発売においては多くの場合、現状維持という か、守旧的とも言うべき人々が抵抗勢力化する。水平的に見れば、社内に同カテゴリーの商品があるなら、その担当とは間違いなくぶつかるだろう。先行商品の売上が新製品に食われて落ちる共食い（カニバリゼーション）が発生する可能性があるからだ。

ただその場合は、自社内だけで考えるのではなく、競合商品の展開状況を見て、既存商品だけで戦った場合と新製品と共闘、または自社の主軸商品を入れ替える場合、短期・中長期で業界内での自社のポジションがどう変化するのかを見極め、最終的に何とか説得・理解させて協力を取りつけることが必要だ。

▼社内全員がマーケティングに関わる

5項で「企業内では直接・間接的に誰もが顧客に接し、マーケティングに関連している」と述べたが、それをより具体的な事例として示したのが、左図である。これは、ある私大が少子化市場での生き残りを企図して、マーケティング意識を全職員に持たせる改革を行った際に作成したものだ。原典になっているのは、マイケル・ポーター

【事例】ある大学のマーケティングを主軸とした改革

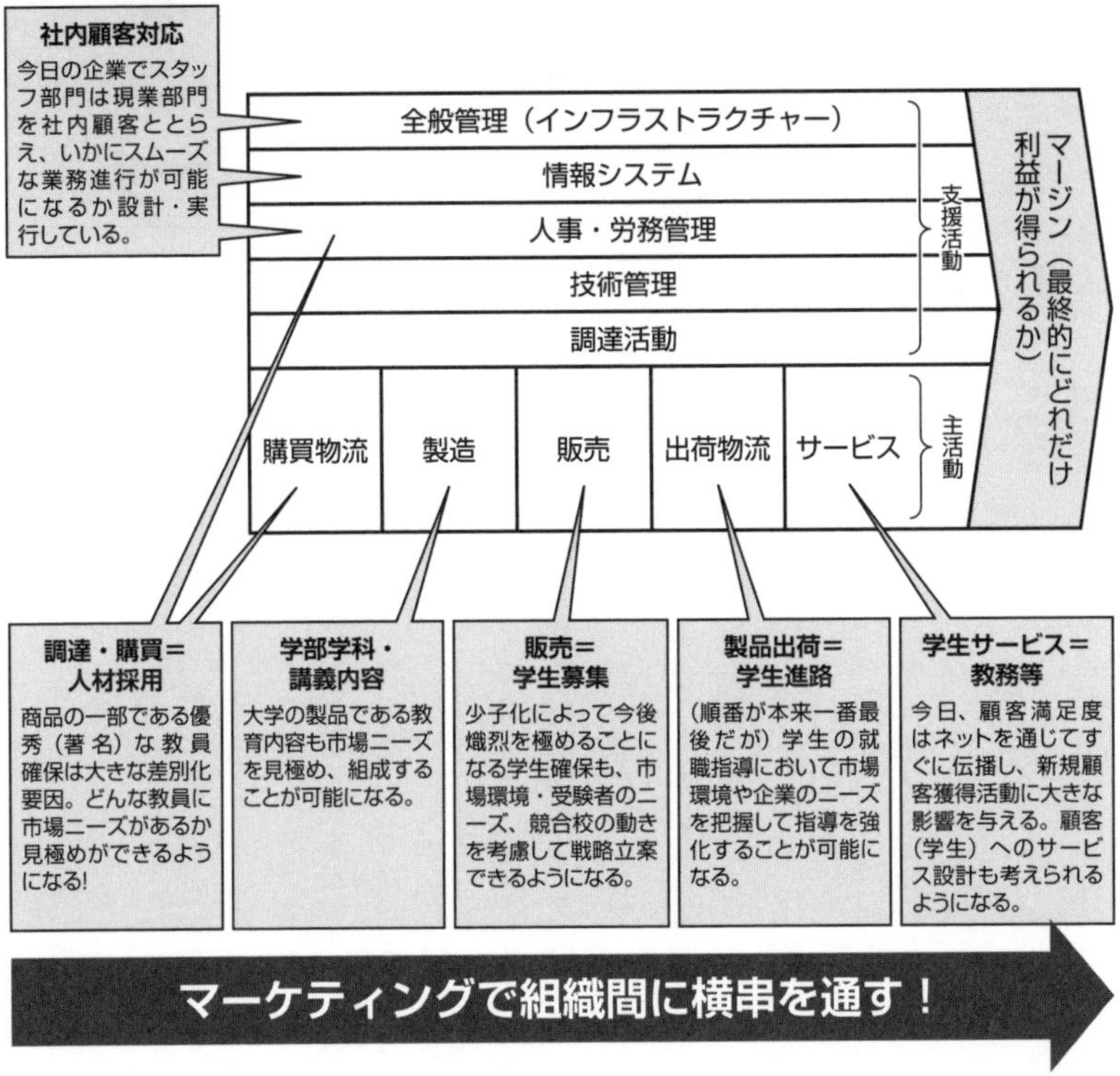

※『競争優位の戦略』マイケル・ポーター著（ダイヤモンド社）に加筆修正

の著書に示された、製造業のバリューチェーンの例だが、大学の部署・担当業務に置き換えた。すると、業種はまったく違っても、「優秀な学生を集め、より優秀な人材として輩出し続けていく」という、大学としてのいわば「売れ続けるしくみ」を全員が担っているのがわかる。

こうした意識を社内・組織全体に醸成することが解決策のひとつである。

▼説得か排除か

抵抗勢力とぶつかってプランが動かない場合は、理屈（ロジック）で説得し、数字（全社・ブランドに与える予測P／Lなど）を示し、最後は情に訴えかけ全力で説得を試み、それが無理であれば、排除する方法を考えることもやむを得ない。このバリューチェーンの図は、「みんなで一緒に協力して、生き残りを目指そう！」とロジックと情の両面に訴えかけた資料の一部なのだ。

4P＋プロセス

4Pの最適化に加え、さらにもうひとつのP＝プロセスの整備が欠かせない

前項でPersonnel（社員・要員）という「社内マーケティング」として動かすべき（もしくは排除すべき）Pの要素を紹介した。本項と次項では、4Pに加えて、対外的にさらに補うべきPを紹介しよう。

▼Process（提供手順）

4Pの要素は、顧客にどのような商品・サービスを、いくらで、どこで、どう知らしめて販売するかを設計・定義しているが、「購買の時点でどのように顧客に働きかけをするのか」が含まれていない。その提供手段や、提供のためのノウハウや方法論、マニュアルなどを規定しておくことは必須だ。

▼4Pだけでは完成しない

プロセス設計ができていないことによる問題を、事例で紹介しよう。

ある朝、喫茶店に入った。その店にはトーストのAセット、サンドイッチのBセットというように、AからEまで5種類の朝食セットがあった。さっそくサンドイッチのセットを注文する。しかし、出てきたのはホットサンドだった。そのまま食べたが、店内を見ていると筆者を含め30分の間に3件の受注ミスが発生していた。よくあるBとDとEの聞き違いなのだが、問題は少し複合的だ。写真つきのメニューを見て「Bセット」を注文する客に対し、「Dセットですね」と店員が復唱する。客は写真を見たまま、「B」と復唱されたと疑わない。この場合、メニューを「サンドイッチセット」という名前にして、客にそのまま言わせれば間違いはない。もしくは「Bのサンドイッチセットですね」と復唱するか、「こちらのBセットですね」とメニューの写真を指し示せばミスは起こらない。そこで問題はひとつの根本原因に辿り着く。それは正しい業務プロセスの設計がなされていないことである。復唱が形骸化し、単なるオウム返しになっているのは、「ミスを防ぐ」というプロセスが抜け落ちていることを意味する。また、注文を受けるという顧客との接点でミスを誘発するよう

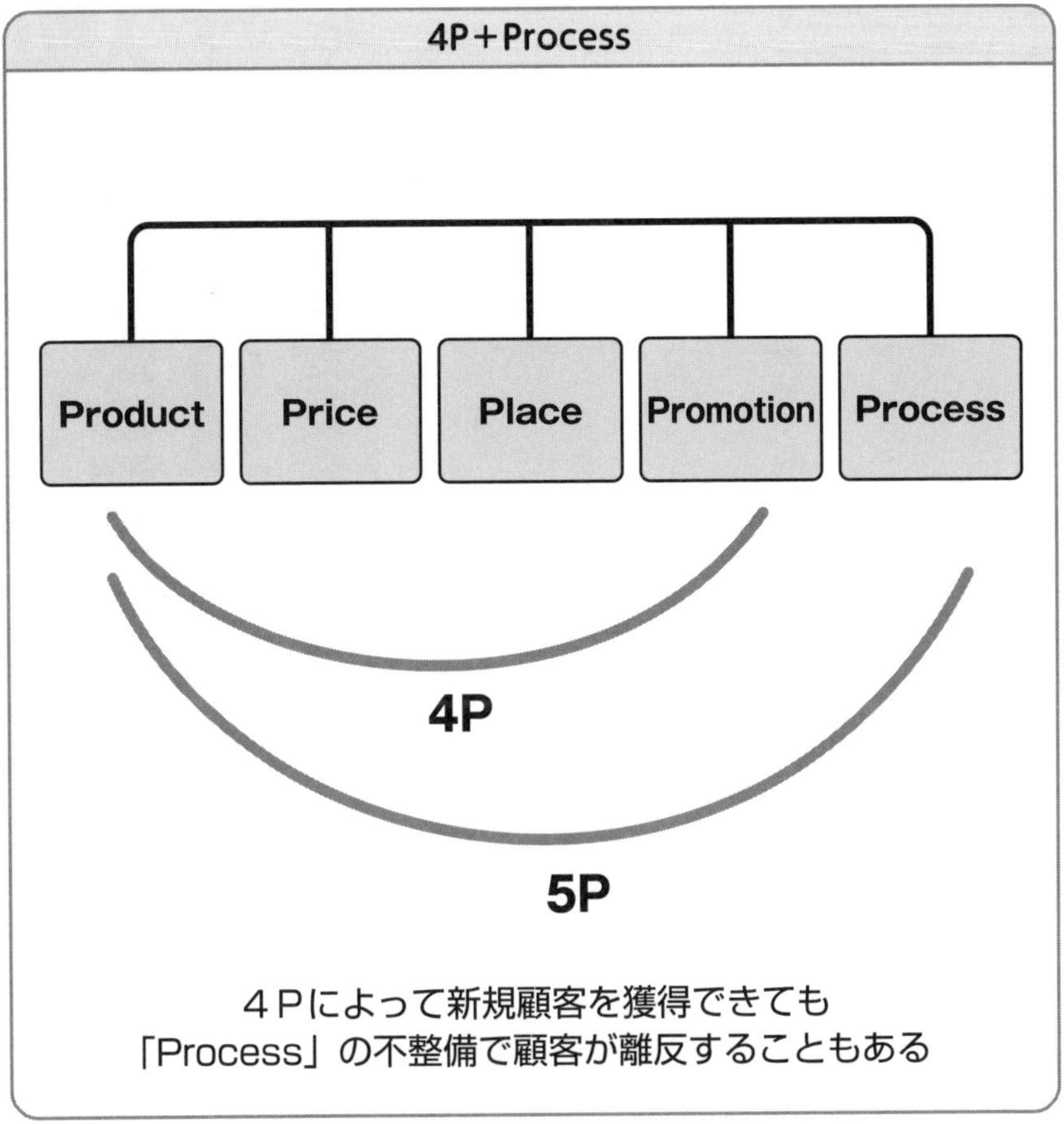

な商品名を付けているのも、業務プロセスの設計がなされていない証拠だと言える。

▼４ＰをスポイルするProcess

店の朝食セット（Product）はおいしかった。価格（Price）も良心的であった。店舗立地（Place）もよく、店頭に目を引く朝食セットのポスター（Promotion）があり、思わず店に入ってしまった。４Ｐが整合している。

４Ｐの整合性で新規顧客は獲得できているが、もうひとつのＰ＝Processの不整備で良好な経験が得られず顧客は離反する。事実、もうあの店に行こうとは思わない。間違ったメニューを持ってきた店員との気まずいやり取りを思い出してしまうからだ。

顧客を長期的に囲い込み、顧客価値を高めていこうとするならば、従来の４Ｐにさらにひとつ加えた５つ目のＰが欠かせない。

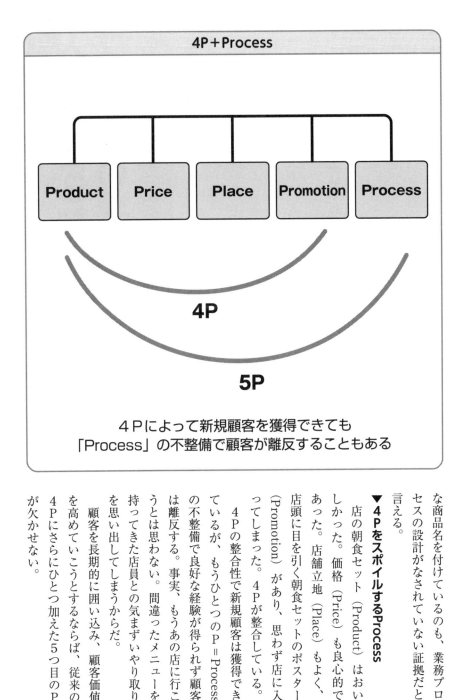

section 102

人(People)なきプロセスの弊害

何よりもきちんと顧客を見ることが欠かせない

最適なプロセスを設計したら、実行するのは人＝People（商品・サービスの提供に関わる担当者）だ。５つ目のP、つまり顧客満足を高める練られたプロセスは、６つ目のPであるPeople（担当者）が顧客接点で確実に実行することで完成する。

▼4Pはあと2つのPで完成する

エドモンド・ジェローム・マッカーシーが１９６０年に提唱した４Pは「モノ中心」である。一方、今日のマーケティングは顧客視点を重視し、顧客体験（Customer Experience）の最適化を考えるため、誰が、どのような手順でモノ・サービスを提供するのかという、あと２つのPが必然的に重要になってくる。多くのモノがコモディティ化し、際立った差別化要素が見当たらない中、顧客は一層、経験（Experience）までを商品の価値と捉え、商品・ブランドを選択するようになった。約55年も前に提唱された４Pでは足りないのである。

▼よいProcessもPeople次第

某ホテルで朝のバイキングを食べたときのこと。和・洋食メニューの中から和食で固め、味噌汁とご飯、焼き魚や煮物、漬け物、小鉢などを選んだ。テーブルの上にはコーヒーポット。料理を取りに行く前に、スタッフが置いていったものだ。料理を半分ほど食べたとき、スタッフが何も言わずにコーヒーをマグカップに注いでくれた。他のテーブルを見ると、同じような状況だ。どうやら、「食事が半分ほどすんで、コーヒーがカップ入っていない客には、スタッフがサーブする」というプロセスが設定されているらしい。「気が利いている」とも思えるこのプロセス。しかし、和食を食べている途中で、まだコーヒーは飲みたくなかった。食事が終わりコーヒーを飲む頃には冷めていた。顧客をよく見て、和食の客にはサービスを控える配慮ができなかったのか。もしくは「コーヒーをお注ぎしましょうか？」とひと声かけることはできなかったのか。

4P＋Process＋People

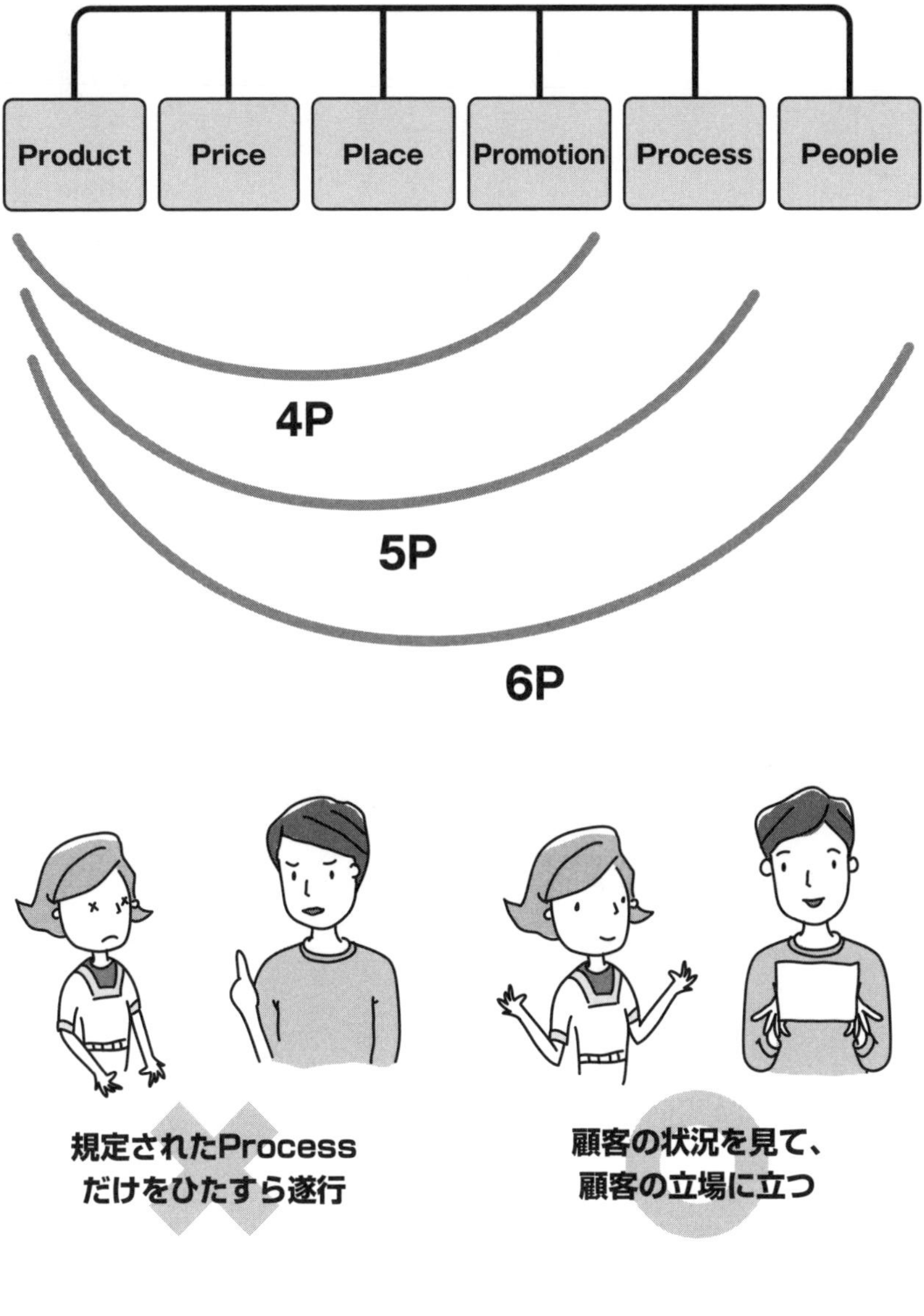

section 103

✓サービス業だけではない7P

4Pに加えて「3つのP」が必要

BtoCにおいてはほぼ必須

100~102項で具体的なマーケティングプランとして4Pを実行するために欠かせない、補完的な「P」を紹介してきたが、サービス業においては「7P」という考え方がある。今日は「モノ売り」から「コト売り」へのシフトを多くの企業が目指している。また、モノにサービスが付帯して販売されていることも多く、販売時点での顧客体験が極めて重要視されることから、サービス業に限らず、BtoCのマーケティングにおいてはほとんどの場合、7Pで適応できると考えられる。

▼マーケティングプラン実行必須要素

左に100~102項の要素に加え、まだ論じていない「Physical Evidence」という要素を加えて全体像を示した。

「Personnel」に関しては100項で述べた通り、円滑なプラン実行のためには抵抗勢力化しそうな人をあらかじめ特定し、説得して押さえる。さらに円滑な推進の後押しをしてくれる人を見つけて根回しをしておくなどの社内マーケティング（Internal marketingと言う）が必須だ。

「Process」は提供手順やノウハウが、具体的にマニュアルやQ&A集、ナレッジデータベースなど可視化された形態で提供者であるPeople全体に共有されていなければならない。

「People」は、「Process」として「しくみ」が用意されているだけで、自律的に能力を高めることを期待しても無理だ。そもそもの資質を見極めて採用し、さらに力を伸ばすための育成を施し、評価プログラムによってモチベーションの維持・向上がなされていることが前提だ。

▼Physical Evidence

コトラーが「サービスマーケティング」のためとして、エドモンド・ジェローム・マッカーシーの4Pに、3つ加えたPは、Process・People・Physical Evidenceだ。

最後のP：Physical Evidenceは「物的証拠」などと直訳されるが、この解

コトラーの4P＋3P

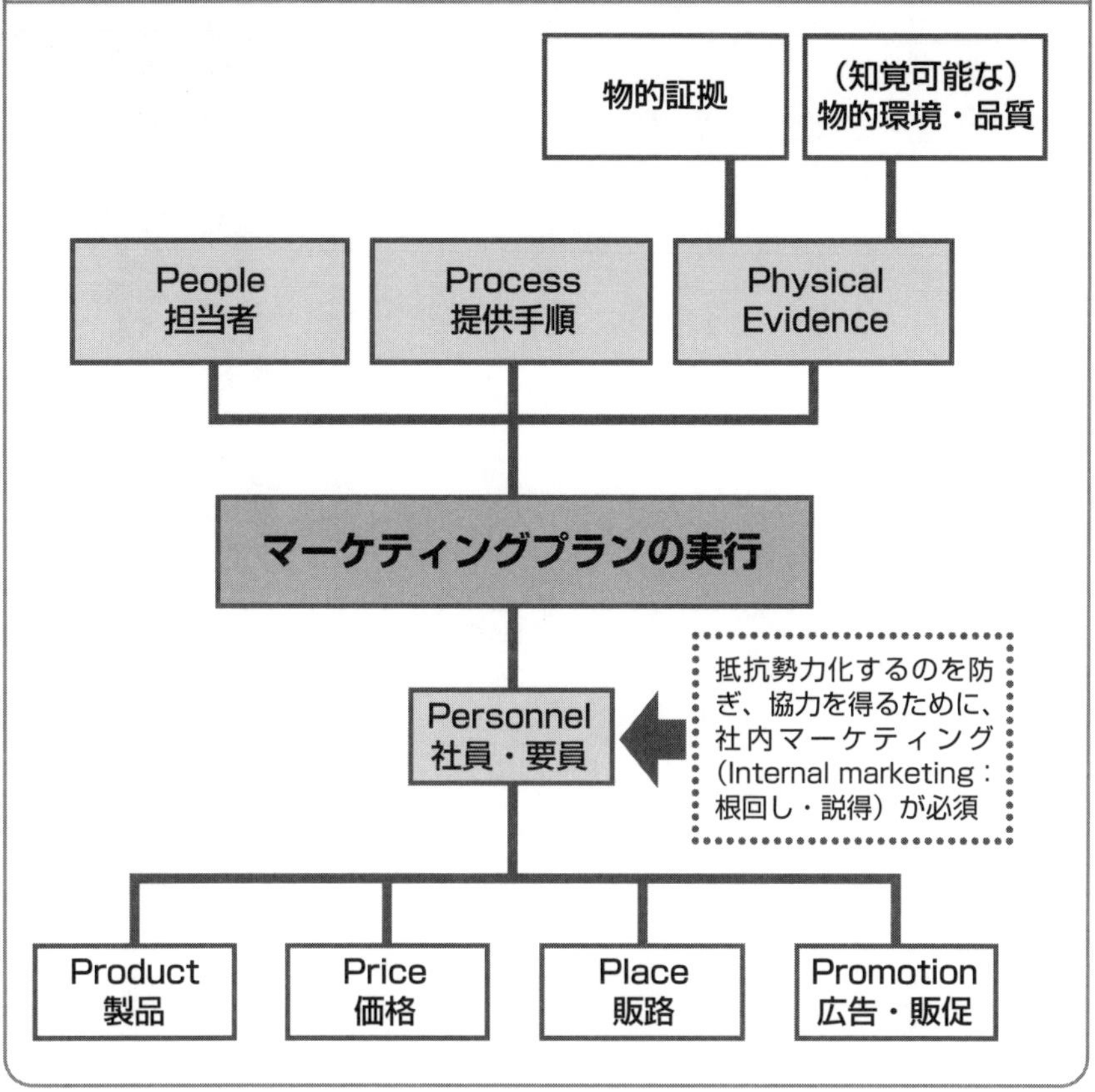

釈はちょっと難しい。「サービス」そのものを目で見て触って確認することはできないので、具体的な証拠が必要となる。コトラーは「保険」を例にして、自らが加入した保険の保障内容や被保険者の氏名が明記された「保険証券」がそれであるとしている。その他クリエイターが過去の作品を提示して提供能力を示したり、通信販売業者が顧客の声を紹介したり、ウェブサイトでユーザーのレビューを表示したりするのもこれにあたるが、これはサービス業だけの例ではない。

美容サロンや飲食店などの店舗ビジネスにおいては、建物・インテリア・設備備品・スタッフのユニフォームなど、視覚やその他の感覚でサービスの品質を補完的に判断させる要素を指す場合もある。この場合は「物的環境」や「提供空間」という言葉に言い換えられることもある。

section 104

✓どうやって人を動かすのか？

人を動かすミッションステートメントを構築する

マーケティングの全体像との整合性が欠かせない

ミッションステートメントとは、「使命を明文化すること」。企業とその構成員である従業員が共有すべき価値観や行動指針・方針を表す。

いくら机上で素晴らしいマーケティングプランを考えても、人が動かなければ実行は不可能である。加えて、マーケティングは顧客視点が最重要であるため、一人ひとりの担当者が顧客との最適な関係性構築を常に意識し、自律的に動くことが求められる。

パナソニックは、松下幸之助が1929年に「綱領」として定めた、「産業人タルノ本分ニ徹シ社会生活ノ改善ト向上ヲ図リ世界文化ノ進展ニ寄与センコトヲ期ス」を企業理念として掲げ、松下電器時代から変わることのない精神的支柱としている。その理念を元に、将来のどの時点で、どのような姿になっているべきかを「企業ビジョン」として明確にする。ビジョンは環境変化に合わせて書き換えられ、事業戦略立案の基本となる。その階層構造が企業戦略の全体像となることは4項で述べた通りだ。

しかし、会社から上意下達的に与えられるだけでは、企業を、マーケティングを動かすための実行性を伴った「プロセス（Process：101項・7Pのひとつ）」にはならない。その証拠に、企業理念を諳んじることはできても、それをどのように実行するか、自ら考えたことのある人は少ないだろう。

▼現場の関与が効果を倍増させる

ホテル「ザ・リッツ・カールトン」の卓越した顧客対応は、ビジョンとミッションを元にした「クレド（信条・理念）」によって支えられていることで有名だ。全従業員が価値観と理念の象徴であり、自ら考えた「クレドカード」を常に身に着けている。つまり、現場を巻き込み、関与させることが重要なのだ。左図は、ここまでのマーケティングのフレームワークを使って、自社の各担当者に自らのミッションステートメントを作成させ、実践させるためのフレームワークである。

ミッションステートメントの裏付けとなるもの（マーケティング要素との関係）

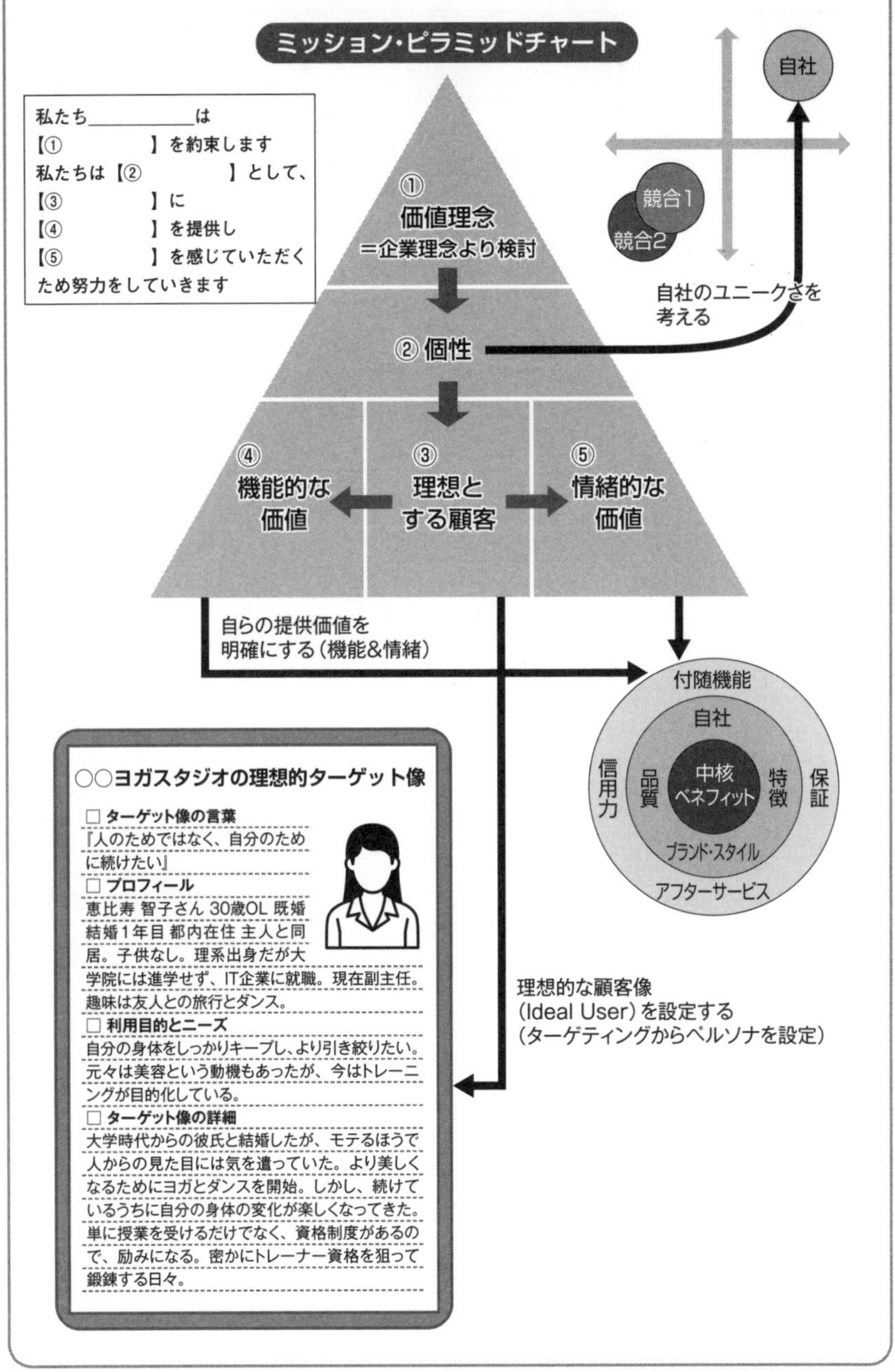

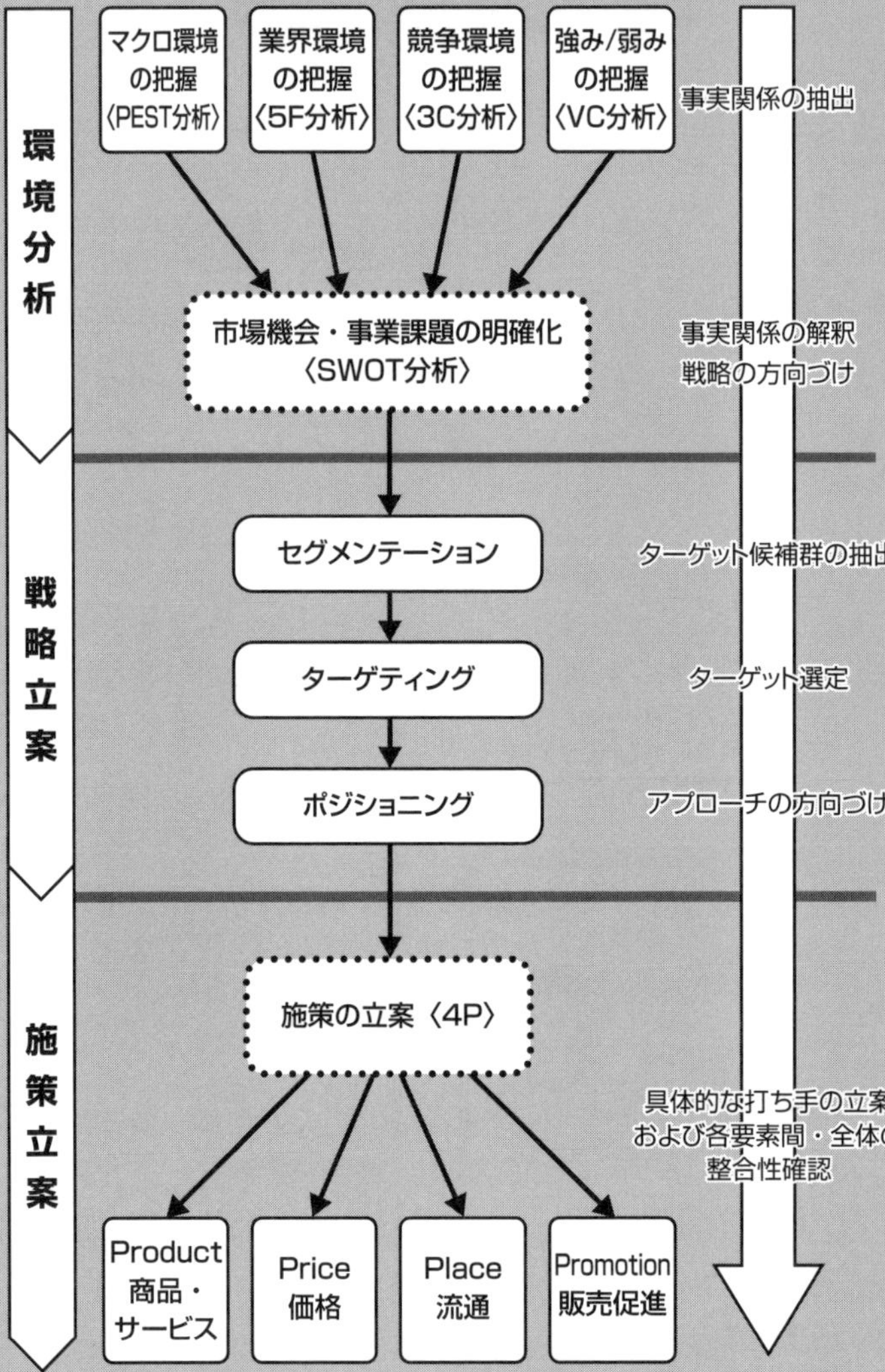

企業向けのマーケティングは、ターゲティングとポジショニングを中心としたいくつかの要素で消費者向けと大きく異なる。

第11章

BtoB（生産財）マーケティング

section

105 BtoBとBtoCのマーケティングの違い
106「顧客の顧客」を考える
107 DMU（Decision Making Unit）の把握
108 ポジショニングの基本——QCD
109 ソリューションへの発達過程
110 ソリューションの実現とDMUの把握の実際
111 リファレンスユーザーとティーチャーカスタマー

✓ＢtoＢマーケティングのポイントは何か？

ＢtoＢとＢtoＣのマーケティングの違い

顧客企業の経済合理性を理解する

ここまで主にＢtoＣ（Business to Consumer）と言われる、一般消費者を対象とした商品・サービスについてのマーケティングについて述べてきた。本章ではＢtoＢ（Business to Business）と言われる、法人顧客向けのマーケティングについて整理したい。

マーケティングの基本は共通であるが、いくつかのポイントで大きな違いがあり、そこがプラン設計や実行における要点となる。

▼ＢtoＣとＢtoＢの購買動機の違い

両者の違いを知るために、まず購買動機に注目してみよう。

ＢtoＣの場合、購入者自身が満足したり、何らかの便益を得ることを目的として、モノやサービスを購入する。その購買行動は、あるときは衝動的に、もしくは日々の暮らしの中で習慣的に行われることが多い。

対してＢtoＢの場合は、その商品・サービスによって、収益の向上や生産性の向上、経費削減効果があるなど、企業の利益を目的として購入される。購買担当者は取引内容が自身の業務評価に関わる場合もあるため、真剣であり、計画的かつ合理的な判断の下に購買が決定される。

▼対象顧客、購買プロセスも異なる

対象顧客の数も大きく異なる。ＢtoＣの場合も顧客が離反するようなことは避けるべきであるが、応対ミスで顧客がＳＮＳ上に怒りをぶちまけて炎上するなどという事態にならなければ、概してＢtoＣは顧客数が多く、一顧客の離反による全社の売上・利益に占めるダメージが致命傷になることは少ない。対象となる顧客は市場に他にもいるからだ。しかし、ＢtoＢの法人顧客は業種にもよるが、数が限られているため、顧客一社の喪失が企業の命取りにもなりかねない。

購買プロセスは、ＢtoＣの場合、購買関与者は本人か、その本人と親しい少数の人間に限られる。そのため購買決定のプロセスは本人の意志次第だったり、夫婦の話し合いや家族会議だっ

B to C（消費財）とB to B（生産財）の違い

	消費財	生産財
購買目的	個人の満足	企業の利益
購買意思決定	衝動的・慣習的	計画的・合理的
購入者	不特定多数	特定少数
購買関与者	少数	多数
購買プロセス	単純	複雑
意思決定期間	短時間	長時間

たりと単純だ。

BtoBの場合は、購買に至るまで多くの人が関与し、企業内の複数部門にまたがって存在することも少なくない。そのため稟議や部門間の調整など複雑なプロセスを経ることになって、意思決定に時間を要することも特徴的である。

▼経済合理性が命

上記の通り、BtoBにはBtoCと比べて複雑な点が多く、BtoBの未経験者にはハードルが高く感じられる。また同じBtoBでも、業界が異なると様々な特異性が加わり、より理解が難しくなる場合もある。しかし、上図を俯瞰してみれば、購買はすべて企業の経済合理性に基づいていることがわかるだろう。それ故、重要なポイントさえ押さえれば、ある意味、BtoCより単純だとも言える。

section 106

BtoBの基本となる視点は?

「顧客の顧客」を考える

5Cの視点＋顧客の5F&PEST

BtoBとBtoCの違いを挙げるなら、そのひとつが「視点」の持ち方だろう。視点を拡大することが必要だ。

▼PESTは顧客企業の視点でも考える

PESTは世の中全体・マクロ環境を分析するので、その対象範囲は変わらない。だが分析・解釈は15項で述べたように、自社に影響を及ぼす要素をPESTの切り口から抽出し、その＋－の影響を考えることだった。つまり、自社と顧客企業では異なる視点で情報の抽出を行う必要がある。

顧客企業のビジネスを理解するには、その業界の構造や登場するプレイヤー、力関係などを明らかにし、どんな課題を持って顧客企業は戦っているのかを把握する。17項の5F分析の説明で「新規参入↓業界内↑代替品」の縦のラインから「業界の動き」がわかると述べたが、特に新規参入は顧客企業の競合候補であり、代替品は実質的にすでに競合だ。

▼3Cではなく5Cで考える

BtoBで最も有用で必須のフレームワークは「5C」である。顧客企業を巡って自社は競合と戦っているが、顧客企業の先には「顧客の顧客」がいる。顧客企業のビジネス内容で、それは消費者の場合もあれば企業の場合もある。企業の場合でも、その企業自身が最終ユーザーとなる場合もあれば、その企業が製造する製品の一部となる場合もある。どの形態にしろ、顧客企業はその先の顧客に選んでもらう＝KBFを充足させるために自社の強みを活かしたSTP・4Pを考えているのだ。さらに、顧客企業にも競合（代替品も含む）がいるので、いかにそれより優位に顧客のKBFを充足するためのKSFを実現しようとしているかを考えている。

自社の競合や顧客を見るだけでなくその先まで見て、顧客企業が充足させようとしているKBF、実現しようとしているKSFに貢献できることを考えるのが最も重要な視点なのである。

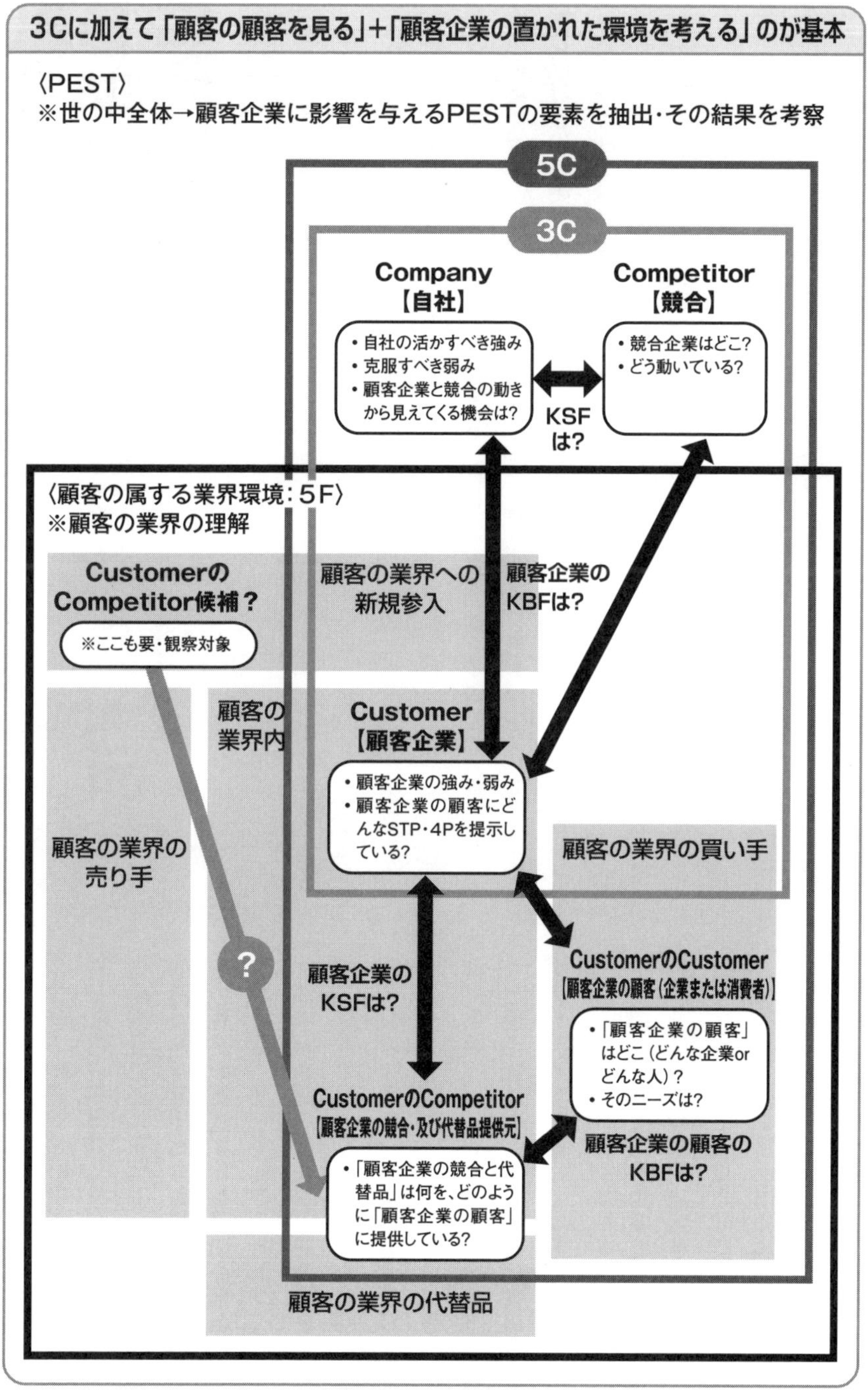
3Cに加えて「顧客の顧客を見る」+「顧客企業の置かれた環境を考える」のが基本
〈PEST〉
※世の中全体→顧客企業に影響を与えるPESTの要素を抽出・その結果を考察
5C
3C
Company
【自社】
・自社の活かすべき強み
・克服すべき弱み
・顧客企業と競合の動きから見えてくる機会は?
KSFは?
Competitor
【競合】
・競合企業はどこ?
・どう動いている?
〈顧客の属する業界環境：５F〉
※顧客の業界の理解
Customerの
Competitor候補？
※ここも要・観察対象
顧客の業界への新規参入
顧客企業のKBFは?
顧客の業界内
Customer
【顧客企業】
・顧客企業の強み・弱み
・顧客企業の顧客にどんなSTP・4Pを提示している?
顧客の業界の売り手
顧客の業界の買い手
?
顧客企業のKSFは?
CustomerのCustomer
【顧客企業の顧客（企業または消費者）】
・「顧客企業の顧客」はどこ（どんな企業orどんな人）?
・そのニーズは?
CustomerのCompetitor
【顧客企業の競合・及び代替品提供元】
・「顧客企業の競合と代替品」は何を、どのように「顧客企業の顧客」に提供している?
顧客企業の顧客のKBFは?
顧客の業界の代替品

section 107

✓BtoBにおけるターゲティングとは?

DMU(Decision Making Unit)の把握

BtoBのターゲットは1人ではない

BtoBとBtoCのもうひとつの大きな違いがターゲティングだ。新規開拓企業を選定する以上に、ターゲット企業の担当者にどんなアプローチをするのかを見極めることが極めて重要だ。

▼DMUという考え方

商品・サービスの購入意思決定に関与する人々のことをDMU（Decision Making Unit = 購買決定単位）と言う。この考え方はBtoBだけのものではない。例えば自動車を購入する場合、最終的な意思決定は世帯主でメインの運転手である主人が下すとしても、配偶者である妻が多くの意見を出し購買の可否・車種選定に影響を与えることも少なくない。腕のいい自動車営業担当者は、その家のパワーバランスを見極め、例えば主人にはクルマの「走りとステータス」を、妻には「燃費と乗り心地」と訴求ポイントを変える。BtoBの場合、DMU構造が複雑なので、訴求を細分化・精緻化する。

▼BtoBはDMU次第

システム会社が営業支援システム（SFA：Sales Force Automation）をITの展示会などに出展して、ある企業の担当者の名刺を獲得したら、それは何らかのDMUとなる。おそらく営業部門の担当者（もしくはある程度の役職者）でユーザーとなる人だ。自部門の営業効率化を図り、現状より売上・利益を上げることが関心事だ。既存の販売プロセスとその結果などをヒアリングしてシステム提案に盛り込み、システムのしくみと導入の効果を示さねばならない。最終的に決裁する人をディシジョンメーカー（意思決定者）と言うが、おそらく営業担当役員などがそれにあたるはずだ。彼の関心事は目先の数字だけでなく、いかに投資対効果が高いかにある。全社的な直接・間接的な費用も勘案した複数年の損益予測なども提示し、導入効果に納得して決断してもらう必要がある。導入に際してはIT部門の協力も欠かせないため、情報システム部門の人間がインフルエンサー（影響者）として絡

DMUの把握

BtoBにおいては組織内の複数のDMUを洗い出すことが肝要
その上で、DMU毎の関心事に刺さるポジショニングを示す

※営業支援システム（SFA）導入の際の事例

タイプ	役職・例	権限・例	関心事・例
ディサイダー	事業部長	購買決定権限	事業全体にいかに貢献するか（利益向上・業務効率向上・経費削減　等）
インフルエンサー	情報システム部担当者	専門知識、及び職務遂行上の見地から意見を出し、購買決定に影響を与える	業務遂行内容との整合性（業務の邪魔にならないことなど）
バイヤー	購買・調達部門	交渉・契約の窓口となって手続きを遂行する	品質・価格・納期（QCD）…の中でも特に導入コストを加えて他社導入実績など
ユーザー	営業部員	商品を業務で使用	使いやすさ（商品の機能及び使用時やトラブルサポート）など

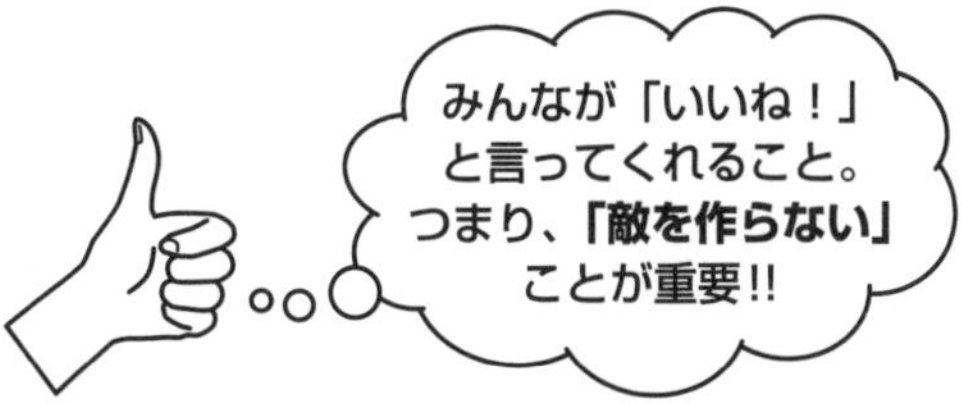
みんなが「いいね！」
と言ってくれること。
つまり、「敵を作らない」
ことが重要!!

んでくる。彼の関心事はスムーズに導入でき、トラブルや社内サポートの増加などで自分の業務が増えずに業務成果が出ることだ。業務負担軽減をメーカーサポート体制などで担保していることを示す。さらに、導入検討が進んで契約が見えてきたら、企業規模が大きいほど調達部門の担当者（バイヤー）が登場する可能性が高くなる。システム単体やランニングまで含めた価格・費用で競合優位な数字を提示する。

ＤＭＵは企業の組織内だけに存在するとは限らない。システムを推奨してくれる、業界に詳しい有識者やコンサルタントが存在するなら、それはエンドーサー（支持者）となり得るので、その記事や論文などを用いるのは基本として、直接本人にコンタクトして協力を依頼し、味方に引き込むことも考えたい。広い視野でＤＭＵを見極めることが必要である。

section 108

✓ＢtoＢにおけるポジショニングの最重要事項は何か?

ポジショニングの基本——ＱＣＤ

品質・価格・納期それぞれをどう設定するか

ＢtoＢにおいては、ポジショニングのときに前提となる考え方が存在する。ＢtoＣのように2軸のポジショニングマップを使う場合もあるが、その前提を下敷きにして考えることになる。

▼ＢtoＢはＱＣＤが最優先

ＢtoＣのポジショニングマップの軸は「ＫＢＦ（Key Buying Factor＝購買決定要因）」で表現したが、企業の購買意思決定は、経済合理性に基づく「ＱＣＤ」というキーワードが前提となる。ＱＣＤとは「Quality（品質）」「Cost（価格）」「Delivery（納期）」。ポジショニングは、まずはその組み合わせで考えるところから始める。

▼日本電産の事例

具体的には左ページの例がわかりやすいだろう。精密小型モーターの開発・製造で世界一のシェアを誇る日本電産株式会社。同社の永守重信代表取締役会長は次のような言葉を自社のスローガンとしている。「確かな技術、値段は高め、しかし納期は半分」。これは1973年に同社が創業した当初から掲げられており、永守会長が自社製品を売り込む際のセールストークでもあったという。モノ作りの会社であれば、自社の技術力をアピールすることは珍しくないだろう。しかし、価格を高いと言い切ってしまっては、下手をすれば購買検討のテーブルに乗ることすらできないかもしれない。しかし、「納期は半分」は強力なアピールポイントだ。製品の開発競争が激しい業界ほど部品開発の時間も短縮したいと考えるため、同社の力を借りたいと考える。17項の「5つの力分析」で考えれば、「買い手の交渉力」を下げているのだ。日本電産にはそれを支える技術力も確かにある。ＨＤＤ（ハードディスクドライブ）用モーターで同社は世界の8割超のシェアを握っているが、実はＨＤＤは記録方式や構造などが時期によって何度も変わっている。しかし、その仕様変更にも確実に対応し、シェアを伸ばしていったのだ。

QCDの実際の例

▼BtoBでもSTPが重要

競合と別のポジショニングを示す企業も重宝がられる。成熟期に入っている製品などで、差別化された機能より低価格化が求められている場合なら、「普通の汎用品（Q）を、極めて安価（C）に、ただし納期は余裕を持たせてもらう（D）」という価格特化型のポジショニングも有効だろう。仕様が安定した、いわゆる「枯れた技術」で作る製品を多数の発注先から同一仕様で大量に受注し、規模の経済を活かしつつ、生産効率が最もよくなるような納品スケジュールを組むことで実現しようというわけだ。

日本電産と上記の例でもわかるように、BtoBでも、このようにターゲット企業のニーズを把握し、対応したポジショニングをQCDで実現する、つまりはSTPが重要であることに変わりはない。

section 109

✓ソリューション①

ソリューションへの発達過程

どこまで企業の本質的なパートナーになれるか?

よくIT系の企業は「ソリューション（課題解決）」という言葉を掲げてクライアントへの提案を行っている。その本来の意味をソリューション営業の進化のステップを元に考えてみたい。

▼アスクルの進化とゴール

アスクルの歴史は、1990年に文具メーカー・プラスの社内で新たな文具流通の仕組みを検討する「ブルースカイ委員会」としてスタートした。1993年にアスクル事業を開始。当時の文具業界の環境は、法人需要が75%を占め、その中でも大企業（文具市場の50%）には大手文具店が外商として入り込み、在庫確認と納品までを行っていた。小規模事業者は一度に大口購買せず、市場も大規模事業所の半分（25%）。数が多く、地理的にも点在しているため、営業効率が低く外商が入っていない。一方、当時はいわゆる街の文房具店の廃業が相次いでおり、小規模事業者は文具の調達先に困っていた。そこにアスクルは目をつけた。購買に困っている小規模企業に「届ける」という役割を担う、つまり問題解決という意味では「ソリューション志向」だ。しかし、製品ラインは文具のみで製品アイテムは当時の親会社である文具製造会社・プラスの製品のみであったため、左図の分類ではまだ1段階だと言える。しかし、顧客からは製品ラインとアイテムの拡張の要望が強かった。それに応じて1994年には他社製品を加え、製品アイテムを広げた。また製品ラインは「オフィスに必要なモノやサービスすべてに拡張し、One Stop Shopping の利便性の提供」を実現した。この段階を左図に当てはめてみると、他社製品の文具カテゴリーや、文具以外のラインの製品までオフィスで必要なモノをパッケージ化して届けるという第2段階まで進化したことがわかる。

その後のアスクルの成長は、ネット環境の進化と大企業の組織形態の変化によるところが大きい。ネットにより、小規模企業に加えて個人客まで取

ソリューションに向けたビジネスの進化：アスクルの例

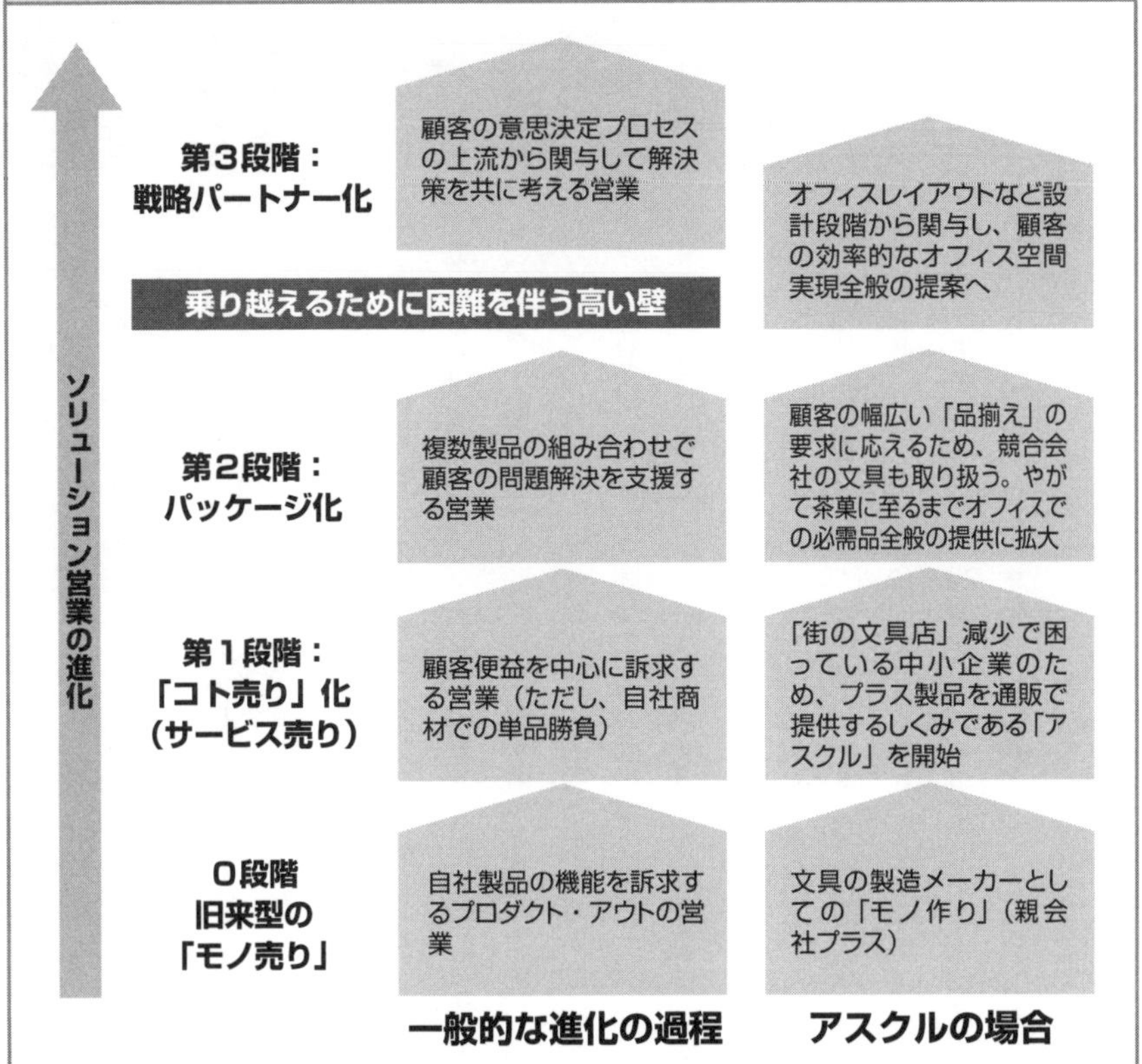
ソリューション営業の進化
第３段階：
戦略パートナー化
顧客の意思決定プロセスの上流から関与して解決策を共に考える営業
オフィスレイアウトなど設計段階から関与し、顧客の効率的なオフィス空間実現全般の提案へ
乗り越えるために困難を伴う高い壁
第２段階：
パッケージ化
複数製品の組み合わせで顧客の問題解決を支援する営業
顧客の幅広い「品揃え」の要求に応えるため、競合会社の文具も取り扱う。やがて茶菓に至るまでオフィスでの必需品全般の提供に拡大
第１段階：
「コト売り」化
（サービス売り）
顧客便益を中心に訴求する営業（ただし、自社商材での単品勝負）
「街の文具店」減少で困っている中小企業のため、プラス製品を通販で提供するしくみである「アスクル」を開始
０段階
旧来型の
「モノ売り」
自社製品の機能を訴求するプロダクト・アウトの営業
文具の製造メーカーとしての「モノ作り」（親会社プラス）
一般的な進化の過程
アスクルの場合

※『法人営業 利益の法則』山口英彦、グロービス著（ダイヤモンド社）を元に加筆修正

り込んだ。ターゲットではなかった大企業も「部門採算性」などが進み、社内小規模発注が発生し、対象となった。また、商品サービスの提供範囲はオフィス空間全般に及んでいる。

▼ソリューション営業の条件

企業の「戦略パートナー」を目指す場合、上図のように壁が存在する。「顧客の課題解決策を共に考える営業」としては、まずは顧客が抱えた課題を十分に分析する、もしくは、課題そのものを顧客のビジネスの中から抽出する必要がある。その時間と手間、それを実行するノウハウの蓄積と人の育成などのコストがかかるため、提供価値は高くなる。高くても購入してもらえる成果の裏付けと関係構築が欠かせない。

section 110

ソリューションの実現とDMUの把握の実際

顧客自身も気付いていない課題まで発見する

ソリューション営業成功の事例としては製造業のセンサの開発・販売の「キーエンス」が挙げられるだろう。同社の業績を表すグラフを見ると驚くはずだ。通常はその企業の売上と利益が棒グラフと折れ線グラフで描かれ、各々の目盛りが両サイドにある。ところが、キーエンスの目盛りは１本だけ。何と、売上の半分が利益。超高収益なのだ。それを支えているのが、徹底したソリューション営業である。

▼キーエンスの提案活動

キーエンスの営業先は工場。それもラインの中まで入れてもらえるような関係を構築する。そこで工場の人間も気付かないような問題点を指摘し、問題発生の原因を突き止めて、その解決ができるセンサを提案する。しかも、そのセンサのサンプル納品は最短で翌日だ。課題発見・解決という極めて高いソリューションの提供を高サイクルで回す。その代わり、コスト（価格）は汎用品と比べて桁がひとつ違う。

▼ＱＣＤの実現

１０８項のＱＣＤで考えると、「最高の品質（Ｑ）を、桁がひとつ違う価格（Ｃ）で、極めて短納期（Ｄ）で提供」というＱＣＤの組み合わせで自社の独自性をポジショニングしている。

▼桁ひとつ違う価格が通るわけ

同社の超高収益にもつながる部分だが、左図の通り、営業のアプローチ先は工場だ。完成品のコストに関わるのなら、通常、調達やマーケティングが口を出してくる。しかし工場の責任者は独自の予算を持っており、工場及び工場長の関心事にマッチした提案であれば、決済範囲を越えなければ、厳しい価格交渉にならないのは想像に難くない。これには１０７項で述べたＤＭＵの適切な把握が欠かせない。

▼「顧客の顧客の声」も提供する

キーエンスはその工場の製品納入先にもヒアリングに行き、改善要望なども聞き出し、情報提供すると言う。１０６項の「顧客の顧客」の声は無視しがたく、より発注は確実性を増す。

一般的な工場のコスト構造とキーエンスの狙い

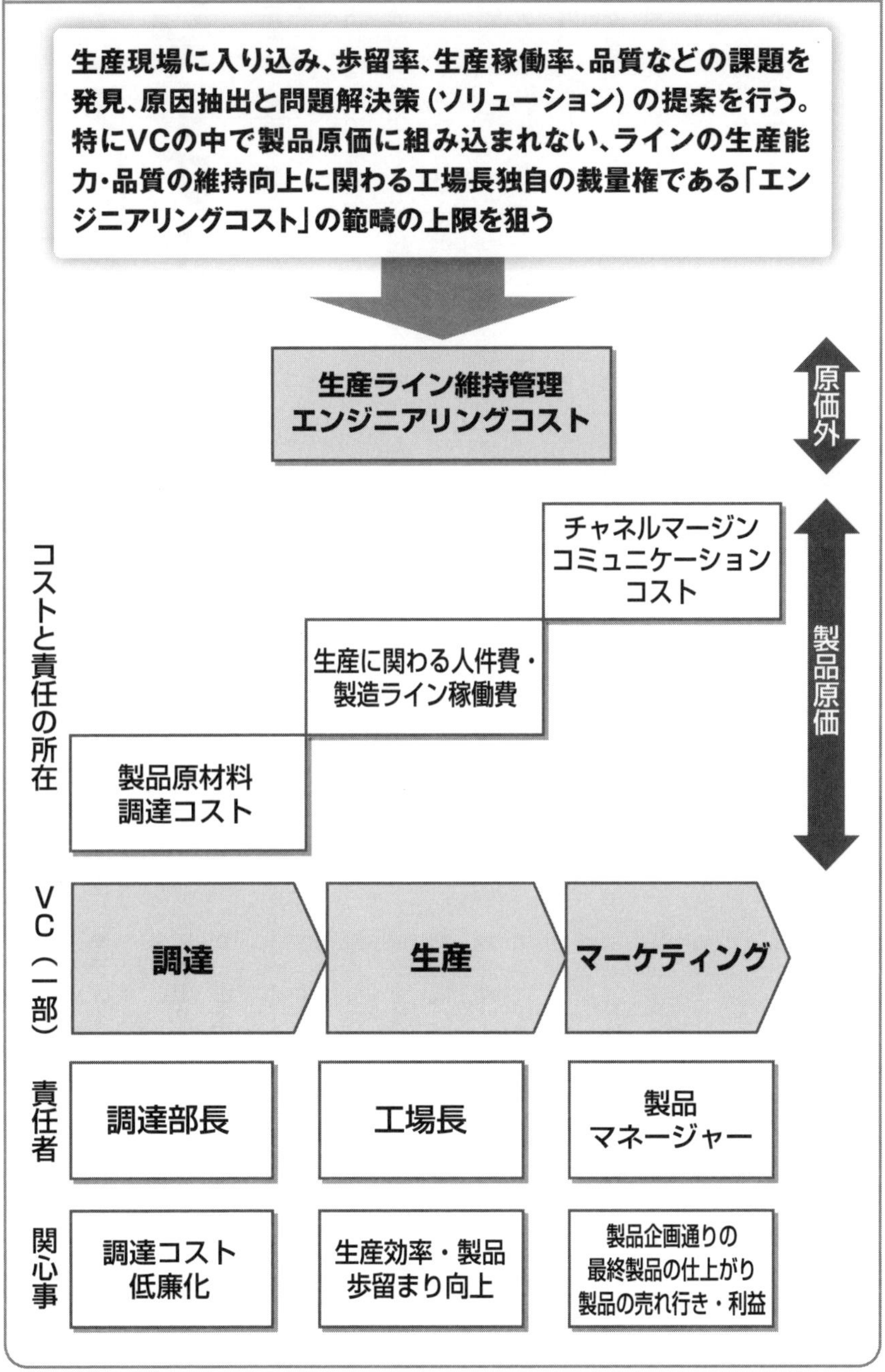
生産現場に入り込み、歩留率、生産稼働率、品質などの課題を発見、原因抽出と問題解決策（ソリューション）の提案を行う。特にVCの中で製品原価に組み込まれない、ラインの生産能力・品質の維持向上に関わる工場長独自の裁量権である「エンジニアリングコスト」の範疇の上限を狙う
生産ライン維持管理
エンジニアリングコスト
原価外
チャネルマージン
コミュニケーション
コスト
生産に関わる人件費・
製造ライン稼働費
製品原材料
調達コスト
製品原価
コストと責任の所在
VC（一部）
調達
生産
マーケティング
責任者
調達部長
工場長
製品
マネージャー
関心事
調達コスト
低廉化
生産効率・製品
歩留まり向上
製品企画通りの
最終製品の仕上がり
製品の売れ行き・利益

section 111 リファレンスユーザーとティーチャーカスタマー

✓最適な製品開発と販売方法とは？

BtoBでは「顧客を選ぶ」ことも重要

ＢtoＢはＢtoＣと比べると、一般に一回の取引量が大きく、継続的な取引が見込めるという魅力的な部分もある。さらに、ひとつの代表的なクライアントを獲得し、そこで成功すれば、業界内で水平展開して次々とクライアントを獲得することも夢ではない。その実現に欠かせないのが「リファレンスユーザー」「ティーチャーカスタマー」と呼ばれる存在だ。

▼リファレンスユーザーとは

「リファレンスユーザー」とは、代表事例となるようなクライアントのこと。例えば金融業界では、リーダー企業が導入すれば、「右へならえ」でシステムが導入される傾向が強い。医療業界では、先進的なドクターの事例は多くのドクターが参考にする。

いずれの業界でも、「どのような課題に対して、どんなソリューションがうまく機能して成功した」という話は参考にされる。実際には、成功事例を真似しても、必ずそれが再現される保証はないのだが、ビジネスパーソンはとかく事例を求める。なぜなら、成功事例があれば、自身のＤＭＵである上司を説得しやすく、失敗したときにも言い訳がしやすいからだ。

▼ティーチャーカスタマーを捕まえる

「ティーチャーカスタマー」はさらに重要だ。ＩＴ企業が、ある業界向けのソリューションを開発したとする。しかし、業界のことを一から十まで熟知するのは難しい。当然、モレ抜けや使えない部分が出てくる。そうした問題点を承知で導入してくれて、問題点を解消し、ソリューションを磨いてくれるユーザーを「ティーチャーカスタマー」と言う。

半完成品を試験導入してもらう時は、ユーザーから得られる利益は極めて少なく、採算度外視の場合がほとんどである。しかし、そこで得られたノウハウをもとに商品を水平展開できれば、大きな利益が得られる。一方、「ティーチャーカスタマー」はいち早くそのソリューションを手に入れ、運用ノ

「壁」を越えてパートナー化を実現するプロセス（一例）

〈例示：「ユーザー会」という接点を活かした展開〉

「顧客の悩み」を引き出す「売る側」「買う側」の立場を超えた「場」作り	顧客の悩みを引き出す「場」において、より多くの顧客の悩みを引き出し、売る側、及び顧客相互の共感を高める	「顧客の悩み」に対するソリューションを提示する	「顧客利益」と「自社の利益」を両立させたしくみを作り提供する
【ユーザー会発足】 ・メーカー対顧客という枠組みを超えた対等な“場”の構築 ・製品のよりよい“使いこなし”という明確な目標設定 ・メーカー、ユーザー間の互恵的関係の構築 ↓ 顧客ビジネス環境理解	【事例発表会】 ・成功・失敗事例の発表・共有とさらなる検討の実施 ・事例の対外的な公開による新たなメンバーと、その新たな解決策の獲得 ↓ 顧客のKSFの理解（KPIの発見）	【テスト開発】 ・メーカーの社内横断的協力体制の提供（営業から開発まで） ・会員企業の課題のより深いヒアリングによるテストプログラム開発と無償提供～評価 ↓ ソリューション提供のためのナレッジ蓄積（ROI適合点の発見）	【ティーチャーカスタマー化】 ・テスト導入プログラムのさらなる進化と事例化の許諾 ・見込み客のユーザー会への招致と新たなる課題発掘の機会創出 ↓ 自社収益化と新たな顧客発掘のサイクル構築

ウハウまで獲得して先行優位を獲得したいから協力する。他社が完成されたソリューションを導入したとしても、社内の組織に浸透させて運用ノウハウを獲得するまでには時間がかかる。先行逃げ切りで地位を築く目論見だ。

▼ユーザー会というしくみ

ソリューション製品のユーザー会というプラットフォームを使って、リファレンスユーザーとティーチャーカスタマーを発掘し、互恵的に情報交換と主催メーカー企業・参加ユーザー各社のビジネスを好循環させていくしくみの一例を上図に示した。このしくみのポイントは、主催社もユーザーの中に飛び込んで、その一員となって「多対多の協働」を実現することだ。その意味では、コトラーが著書『マーケティング3・0』以降提唱している「協働」はBtoBのほうが実は実現しやすい。

フレームワークの全体像

① ニーズの把握
市場にどのようなニーズ（不・負の字）が存在するのかを考える

② 環境分析
3C分析で「業界の勝ちパターン」と「自社の勝機」を導出しつつ、課題＝市場機会＋問題点を明らかにする

③ セグメンテーション
3C分析のCustomerの「顧客とそのニーズ」を参照しつつ、「同質なニーズ」を持った顧客候補のカタマリ（セグメント）を複数抽出し、各々のカタマリ（セグメント）に該当する属性をつける

④ ターゲティング
抽出されたセグメントを各々「5R」の基準で魅力度判定をして、最も魅力的なセグメントに絞り込み、ターゲットを確定する。ターゲットを確定したら、「ペルソナ」としてターゲット像を詳細化する

⑤ ポジショニング
ターゲットのKBFを抽出して、ターゲットにとっての優先順位を見極め、優先順位の高い順にポジショニングマップの軸を決め、ポジションを検討する

⑥ 製品戦略
ポジショニングで決めたポジション＝訴求価値を参照しつつ、製品に求められる価値を「製品特性分析」で階層的に明らかにし、ターゲットに対する訴求ポイントを明確化する

⑦ 価格戦略
「3Cの視点」＝製品の原価・顧客が払っても構わないと考える価格・競合の価格の3点から考えて価格を決定する

⑧ 流通戦略
製品の価値と売りやすさ・価値の伝えやすさなどから考えて販路の段階（長さ）を決定する

⑨ コミュニケーション戦略
顧客が購買に至るまでのプロセスを想定してアプローチの内容とメディア（手段）を設計する

※全体の設計が終わったら、再度、全体の「整合性」をチェックする

マーケティング実務の心得

1 「基本なくして成功なし」

…基本は大事。フレームをしっかり使う。必要なプロセスをきちんと踏む。その上で、徹底的に「整合性」にこだわる。特に実施段階の４Pは「環境STP～４P」の縦と「４P相互」の横の整合性が重要

2 「自分ならではのアイデア」

…されどマーケティングプロセスをフレームワークを使ってすごろく的に進め、フレームワークを穴埋め問題的に使っていけば答えが出てくるほど世の中甘くはないし、マーケティングは魔法ではない

3 「成し遂げようとする強い意志」=「戻る!」

…さらに、マーケティングプロセスは上から下へ流れるように進むわけではない。何度もの失敗をして、元に戻ってやり直して、少しずつ進む。試行錯誤の過程から学び、経験を蓄積して成功に至る

4 日常生活でもマーケティング視点のクセをつける

マーケティングネタは日常生活の至るところにあふれている。それらを、「おもしろい！」と思えるようになることが、マーケティング力向上の一番の近道である。

5 「動かせるところ」を見つけて動かす

マーケティングは「全体像」で考えることが重要。しかし、現実の業務では、すべての要素が自由にできるとは限らない。特に４Pの段階は､成熟産業・規制業種では動かせないことが多い。その場合、全体の中で、「動かせるところ」を探して、そこを変える。特に４Pの手前の「ターゲット」を見直すと、かなり劇的に変わることもある

は

バタフライチャート……………………………… 204
花形…………………………………………………… 162
パブリシティ ……………………………………… 210
バリューチェーン……………………………66, 74
バリューチェーン分析 ……………………………66
バリュープロポジション …………………………94
バリューライン……………………………182, 184
範囲の経済 …………………………………………88
販売促進…………………………………………… 208
ビジョン………………………………………………22
ＰＲイベント …………………………………… 210
フォロアー ………………………………………90, 94
普及要件…………………………………………… 158
普及論……………………………………………… 152
複雑性……………………………………………… 158
付随機能…………………………146, 148, 155, 181
物流………………………………………………… 192
ブランド…………………… 130, 132, 134, 136, 138
ブランドアイデンティティ …………………… 134
ブランド・エクイティ ……………………132, 136
ブランド・エクイティ・システム ………… 134
ブランドエッセンス…………………………… 134
ブランドステートメント ……………………… 134
ブランドプロミス……………………………… 134
フレームワーク ……………46, 48, 58, 70, 74, 78, 124, 162
プレスリリース………………………………… 210
プレミアム ……………………………………… 209
プレミアム戦略………………………………… 182
プロセス…………………………………… 234, 236
プロダクトエクステンション………………… 160
プロダクトライフサイクル（ＰＬＣ）…………………………………… 152, 154, 160
ベタつけ…………………………………………… 208
ペネトレーション……………………………… 186
ペルソナ…………………………………………… 116
ポーターの戦略の３類型…………………………84
ポートフォリオマネジメント………………… 162
ポジショニング…………………98, 118, 120, 122, 124, 144, 250
ポジショニングマップ ………………………… 120

ま

マーケティング ……………16, 18, 22, 24, 26, 28, 30, 32, 34, 36, 38, 98, 106, 118
マーケティングミックス ……………………… 144
マーケティングリサーチ……………………78, 79
マージンミックス……………………………… 176
マクロ環境 …………………………………58, 89
負け犬……………………………………………… 162
マストバイキャンペーン ……………………… 208
ミクロ環境 …………………………………………58
ミッションステートメント…………………… 240
メディア特性…………………………………… 206
モデルチェンジ………………………………… 147
模倣戦略………………………………………………94
問題児……………………………………………… 162

や

優良顧客化 ……………………………………… 204
４Ｐ ……………………………30, 98, 144, 170, 173, 228, 232, 234, 236, 238

ら

ラガード………………………………153, 154, 161
リーダー……………………………………90, 92, 94
リーチ……………………………………………… 206
リファレンスユーザー ………………………… 256
理論の自縛化………………………………………92
両立性……………………………………………… 158
レイトマジョリティー ……………153, 154, 161
ロスリーダー …………………………………… 176
ロスリーダープライシング…………………… 176
ロングセラー商品…………………………160, 162

固定費……88, 178
コトラーの４類型……90, 92, 94
コミュニケーション戦略……204, 218
コンシューマープロモーション……208
コントロール……196

さ

最適化戦略……94
差別化……28, 92
差別化集中戦略……84, 86
差別化戦略……84, 86, 88, 92
３Ｃ／３Ｃ分析……58, 60, 62, 64, 68, 74, 112, 170
３層／３層分析……146, 148, 154
サンプリング……218
シェア……29, 82, 90, 92, 166, 186
市場……58, 60, 62, 64, 82, 84, 112
市場機会……30, 70
市場深耕……164, 167
事業課題……30, 70
事業戦略……22
事業の共食い化……93
試行可能性……158
資産の負債化……92
自社……58, 112
実体……146, 148, 155, 181
社内マーケティング……232-241
集中戦略……84, 86, 88
需要価値価格……180
需要志向……170, 180
需要創造……90
商流……192
情報流……192
新規顧客獲得……204
新市場……166
新市場開拓……164, 166
新製品……162, 164
新製品開発……164, 166
人的販売……204, 212
衰退期……154, 160
スーパーバリュー戦略……182, 184
スキミング……186
スポット広告……206
スポンサード……211
整合性……144
成熟期……153, 154, 160
成長期……152, 155, 161
製品……146, 154
製品戦略……146
製品特性分析……149, 180
製品特性３層モデル……146
製品特性５層モデル……148
セールス……16
セールスプロモーション……209
セグメンテーション……98, 100, 102, 104, 106, 108
セグメント……99, 100, 103, 105, 106, 108
施策立案……30
潜在……148
全社戦略……22
戦略……20, 22
戦略の３類型……84, 86, 88
戦略立案……30
相対優位性……158, 159
ソリューション（課題解決）……252, 254
損益分岐点……174, 187

た

ターゲット……98, 112, 115, 116, 118, 122, 124, 144, 152, 213
ターゲティング……98, 248
態度変容……214-227
タイム広告……206
多角化……164, 167
知覚価値価格……180
チャネル設計……198, 200
チャネル（の）段階……196, 198
チャネルプロモーション……208
チャレンジャー……90, 92, 94
中核……146, 148, 150, 155, 181
中核価値……146
中価値戦略……182, 184
チェリーピッカー……176
定番商品……160
ティーチャーカスタマー……256
デモンストレーション……208
テレビＣＭ……206
店頭大量陳列……208
同質化……90, 92
導入期……152, 154, 161
ドメイン……56

な

７Ｐ……238
ニーズ……28, 38, 40, 42, 58, 60, 62, 64, 100, 102, 104, 108, 194, 200
ニッチ……94
ニッチャー……90, 94

索　引

欧文

ＡＩＤＡ……216
ＡＩＤＭＡ……204, 206, 212, 216, 217, 218, 220
ＡＩＳＡＳ……220
ＡＭＴＵＬ……218, 219
Customer Value……170, 171
ＤＭＵ……248, 249
ＦＭＯＴ……226
ＫＢＦ（Key Buying Factor）……58, 60, 116, 122, 124, 250
ＫＳＦ（Key Success Factor）……58, 60, 62, 64
ＭＯＴ……225
ＭＴＦ……42
ＰＥＳＴ／ＰＥＳＴ分析……46, 48, 54, 74
ＰＯＰ……192, 208
ＰＰＭ……162, 164
ＱＣＤ……250
ＳＭＯＴ……226
ＳＴＰ……98, 126
ＳＷＯＴ／ＳＷＯＴ分析……70, 72, 74
ＵＬＳＳＡＳ……222
ＶＣ（バリューチェーン）……66, 68, 74
ＶＯＣ……212

あ

アーリーアダプター……152, 161
アーリーマジョリティー……152, 161
アンゾフのマトリックス……164, 166
５つの力……50, 52, 74
イノベーション普及要件……158
イノベーター……152, 161, 186
インサイト……140
インストアプロモーション……208
ウォンツ……38
エコノミー戦略……182, 184
オープンキャンペーン……208
オープン懸賞……209
屋外広告……206

か

価格設定……170, 174, 176, 178, 180, 182
価格戦略……170, 182, 184
価格弾力性……176
拡張アイデンティティ……134
囲い込み……28, 218
価値…18, 42, 98, 99, 118, 146, 150, 173, 184, 200
価値構造……146, 148
価値の交換……192
価値の交換活動……200
金のなる木……162
カバー率……196, 198
環境……46, 70, 74
環境分析……30
観察可能性……159
企業理念……22
期待……148
基本……148
規模の経済……88, 178
キャズム……152
業界……46, 48, 50, 52, 54
業界定義……50
共感……138, 140
競合……58, 60, 62, 64, 112
競争志向……170
競争優位性……89
クープマンの目標値……82
グッドバリュー戦略……182, 185
クローズド懸賞……209
クロスマーチャンダイジング……208
経験効果……88, 178
原価志向……170, 174
コア・アイデンティティ……134
高価値戦略……182, 183, 184
広告……206
交通広告……206
広報……210
５Ｒ……112
５Ｃ……246
５層分析……149
５Ｆ分析……50, 52, 54, 74
顧客……24, 58, 60, 62, 64
顧客維持……204
顧客資産……24
顧客視点……122, 180
顧客接点……236
顧客中心……24
顧客の顧客……246
顧客満足……17, 236
コスト……66, 88, 170
コスト集中戦略……84, 86
コスト・リーダーシップ戦略……84, 86, 88

参考文献

『競争戦略論〈1〉』マイケル・E. ポーター著、竹内弘高翻訳　ダイヤモンド社
『マーケティング原理 第９版』フィリップ・コトラー、ゲイリー・アームストロング著、和田充夫翻訳　ダイヤモンド社
『コトラー＆ケラーのマーケティング・マネジメント 第12版』フィリップ・コトラー、ケビン・L．ケラー著、恩藏直人監修、月谷真紀翻訳　ピアソン・エデュケーション
『コトラーのマーケティング・コンセプト』フィリップ・コトラー著、恩藏直人監訳、大川修二翻訳　東洋経済新報社
『アンゾフ 戦略経営論 新訳』H. イゴール・アンゾフ著、中村元一監訳、田中英之、青木孝一、崔大龍翻訳　中央経済社
『新版 逆転の競争戦略』山田英夫著　生産性出版
『改訂３版 グロービスＭＢＡマーケティング』グロービス経営大学院著　ダイヤモンド社
『法人営業 利益の法則』山口英彦、グロービス　ダイヤモンド社
『マーケティング用語辞典』和田充夫、日本マーケティング協会編　日本経済新聞社
『ブランド・エクイティ戦略』デービッド・A. アーカー著、陶山計介、尾崎久仁博、中田善啓、小林哲翻訳　ダイヤモンド社
『ブランド優位の戦略』デービッド・A. アーカー著、陶山計介、梅本春夫、小林哲、石垣智徳翻訳　ダイヤモンド社
『ブランド・リーダーシップ』デービッド・A. アーカー、エーリッヒ・A.ヨアヒムスターラー著、阿久津聡翻訳　ダイヤモンド社
『戦略的ブランド・マネジメント 第３版』ケビン・L.ケラー著、恩藏直人監訳　東急エージェンシー
『イノベーション普及学入門』エベレット・M.ロジャーズ著、宇野善康監訳　産業能率大学出版部
『イノベーションの普及』エベレット・M.ロジャーズ著、三藤利雄翻訳　翔泳社
『真実の瞬間―SAS（スカンジナビア航空）のサービス戦略はなぜ成功したか』ヤン・カールソン著、提猶二翻訳　ダイヤモンド社

著者略歴

金森　努（かなもり　つとむ）

有限会社金森マーケティング事務所取締役、マーケティングコンサルタント、マーケティング講師

東洋大学法学部経営法学科卒。大学でマーケティングを学び、コールセンターに入社。本当の「顧客の生の声」に触れ、「この人はなぜ、こんなことを聞いてくるんだろう・こんなモノを買うんだろう」と興味を覚え、深くマーケティングに踏み込む。コンサルティング会社・広告会社を経て、2005年に独立。30年以上、マーケティングの“現場”で活動している。

マーケティングコンサルタントとして、BtoB・Cを問わず幅広い業種に対応し、新規事業・新商品開発・販売計画策定・コミュニケーションプラン立案等、新規顧客獲得～顧客囲い込み・優良顧客化の一連のプロセス開発支援を行っている。特定の問題解決のための短期集中プロジェクト型業務と経営層・事業責任者への顧問業務にも対応。

講師として、幅広い業種の企業研修に登壇。コンサルティング経験を元に企業課題に合わせたオリジナルのコンテンツやカリキュラムを提供。マーケティングを「知っている」だけではなく「業務に活かせるようになること」にこだわっている。執筆は、「初めてでもマーケティングが楽しく体系的に学べる本」にこだわり、10数冊刊行。著書に『9のフレームワークで理解するマーケティング超入門』（同文舘出版）、『“いま”をつかむマーケティング』（アニモ出版）、共著書に『「売れない」を「売れる」に変えるマケ女《マーケティング女子》の発想法』（同文舘出版）、『ポーター×コトラー 仕事現場で使えるマーケティングの実践法が2.5時間でわかる本』（TAC出版）などがある。

日本消費者行動研究学会学術会員、青山学院大学経済学部非常勤講師。

Contact：kanamori-kmo@nifty.com

なるほど！　これでわかった

3訂版 図解　よくわかるこれからのマーケティング

2022年 4 月 5 日　初版発行
2023年 5 月20日　2 刷発行

著　者――金 森　努

発行者――中 島 豊 彦

発行所――同文舘出版株式会社

東京都千代田区神田神保町1-41　〒101-0051
電話　営業03（3294）1801 編集03（3294）1802
振替00100-8-42935
http://dobunkan.co.jp

©T. Kanamori　　ISBN978-4-495-58983-7
印刷／製本：萩原印刷　　Printed in Japan 2022